新潮文庫

冤罪

藤沢周平著

新潮社版

2895

目次

冤罪

証拠人

一

鳩酸草の紋を染め抜いた幕で囲った中に、残っているのは佐分利七内と、六十近いかと思われる年寄りの二人だけになった。

昨年秋、羽州十四万石に封じられた酒井宮内大輔が、新規召し抱えの者を募っているという噂は、かなり遠国まで聞こえていた。今朝七内がやってきたときも、幕を張りめぐらし、地面にじかに蓆を敷きならべた控え所の中に、ざっと四十人ほどの人数がいたのである。諸国から集まってきた浪人者だった。

厳重な足拵え、衣服がかぶっている埃のひどさで、たったいま遠国から着いたと見える者もいた。総じて立派な服装をした者はいない。垢じみた着物に、折目も確かでない袴姿が多かったが、衣裳よりは中味だと気負っている顔も幾つか見えた。背負ってきた荷を解き、取り出した羽織の皺を伸ばして着込んだ者がいたが、これは皆にじろじろ見られた。

初めの間、控え所は賑やかだった。大概は主を失って浪々の身分という、共通した境遇である。それが傍に坐った者との距てをすばやく取り去る。姓名、生国を名乗り、身分を明かし、戦場の思い出話、旅の間の見聞、暮らし向きの愚痴などを述べ合ううちに、高い笑い声も幾つか混じった。

しかしそのざわめきは、一人一人別の場所に呼び出され、蓆の上の人数が減って行くに従って、次第に影をひそめて行った。昂揚した気分が一枚はがれると、その下に隠されていた緊張と不安が、むき出しに現われ、人数が減った空間を埋めつくすように思われた。

律儀に羽織を着込んで行った四十ぐらいの浪人が帰ってきた。

「いかがだった？」

少し離れた場所で膝を抱いていた、赭ら顔で髭の濃い男が声をかけた。

「うむ」

羽織を丁寧に畳んだ男は、手を休めずに風呂敷に包み、さらに背負い袋に納めながら言った。

「うまく行かん。わしは勘定方に勤めていた者だが、こちらではそういう役向きの者は求めていないらしい。わしは知行宛行状も所持しておらんしな」

男は最後は気落ちしたように呟くと、律儀に「ではお先にご免こうむる」と挨拶して出て行った。血色の悪い顔をうつむけた男の背には、落胆がへばりついている。男の姿が消えると、誰かが「なかなか厳しいものだな」と言った。自らを励ますような高い声だった。

そう言った男も呼び出されて行き、幕の中には戻って来ないでそのまま帰ったようだった。もちろん男が採用されたかどうかは解らない。

七内は老人を見た。

老人はつくねんと胡坐をかいている。頭から三月の日の光が降りそそいでいる。その光を浴びて、老人は居眠っているように見えた。唱うような大勢の人足の懸け声や、掛矢、金槌の音がしているのは、城内で、普請、作事が行なわれているのだが、老人にはその物音も気にならないらしい。

――まず見込みがないな――

眼の隅でちろりと老人を見てから、七内は思った。小柄ながら骨太な体軀をしているが、老人は髪は白く、顔には点々と老いを示すしみが目立っている。それでも楽隠居という身分ではなくて、仕官を求めてきているわけだ。

そう思うと、七内は居眠っているような老人に、やや憐れみが動くのを感じた。七内は関ヶ原の役で西軍に属した主家が潰れ、以来二十数年浪々の身である。主取りして嫁をもらってと思いながら、ついに人並みの家を持つこともなくこれまできた。

荘内藩で人を召し抱えると聞いたのは、上州高崎で川普請の人足をしていた時だった。冬ざれた碓氷川の底に鍬を捨てて、そのまま越後路を北上してここまで来たのである。

今度が主取りの最後の機会だろう、という気持ちがある。老人に同情する余地はない。にもかかわらず、憐れみが動いたのは、たとえば同病相憐れむといった感じからだった。

「失礼だが」

七内は声をかけた。

「どちらから参られた」

「土地の者でござる」

「ほほう」

七内は体を向けた。

「郷士でござるか」

「いや、以前は最上家に属し、酒田城に勤めており申した。いまは百姓でござる」

「ははあ、最上家の方でござるか」

五十二万石最上藩が、藩の内訌を理由に、領地を没収されたのは昨年の八月である。少年藩主最上義俊は、三河、近江にそれぞれ五千石、あわせて一万石の身分に落とされ、一万石以上の家臣十六名、千石取り以上の上士六十三名、百石以上の家臣八百五十人が、あるいは他家預かりとなり、他は禄を離れて四散した。

「失礼ながらご姓名は？」

「布施でござる。布施清右衛門と申す」

「………」

聞いたことがある名だ、と思った。眉をしかめたとき、不意に古い記憶が甦った。

「一栗殿謀反の折働かれた布施どのか」

「さようでござる」

老人はちらと眼を挙げたが、そう答えただけだった。胡坐の膝に両掌を置いたまま、置物のように俯いている。

七内は唖然とした。

慶長十九年六月一日、当時最上領であった鶴ヶ岡城下で、突如白昼の戦闘が起こった。

その日鶴ヶ岡城代新関因幡守は、居城に酒田城の守将志村九郎兵衛光清、大山城将下治右衛門秀実を招いていた。二人が二ノ丸の西南隅にある新関の屋敷前にさしかかったとき、道をはさんで反対側にある添川城主一栗兵部少輔の屋敷から、甲冑を着た三十名ばかりの兵が飛び出して両将に襲いかかった。指揮したのは勿論兵部である。

下治右衛門は重傷を負いながら、辛うじて大山城に逃げ帰ったが、志村九郎兵衛はその場で討ち取られた。

急報をうけて新関は城から兵を繰り出し、兵部の一隊と激しい戦いになった。兵部は豪勇を知られた人間だったが、布施清右衛門と斬り合い、布施の粘っこい攻撃に手を焼いた。新手の敵をむかえて、手の者を指揮しなければならないのに、布施に斬り立てられていた。

獰猛な矢声とともに反撃した兵部の太刀は、布施の胸先を斬ったが、迎え撃った布施の刃先が兵部の肩口を斬り下げた方が速かった。相撃ちだったが、兵部の方が深傷になった。

よろめいて、兵部は逃れた。自分の屋敷の門までたどりついたとき、後から追い縋った志村の家臣渋谷伝右衛門の刀が背を断ち割った。

事件は最上家の当主家親と、弟の清水義親の確執から起こった。折柄大坂には戦争の噂がしきりで、徳川に深く結びついていた家親と、秀頼に臣従していた義親をめぐって、家臣団の暗闘を惹き起こしたものだった。

兵部の叛乱は、時勢にかかわりあったものであったため、広く流布された。その噂の中で、布施と渋谷の働きが、武門の間に喧伝されたのである。

十一年前のその時の噂は、当時浪々の身で奥州仙台藩の知人の家で食客になっていた七内も耳にしている。

「………」

七内は口を閉じた。憐れまれているのは自分かも知れないと気づいたのである。

「佐分利七内どの」

呼び出し役の若い侍が幕の入口に立って呼んだ。

七内は立ち上がったがよろめいた。足がしびれたのではなく、空腹が軽い眩暈(めまい)をひき起したのである。七内は朝飯を喰っていないが、時刻は未(ひつじ)の刻（午後二時）を過ぎようとしていた。すでに朝から三刻、一杯の水も飲んでいなかった。

二

吟味の場所は、控え所から十間ほど離れたやはり幕囲いの中だった。

鶴ヶ岡城は、建物がない。最上藩時代の鶴ヶ岡城は、晩年の最上義光が隠居所にする積りだったというが、萱葺(かやぶ)きの本丸を囲んで、柴垣もまじった塀(へい)があり、二ノ丸に城臣の家が僅か七軒古びて立っているだけという有様だった。

信州松代から入部してきた酒井宮内大輔忠勝は、城の北側に仮御殿を建てて住む一方、二ノ丸の拡張普請、三ノ丸の普請、旧本丸を取りこわし、新たに本丸を建築するなどに総力をあげていた。家臣は、まだ住む家もないままに町家に寄宿し、人夫と一緒に毎日城郭工事に精出していた。

その間にも忠勝は、新規召し抱えを募っていたわけだが、その日も二ノ丸の一画に設けられた吟味場所の周囲には、槌の音、石を引く大勢の懸け声が響いて、騒々しい。

吟味の場所も蓆敷きだった。

正面に四、五人の武士が胡坐をかき、左手に小机を置いて、書き役が一人控えている。七内を導いた若い侍が、蓆に膝まずいて、

「佐分利七内どのでござる」

と言った。

すると真中の五十半ばに見える武士が、「これへ」と言って、すぐ前の蓆を手で示した。七内は腰をかがめて進むと、蓆の上に膝でにじり上がった。

「年は幾つに相なる?」

「四十歳でござる」

正面の武士は、左右を見て「少々とうが立ってござるかな」と言った。私語とも言えない無遠慮な声だった。

「どこの藩に仕えておられた?」

「されば大谷刑部少輔吉継どのがわが主でござった」

「関ヶ原か」

と武士は言った。幕の上のあたりに眼をそらし、一瞬眼を細めた。

「遠いことだな。次にはどこで禄を喰まれた？」

「以来浪々の身でござる」

答えながら七内は肩身が狭い気がした。われながら、その後二十数年も主取り出来なかったというのが不思議なほどである。だが意識には、そう長い年月という思いはない。関ヶ原で戦ったことが、つい昨日のことのようにも思われる。

「二十年もか？　いや、まて」

吟味役の武士は指を折って数え、数え終ると、

「二十三年に相なる」

と感嘆の声を挙げた。左右に坐っていた二人も、ほほうとか、ふうむとか感嘆詞を洩らした。

三人にしみじみと顔を眺められて、七内はいささかむっとした。

「ところで……」

吟味役の武士が、咳払いして言った。

「何かお持ちか」

知行宛行状なり、高名の覚えなり、売り込むべきものを所持しているかと聞いたのである。

「さればご承知のとおり、主家は関ヶ原以後四散致し申した。知行六十石を頂戴しており申したが宛行状はござらん」

七内は内懐に手を差し込んで、油紙に包んだ書付けを取り出した。二十年以上持ち続けた高

名の覚え書である。したためた時二十二だった。これだけの高名の記録があれば、主取りはそう難かしくあるまい、とその時は考えたのである。

だが美濃紙に、悪筆をなだめなだめして書き上げた書付けは、幾度か取り出されながら、一俵の扶持も生むことなく、むなしく懐に温められてきた。油紙だけが、なめされて光っている。

慎重に、七内は油紙を開き、美濃紙をひろげると、膝でいざり寄って吟味役に渡した。

「高名の覚えでござる。吟味をお願いしたい」

七内はもとの座に戻ると胸を張って言った。そのとたんに腹が鳴ったが、幸いに三人は気づいた様子がない。額を寄せあって、七内が差し出した書付けに眼を走らせている。

「先年せきがはら御ぢんの砌、か」

三人は読み進んだが、やがて吟味役の武士は声を高めた。

「藤堂佐渡守のせいと駆け合い平首二つ。次に羽柴さえ門太夫正則の勢とかけ合い冑首ひとつ打留申候、か」

吟味役は、ちろりと七内を見た。

「この高名立会見候者は、松平下野守御家中島田重太夫存ぜられ候、と」

どうじゃな、と吟味役は左右の二人に言った。同じ五十年輩の男と三十前後の若い武士の二人は漸く顔を挙げた。若い武士の自分を見た表情に、好意的な色が動いたのを七内は感じた。

三人は改めて七内から表情を隠すようにして、小声で相談した。やがて吟味役の武士が咳払いをした。

「立派な高名でござる。本日出色のご仁とお見受けした」

「は」

七内は胸が鳴る思いである。古びた書付けが、初めて何かを生み出そうとしているのを感じた。

「しかしだ」

いかつい顔の吟味役は、もう一度咳払いした。

「何せ、二十数年前。その後も武道鍛錬怠りないものとは思うが」

三人は、またしげしげと七内を眺めた。七内の眼はうろたえて三人の顔の上を走った。古びた袷に、ひだもよじれている袴。髭は昨夜泊めてもらった城下端れの農家で剃ってもらったものの、髪まで結い直してくれとは言い兼ねた。そのことが悔まれた。

いま三人の眼が、まともに鑑定する眼になって自分を見つめているのを感じる。放浪に近い長い浪人暮らしの中で、体は痩せ、ことに四十を過ぎてからは顔にも手足にも皺が出てきた。関ヶ原の役で働いた時の面影はない。

七内は自分を、偽の鑑札を所持して物を売り廻っている商人のように思い始めていた。そういうひけ目を感じさせるものが、三人の眼の中にある。視線には気のせいか微かな疑惑と、かなりの危惧が含まれている気がした。

「体は丈夫か」

「もちろん」

七内は胸を張った。また腹が鳴ったので、七内はあわてて言葉をかぶせた。

「浪々の身なれど、それがし病気知らずでござる。さよう、生来丈夫が取り柄でござる」

「暫時待たれい」

吟味役の武士は膝を起こして言った。

「ちと相談して参る。このものを預かってよろしいかな」

「よろしいように」

七内は微笑して言った。売り物がいま、値を付けられようとしている。少しでも印象さわやかにしておく必要があった。

吟味役が立って幕を出て行くと、後に残った五十年輩の武士が膝を乗り出した。

「治部少輔どの反乱の節は、それがしも先代崇慶公に従って西に参り申した。中山道を進んだがために、上田でえらい苦労した」

「さようでござるか」

「お上は武勇の士がお好みでな。貴公は脈がござるぞ」

七内は黙って微笑した。またむくりと胸が騒ぎはじめたが、ここで油断してはならないのだ。何しろ二十三年扶持なしの実績を曳きずっている。

あわただしく、さっきの吟味役が戻ってきた。

「待たせた」

坐ると、恰幅のいい体を揺するようにして吟味役の武士は言った。

「おおよそうまく運んだが、ひとつひっかかったな」

「………」

七内は眼を光らせた。万事うまく運ぶわけはないのだ。しかし望みを断たれたというものでもないようだ、と思うと空腹を忘れた。手に汗にぎる気持ちである。

「ここがひっかかった。ええーと」

吟味役は美濃紙の覚え書きを、少し眼から離すようにしてたどたどしく読んだ。

「島田重太夫存ぜられ候。おたつね成らるべく候、と。これは貴公の手跡かな？」

「さようでござる」

七内は赤面した。悪筆である。そのために二十数年書き直すこともなく、同じ書付けを大切に持ち歩いてきたのである。

「なに、文字は読めれば結構。それはよろしいが、なにせ二十三年前、関ヶ原といえばもはや昔話になった。そこで昔のことゆえ解るまいと、偽の高名書きを持参した者がさきにおった。調べですぐに相解り、もちろん召し上げられなんだが」

「これは思いもかけぬことを言われる」

「いや、待たっしゃれ。貴公がそうだとは申しておらん。そういうためしがあったという話だ」

「………」

「そこでだ。貴公のこの立派な高名ぶりをだ。島田なにがしに確かめ得れば、先ずお召し抱えという段取りになった」

「それはこちらで確かめられたらよろしかろう。それがし嘘偽りの高名を書き上げて出すほど窮してはおらぬ」

「佐分利氏（うじ）」

吟味役は肱（ひじ）を上げて汗を拭いた。

「島田という者は下野守どのご家中。なにせ遠国じゃ。そこで貴公に今度は願うわけだが、その者から相違ござらんという書付けを一枚もらってきて頂く。そういうわけだが、いかがかな」

「………」

「なにせこの通りで」

吟味役は両手を差し上げて、空を指さすような所作をした。

「われらは城をつくらねばならん。清洲（きよす）まで人をつかわして貴公の書き上げを確かめるということも出来んのでな」

七内は考え込んだ。無礼な申し入れだったが、怒るわけにはいかない。心外な言い方かな、と席を蹴（け）ってしまえば、仕官はそれきりだった。七内は言った。

「承知つかまつった」

「よし。これはお預かりしよう。島田なにがしの書付けを持参して戻られたら、拙者をお訪ね下され。それがし番頭（ばんがしら）を勤める安藤善右衛門と申す」

「しかし清洲に参って、ここまで戻ると、かなりの日数がかかり申す。大事あるまいか」

「ご心配は無用」

安藤はいかつい表情を綻ばせた。

「有為の人物を召し抱えるのは、今回限りではござらん。まだまだ人が要るでの」

「いまひとつうかがいたいが……」

七内は蓆の上で、一膝安藤ににじり寄った。

「まことに無躾ながら、こちらに奉公するとなると、いかほどの扶持を下されるものか、と」

「ごもっとも」

安藤は生真面目な表情で答えた。

「その心配、ごもっとも。さきほど上の者とそのことも相計ったわけだが、先ず高百石ということで落ちついたな」

「百石！」

七内は呻いた。再び眩暈が襲ってきたのに辛うじて耐えた。空き腹にはあまりに強烈な刺戟だった。

三

大手門前の木戸口で、佐分利七内は番士と押し問答をしている。

「そこを何とかお確かめ願いたいのだが」

「困るのう」

番士は露骨に煩(うるさ)げな顔をしている。旅に窶(やつ)れた貧相な浪人者に、城門前でいつまでもまつわりつかれるのも迷惑だが、若い番士には手にあまるような、面倒な用件を、この浪人者は持ち込んできている。

城内に、もと清洲の松平藩に勤めた者がいる筈で、どなたでもよろしいからお引き合わせ願いたい、と七内は粘っているのであった。

武州忍(おし)藩の藩主で、家康の第四子である松平下野守忠吉は、関ヶ原の役が終った慶長五年十月七日四十二万石を加封され、尾州清洲五十二万石に封じられた。しかし薩摩守に任ぜられた翌十二年に病死、後を嗣(つ)ぐ者がいなかったために所領は没収された。幕府はその後に徳川右兵衛督義直を甲府二十五万石から移した。同年の四月二十六日である。

そのおりに、旧清洲藩から新藩の尾張藩に召し抱えられた者が、かなりいる筈だと、七内は言ったのである。

番士は「ちょっと待て」と言って木戸の内に半身を入れた。顔だけこちらに向け、指さして何か言っている。すると中から髭面がひとつ突き出て、眼を細めて七内を覗(のぞ)いた。

明るい日射しに隈(くま)なく照らされた自分の姿は、かなり身すぼらしいものだろうという気がしたが、七内はその視線に耐えた。ここは辛抱のしどころだった。

髭面がうなずいて引っ込むと、若い番士は、

「暫時待て」

と言った。二、三歩歩きかけて振り向くと、

「ここから入ってはならんぞ」

と言った。威張った口の利き方だった。

番士の姿が門内に消えるのを見送ってから、七内は改めて城を眺め渡した。

巨大な城だった。左右に張り出した城壁と門に視界を遮られて、本丸のあたりは見えない。

名古屋城は、慶長十五年二月に工を起こし、九月に完成した。普請には加藤清正、福島正則、黒田長政、細川忠興、池田輝政ら、西国大名二十名が奉仕している。

このとき、たび重なる城普請の幕命に疲労困憊した福島正則が、池田輝政にむかって、

「貴殿は駿府の婿だ。貴殿の口から何とか言ってもらえないものだろうか」

とこぼした。

その席にいた加藤清正が、それを聞いて笑いながら、

「粗忽なことを言うものかな。芸州、普請が難儀だと思うなら、即刻国元に帰って謀叛することだ。それが出来んなら、命令どおり城づくりに精出すしかないな」

と言った。一同その通りだ、と笑って座を立ったという。

慶長五年の関ヶ原の役が終ったあと、家康は外様大名に対して立てつづけに城普請を命じている。慶長九年の江戸城修築がその始まりで、同年七月に彦根城の新築、同じ月に伏見城修築、十一年三月には再度江戸城の拡張普請が行なわれた。

十二年三月には駿府城の造営、同年四月にまた江戸城修築があり、翌年慶長十三年には前年に火災で焼亡した駿府城の再建、十四年九月に丹波篠山(ささやま)城を築城させた。

これらの工事には、すべて東国、西国、さらに伊勢、美濃、飛驒(ひだ)、越前、若狭(わかさ)に散在する外様大名を使役した。

福島正則の愚痴は、再三にわたる城普請で瘦せ細る一方の藩財政を嘆いたものだが、清正はそのような外様藩の財力の疲弊こそ、幕府の狙いなのだ、と言ったわけである。謀叛する気力も財力もない以上、そのいわば無態な仕打ちに耐えて忠節を尽くすしかない、と言った清正の笑いの裏には、正則の子供の駄々に似た憤慨とは違った、事態を見窮めた者の諦観(ていかん)と、満腔(まんこう)の憤懣(ふんまん)がある。

清正はその憤懣を隠し、むしろ積極的に幕命に忠実である者の姿勢を示すために、願って名古屋城の天守閣の土台普請を勤めた。天守閣の作事は小堀遠州が受け持った。

巨大な城壁と門に遮られて、七内からはその天守は見えない。ただ途方もない圧迫感が、胸を押してくるだけである。

——島田重太夫は、この城にはいまい——

そういう気がした。

忍藩主松平忠吉が、加封されて清洲に移ったことは聞いていた。越後を放浪して、百姓仕事のようなことをやっていた時である。名古屋城築城の噂も聞いた。大坂と関東の間が不穏だという噂が、漸く強まりつつあった頃で、七内が江戸にいて奉公先をもとめてうろついていたときである。

合戦があれば、雇い入れてくれる場所もあろうかと思ったあてが、ひとつひとつ外れて、落胆して小さな宿に戻った夜、同宿の浪人者からその話を聞いた。壮大なその城の主が、わずか十一歳の子供だと聞いて、二人で徳川の繁栄を罵り合った記憶がある。浪人者の奢りで、ささやかな酒量に酔っていた。

だが、松平忠吉がその三年前に病没し、居城清洲城は、名古屋築城とともに姿を消したことを、その時聞いていない。以来十三年七内の脳裏には、徳川義直が住む名古屋城と、松平忠吉が支配する清洲城が個別に存在してきた。両城とも、七内は見たことがない。眼にしたことがないために、いかつく燻んだいろをまとった清洲城と、壮大華麗な名古屋城は、鮮やかな対比で、脳裏に生き続けてきたのである。

事情が解ったのは、昨夜泊まった城下の木賃宿の主人に、清洲城の在りかを訪ねた時である。主人は、名古屋城の足もとにきてそういうことを尋ねる人物を、呆れかつ憐れんで、事情を説明した。

一瞬七内は、足もとが際限なく崩れて行く感覚を味わった。目指してきた松平五十二万石と清洲城が、忽然と消え失せた愕きがあった。島田重太夫も、もちろん一緒に消え失せている。次に悔恨がきた。長過ぎた放浪が悔まれた。どこかの藩で召し抱えの噂があれば、北に走り、南に走った。百姓もし、人足もやり、僅かのつてを頼って食客に住み込み、その家の走り使いのようなこともした。その間に世間並みの知識が幾つか脱落したのだ。故意にか偶然にか、荘内藩の吟味役もそのことに触れていない。七内は吟味役にも疑惑を持った。体よく追い払われたかという気もしたのである。

ただ、木賃宿の主人は、清洲に仕えていた武士の何ほどかは、新しい城に勤めているらしい、と言った。

だがいま、宏壮な城壁の前に立っていると、昨夜の主人のその言葉は、単純な慰めに過ぎなかったのではないかという気がしてくるのだった。

七内は腰に下げた布切れをつかみ取り、無精髭に埋まった顔の汗を拭った。

——百石とは、話がうま過ぎた——

とも思った。越後路から上州に入り、江戸を通り東海道を来る間、七内は道普請、川普請などに出合うたびに、そこで人足稼ぎをして路銀を稼いでいる。その間に日が経つ不安はあったが、仕事は辛いとは思わなかった。馴れているし、百石の望みが四肢に力をふるい起たせた。

だがいま高百石は幻のように頼りないものになっている。

城門から人が来る。人影が二人なのをみて、七内は粗末な着物の襟をつくろった。胸が高鳴った。番士の後から来る丈の高い武士が島田重太夫本人に見えたのである。だが近づいて来るのを見つめている間に、七内の顔色は醒めた。番士の後から歩いてくる男は、裃をつけた武士だが、島田重太夫ではない。島田は、関ヶ原の戦場で出会ったとき、七内より年上に見えたが、その武士は七内より若いようだった。いよいよ近づいてきた時はっきり別人だと解った。顔が違っていた。

「このご仁か」

武士は、番士を顧みて言うと、珍しい人間をみるように、七内をじっと見た。その視線で、七内は荘内藩の吟味役の武士たちの眼を思い出した。どこかに好奇心を隠している視線だった。

「それがしは、もと松平藩に仕えていたものだが」

意外に気さくな口調で、その武士は言った。

「何か旧藩について尋ねたいということのように聞いたが」

「それがし佐分利七内と申す者でござる」

七内は丁重に名乗った。

「旧藩の」

七内は武士の言い方を真似た。

「島田重太夫どのと、いささか面識がござって、島田どのに面談致したく訪ねて参ったものでござる」

「ははあ」

武士はしげしげと七内をみた。改めて見直すという感じだった。それから呟いた。

「島田重太夫か。古い話だ」

「島田どのは、当城にお勤めであられるか」

せわしなく七内は訊いた。武士の呟きは、鋭く胸を刺し、不吉な思いがひろがる感じに狼狽したのである。

「重太夫はおらぬ」

と武士は言った。絶望が七内の胸を満たした。弱々しく、七内は武士を見返した。

「死なれたか」

「いや、生きてはいよう」

武士は曖昧な表情で言った。

「ただ長年会っておらんのでな」

「すると、いまどこに？」

「旧藩瓦解のおりに国もとに帰った。以来音沙汰を聞いていないのだ」

「国もとというと、忍でござるな」

「さよう。島田は元来忍領で地侍じゃった。そういうこともあろう」

「すると、また忍藩に勤めてござるかな。そのあたりの消息はご存じあるまいか」

「いや、忍はわが殿、旧藩でござるが、わが殿がこなたへ移された時幕領に相成った。いまもそのままと存じる。恐らく島田は仕官は致しておるまい」

「…………」

「ちと体も痛めておったゆえ、気楽に暮らしておるかも知れん。関ヶ原の合戦の傷が、冬になると痛むと申しておった」

「関ヶ原？」

七内の顔が、一瞬灯がともったように赤らんだ。

「それがし、島田重太夫どのと面識がござると申し上げたが、じつは戦場で会い申した。それもお互いに敵でござった」

「古い話じゃな」

武士は興味なげに呟いた。しかし七内には、そのそっけない呟きは気にならなかった。

「いやご雑作に相なった。失礼仕る(つかまつ)」

「これから……」

武士は初めの珍しい人間をみるような眼で七内を眺めて言った。

「忍へ参るつもりか」

「むろん」

七内は昂然とうなずいた。

「百石がかかっており申す。は、は」

四

その百姓家は、忍城から南に五十町ほどの場所にある村の端れにあった。

村落が一たん切れたそこから、僅かに爪先上(つまさき)がりの道になって、十間ほどの距離の畑の中にある家の前に立って、七内は眉をひそめた。そこが島田重太夫の家だと、村の者は指さしたのだが、それにしては粗末な家だった。

浪人暮らしの中で、幾度か百姓仕事を手伝って餓えをしのいだこともあり、百姓の暮らしぶりについては知識がある。

——水呑み百姓といった格じゃな——

七内はそう判断した。古材を寄せ集めて作ったような家で、羽目板の破れた場所に稲藁をあてがってごまかしてある。軒先からひょろ長い草の葉が垂れて、僅かな風に揺れている。

背戸の方で蒼白い煙が洩れ、ものを煮る匂いが鼻をついてきた。煙は微風に押されて、ゆっくり家の背後の丘の方に靡いている。

「だれ？」

不意に子供の声がした。

板戸の隙間から眼がのぞいている。七内はその眼に力なく笑いかけた。腹が背にくっついている。路銀が底をついたが、島田重太夫を訪ねあてれば、あとは楽だと思い耐えてきた。

「佐分利七内と申す者だ。父上はご在宅か」

七内が言うと、眼はしばらくじっと七内を見つめたが、答えもなくぱたりと戸を閉めてしまった。

——何はともあれ——

これで一段落だと思った。

みるからに粗末な家だが、用があるのは家ではなく、この家の主である。一筆書いてもらえばそれで万事終りである。なおその上に、いま何やら煮ているらしいものを、一椀馳走してもらえばそれほどのことはない。あとは出羽荘内領に引き返して、百石を頂くまでである。

――それにしても島田は気の毒な――

と思った。戦場で言葉をかわした時の、颯爽とした島田重太夫の武者姿が、いまも眼に残っている。それはどう考えても、この傾いたような百姓家に似つかわしくない。

――遅い――

俺を忘れたわけでもあるまい、と七内が軽い不安にとらえられたとき、板戸が開いた。

「どなたさん？」

大柄な女が立っていて言った。背丈は七内ほどは十分ある。だが肥ってはいなくて、伸び伸びと均衡のとれた体つきをしている。顔も手も日焼けして黒い。黒いなりに整った顔立ちの農婦だった。

「七内と申す。佐分利七内と申してな、こちらの島田氏と、ちと面識のある者だが」

「さようですか。亭主のお知り合いですか」

と女は言った。

「亭主？」

聞き咎めたが、七内はすぐに事情を理解した。立っているのは島田重太夫の家内なのだ。

「これはご内儀。亭主どのはご在宅か」

「重太夫は死にました」

あ、と七内は口を開けた。耳ががんと鳴ったような気がした。そういう事態は、七内の予想にはなかったのだ。

「死なれたとな？」

七内は漸く言葉を押し出すように言った。同時に悲痛な思いがこみ上げてきた。高百石が夢のように消えるのを七内は見た。重太夫の書付けがなければ、仕官は無理なのだ。ほかにあの時の七内の手柄を見た証拠人はいない。

すべてが徒労に終ったのを七内は感じた。途中何度も餓えに苦しみながらも、押さえきれなく胸が弾んで清洲にいそいだ道。炎天に焼かれながら、再び東に引き返してきた長い道。それがここで終っていた。すべて徒労だったと、この体格のよい、顔の黒い農婦が告げている。

「どうしましたかえ？」

思わず土の上に膝をついた七内の顔を、女が覗き込んだ。女の後から、五ツぐらいの女の子が、首だけ突き出してやはり七内をのぞいている。七内は頬に涙が滴るのを感じた。

「まあま、そのように」

女は屈みこんで七内の手を取った。

「よほど亭主と昵懇の方と見えますなあ。ともかくも、家の中へお入り下さいませ」

女は七内の涙を誤解したようだった。家の中に導くと、部屋の隅にある重太夫の位牌に燈明をあげ、七内に拝ませた。板壁に刷りの薄い仏像の絵紙を貼りつけ、その前に木箱を据え、一椀の水をそなえたのが仏壇だった。

七内が炉端に戻ると、女は、

「ありがとうございました」

言って頭を下げた。

家の中は、床がなく、蓆敷きの下は歩くと頼りなく凹む。蓆の下には萱のようなものを一面に敷きつめてあるようだった。

「三年前に死にました」

と女は言った。

島田重太夫は慶長十二年、一たんは故郷の忍領に帰ってきた。半年ほどの間、この村にある島田家の菩提寺に寄食してぶらぶらしていたが、ある日「浪人も飽きた。主取りする」と言い残して村を出た。

そして七年後に再び飄然と村に帰ってきたが、人が変わったように見えた。酒を飲み、いさかのことに腹を立て、村の者をひどく殴りつけたりした。荒んだ表情で、一日中寺の中のあてがわれた部屋にごろごろしていた。

重太夫が百姓になると言い出したのは、一年近くもそうして寺の厄介になった後である。住職は村の肝煎と相談して、重太夫が糊口をしのぐに足りる程度の田畑を、村から分け与えた。島田家は、昔このあたりを差配した地侍の家柄で、延徳年間に、成田親泰が忍城を築いたとき、成田氏に召し出されている。遠い昔のことながら、重太夫は主筋の裔である。村人は一応そういう扱いをしたわけである。

ともはそのとき重太夫に嫁入りした。ともは村の長百姓の末娘で、十六の時婢として忍城に奉公に上がった。二年いて、一たんは家に戻ったが、これといった良縁もないために、再び城奉公していたのである。重太夫に嫁入りした時二十四になっていた。重太夫は四十三で、気が向けば鍬をふるって馬のように働いたが、昔の合戦で受けた腿の古傷が痛むと言って、二日も三日もごろごろしていることもあった。しかし二十四という自分の年を考えると不足は言えなかった。翌年女の子が生まれた。

「死なれたのは、その古傷のためか」

「いえ、酒好きで、卒中でした」

「………」

「それに背中に新しい弾傷がありました。気づいたのはこの家にきて、子供を生んだあとですよ。そのようなこともあり、体が弱っておりましたゆえ」

「弾傷？　重太夫どのは、何か言っておられたか」

「元年の大坂の戦で、どこぞの手勢に陣場借りして働いたそうでございます。手柄はひとつもなくて、鉄炮玉をくらっただけだ、と言っておりました」

不運な男だ、と思った。元和元年の徳川の大坂城攻めに、七内は加わっていない。だが重太夫が、そこで一旗挙げようとした気持ちは、容易に想像できた。

しかし俺もまた不運だ、と七内は思った。浪々二十三年、最後に日の目を見るかと思ったが、この始末である。羽州荘内藩の城構えが眼に浮かんでくる。濠に見立てた川を、雪解けのたっぷりした水量が音もなく流れていた。その川の際に石垣が出来つつあった。大手門の作事も進んでいた。広い二ノ丸を人夫が駆け廻り、石を曳く声、掛矢をふるう懸け声がひびき、いきいきとしたざわめきが耳に残っている。

その門を、ある日裃に威儀をつくろって、百石の家臣佐分利七内が潜る筈だったのだ。だがいまは無縁の土地になった。

「お邪魔した」

七内は腰を上げた。とたんに耐えられないほどの空腹感が戻ってきた。その感じに誘われたように腹が、けたたましく鳴った。力ない声で七内は言った。

「失礼仕る」

「あの、これからどちらへ」

ともが顔を挙げて言った。

「とりあえず、さようご城下まで参る」

そう言ったが、恐らくそのあたりに堂祠でも見つけて潜りこむしかないと思った。路銀は鐚銭一枚残さず使い果たしている。鴻巣の先の上谷新田というところで、道ばたで串団子をもとめて腹に入れた。それが最後だった。飢えた腹をなだめながら、また当てのない旅が続くのである。

「お急ぎでございますか」

ともは七内の顔を注意深く見まもる様子で言った。

「いや、格別急ぎはせんが、もはや日も暮れよう」

「日はもう暮れました」

と、ともは言った。気がつくと、支え木で押し上げてある窓蓋からのぞいていた空が、蒼黒く光を消している。ともの顔も、ともの脇にぴったりくっついている子供の顔も、白い仮面のようで、目鼻も確かでない。

「これは、つい長居した」

「泊まっていらっしゃいませ。何もおもてなしは出来ませんが、粟粥(あわがゆ)なら沢山ございますほどに」

七内は赤面した。さっきから騒々しく鳴り続けている腹の音を聞かれたと思った。薄闇が表情を隠してくれているのが幸いである。だが重太夫の内儀が示した好意は、あらゆる遠慮、羞恥(しゅうち)を圧倒して魅力がある。その声は七内の意志を無視して、直接に腹に響いてくる。

辛うじて七内は言った。

「しかし、初めてお訪ねして、さように厄介になったでは相済まん。やはり遠慮しよう」

「腹もお空きでございましょう」

ともは、ただの農婦に返ったように、露骨な言い方をした。

「遠慮はいりませぬ。亭主も昵懇の方が参られて、さぞ喜んでいることでございましょう」

五

——いい眺めだ——

七内は家の前の畑道に出ると、大きく背伸びし、それから四方を見渡してそう思った。見渡す限りの平野の中に、点々と村落が散在し、朝の炊飯の煙りが、低くその周囲に漂っている。その村落の向こう側に、ひときわ丈高い森が見えるのが、忍の水城であろう。

野は北方で不意に山容を刻み、赤城山が聳え、北東に日光の山々が連なる。日の光はその背後から平野になだれ入っていた。

昨夜は、粥を六杯も喰った、と七内は思った。漬け物がうまかった、とも思う。久しぶりに心おきなく喰った気がした。その後、作ってもらった寝床に、倒れ込むように眠った。夢もみずに、朝の目覚めまで快適な眠りだった。

風景が美しい。季節は夏の終りに近づいているが、稲の穂が僅かに色づいているだけで、野はまだ緑だった。日が昇りきれば、また暑くなるだろうが、いまは朝の冷気が、さわやかに肌を刺してくる。

景色が美しいのは、昨夜よく喰い、飽くほど眠ったせいだと思った。長い間、景色に眼をとめるひまもなく、せわしなく走り続けてきたような気もした。

ふと、島田重太夫が、ここで百姓をやる気になった気持ちを理解したように思った。

――晴ればれとした土地柄じゃ。内儀は大きな柄に似つかわしく、ゆったりした人柄のようじゃし――

重太夫を、昨夜は不運だと思った。しかし窮屈な侍勤めと、黒い土だけが相手の百姓暮らしとどちらが恵まれているかは、ひと口に言えるものではない。

「佐分利さま」

戸口でともが呼んでいる。ていという名前だという女の子が、相変わらず母親の袖を握ってくっついている。

「朝餉(あさげ)が出来ました」

「これは、ご雑作に相なる」

夢から醒(さ)めたように、七内は答えた。

朝飯を馳走になって、さて出かけねばならぬ、と思ったのである。どこに行くというあてはまだないが、この家ではただの客人に過ぎない。それも多分にともの誤解に助けられて、というより誤解に便乗して、大量の粥と安らかな眠りを貪(むさぼ)った。ともは七内を重太夫の昵懇の友人だと思っている。

事情を打ち明けて、ここを発つべきだ。家に向かって歩きながら、七内は思った。

朝飯は、稗(ひえ)に玄米を混ぜた飯だった。この家の暮らしぶりをみれば、玄米はよほどのことがなければ使うまい。そう思うと七内は恐縮したが、香ばしい漬け物、味噌汁の味に抗しきれずに、またも五椀の飯を喰ってしまった。

「さて」

朝飯が済むと、七内はともの前にきちんと坐り、長々と食事の美味をたたえ、礼を言ったあと、

「これでお暇仕るが、じつはひとつお詫び申さねばならんことがある」

ともは無言で七内を見つめ、首をかしげた。

「昨夜は何となく、それがし重太夫どののごく昵懇の者のように振る舞い、世話になり申した。しかし、それがし重太夫どのと名乗り合ったのは、ただ一度。それも戦場で、まことに倉卒の間のことでござった」

「……？」

ともは眼を瞠った。美しい眼だと七内は思った。食が足りたためだけではない。昨日の夕方初めてともを見たときに、七内はそのことに気づいている。大柄のわりに顔が小さく、肌は真黒だったが、目鼻立ちは整っていた。中でも黒瞳が大きく澄んでいる。

ごくりと七内は唾をのみ込んだ。

「さよう。ただ一度声をかけ合っただけでござる。然もご亭主どのとは敵味方でござった」

慶長五年九月十五日。関ヶ原の合戦は前夜の大雨の名残りである深い霧の中ではじまった。昨夜の雨を衝いて、大垣から移動して関ヶ原に布陣を終っていた西軍に、東軍が攻撃をしかけたのは卯の刻（午前六時）過ぎであった。

松平忠吉と井伊直政ら三十騎ほどが、正面に陣した西軍の宇喜多軍に向かって攻撃をしかけ

たのが、戦いのきっかけだった。東軍はこのとき、井伊、松平軍団の右に筒井定次、田中吉政、加藤嘉明、長岡忠興、黒田長政の諸隊、左前方に藤堂高虎、京極高知、寺沢広高の諸隊、さらに左前方に福島正則の軍団が位置していた。

松平、井伊の宇喜多軍団攻撃は、いわゆる抜け駆けであったが、これを契機に戦いは一気に激戦に突入した。

福島隊は宇喜多勢に、藤堂、京極の二隊は宇喜多勢の南に陣していた大谷隊に、寺沢広高の手兵二千四百は、宇喜多隊の北、天満山北の小西行長がひきいる六千の軍団に、それぞれ激しい攻撃をしかけた。西軍陣地の最北端笹尾山に陣した石田三成兵六千の軍団には、田中吉政、長岡忠興、加藤嘉明、金森左近、黒田長政、生駒一正の諸隊合計一万九千ほどの人数が斬り込んだ。

福島、松平、井伊の攻撃に、一万七千の宇喜多勢はよく反撃した。秀家は兵を五段に分けたが、明石全登らの先鋒がよく働き、福島勢を四、五町も追い返した。福島勢の先鋒、福島丹後、尾関石見、長尾隼人らが、今度は逆に盛り返し、宇喜多の太鼓の丸の旗、福島の山道の旗が、二度、三度と戦場を押しつ押されつした。

その頃佐分利七内は、大谷吉継の本陣にいた。大谷隊は、本隊の前面に吉継の子、木下頼継、大谷吉勝、さらに戸田重政、平塚為広の四隊を配置していた。この前線部隊は、宇喜多勢が松平、井伊、福島の諸隊と激戦に入ると、藤川を渡って宇喜多勢を援護し、そこに殺到してきた藤堂、京極の兵を迎えて、一歩も退かず戦った。むしろ大谷の諸隊の方が押し気味に戦っている。

　しかし大谷吉継の本隊は、まだ動かなかった。吉継は、右前方の松尾山に布陣している小早川秀秋の兵一万五千の向背を、耳を澄ますようにして見まもっていたのである。大谷隊が陣を松尾山を右斜め前方にみる、深い位置に敷いたのはこのためだった。吉継は再三松尾山に使者を送り、秀秋の進撃をもとめているが、小早川陣が動く気配はない。

　この時刻の戦いの状況は、いささか異常な形になっている。

　東軍は桃配山に陣した家康の本隊と、南宮山下、垂井付近に陣を布く池田輝政、浅野幸長、山内一豊、有馬則頼の諸隊をのぞいて、ほとんど全面的な戦闘に入っている。しかし西軍は、小早川秀秋の軍団、松尾山麓にいる脇坂安治、朽木元綱、小川祐忠、赤座直保の四隊あわせて四千三百。南宮山の毛利秀元の兵一万六千、栗原山の長宗我部盛親の兵七千七百、岡ヶ鼻にいた長束正家、安国寺恵瓊、南宮山の吉川広家の軍団が、西軍諸隊の戦闘を見ながら、動く気配がなかったのである。

　小西軍団と石田軍団の間にはさまれて、島津義弘が率いる千六百名の一隊がいたが、この島津勢の動きも、奇妙といえば言えた。左右の小西、石田両軍団が激戦に入っているのを、島津勢はじっと傍観しているだけだった。のみならず石田方からの助勢の申し入れを断っている。島津勢は、家康が陣をすすめて、本陣にいた本多忠勝が突進してきたとき、初めて獰猛な戦闘に入る。

　つまり東軍が全面的な戦闘に入ったその時期に、西軍で激闘していたのは、石田、島津、小西、宇喜多、大谷の五軍団、兵数三万三千だけだったのである。にもかかわらず、戦況は互角のまま、時刻は午の刻（午前十二時）にかかろうとしていた。

七内が敵ともつかず味方ともつかない大喊声を聞いたのはその頃である。小早川軍が山を降り、先鋒の平岡岩見、稲葉佐渡の両隊が松尾山を駆け降りて突入してきたのである。周囲は一挙に激しい戦闘に突入した。戦いの間に七内は主君大谷吉継が、混戦の間を乗物に乗って、前方に進んで行くのを見た。吉継は異様な姿をしている。甲冑は着ず、小袖の上から白布に群蝶を墨で書いた鎧直垂を着、朱の膝鎧をはき、朱の頬楯をつけているが、その顔は浅葱の絹の袋に包んでいる。吉継は一世に卓越した名将であるが、癩に冒され、家臣にもその顔を見せることはなかった。

主君の姿を見たのはそれが最後だった。一度撃退されていた藤堂、京極、津田長門、織田有楽斎らの東軍が、小早川軍の動きに呼応して一斉に攻め込んできていた。大谷勢は、この大軍に屈することなく、驚くべき粘り強さで反撃していた。むしろ東軍が押され気味だった。だが、その乱軍の中で、早くから関東に内通していた松尾山麓の脇坂、朽木、赤座、小川の諸隊が藤堂陣で振られる旗を合図に、一斉に大谷勢に殺到した。この四隊の裏切りが、西軍の死命を制した形になる。大谷隊は三方から揉み立てられ、戸田武蔵守重政、平塚因幡守為広の二将もついに討死してしまった。

七内は平首二つを取り、本陣に持ち帰る余裕はないので耳を斬り取った。冑を着た敵と遭遇したのは、乱戦の間に本隊を離れ、宇喜多勢と福島勢の戦闘に捲き込まれたと感じた時である。敵は福島の手の者と名乗った。槍を合わせ、激しく駆け違った末に、七内の突き出した槍が肉の手応えを伝えた。痙攣が止むのを待たず、七内は鎧通しを抜くと組み敷いて止めを刺した。

苦心して首を掻き落とし、腰に提げて立ち上がったとき、不意に声がした。

「貴公、どこへ参る」

反射的に七内は槍を構えた。長身の武者が岩の上に槍を杖にして立っている。七内より少し年上の感じで、落ちついた声だった。着ている鎧が血しぶきで染まっているのが、七内を緊張させた。

「おぬしは誰の手の者か。敵か？」

「松平下野守家中、島田重太夫だ」

「俺は大谷刑部殿家来、佐分利七内」

「するとその首を本陣に持参するつもりか」

「むろん、文句があるか」

「刑部殿は討死だ」

と重太夫は言った。

「恐らく大谷勢はもう散り散りだ。戦は終りよ」

「………」

「その首、俺が証拠人になろう。これも何かの縁だろう」

それだけの知り合いだ、と七内は言った。

ともはうなずいたが、怪訝(けげん)そうに首をかしげた。

「それだけの縁で、この家に参られましたか」

七内はあわてて手を振った。

「いや、大事な用がござった」

証拠人の一筆が欲しいために、名古屋に行き、またここまで来たいきさつを話すと、ともは何度も合点した。

「それはお気の毒な」

「止むを得ない。それがしに運がなかったと諦(あきら)めるほかはござらん」

「その書付けがあると、いかほどで召し抱えがございますか」

「百石でござる」

「百石！」

ともは黒目がちの眼をむいた。

六

七内は寝苦しく、起き上がると音を立てないようにして外に出た。とも母子が眠っている奥の方は、しんとして音が無い。

外に出るとぼんやりした仄暗い光に体を包まれた。曇った空のどこかに、月が隠れているらしい。生暖かい風が村の方から吹いてくる。草が微かな音を立て、虫の声がしている。

この家に寝泊まりして、五日経つ。二日目の朝、発つつもりだったのが、ともに引きとめられた。どこへ行くあてもないのなら、少しゆっくりして行け、それに重太夫が死んだことは気の毒だが、何かいい手だてはないものだろうかと、ともは言ったのである。

いい手段などというものがある筈はなかった。荘内藩にもどって、証拠人は病死していた、と率直に届け出てみることも考えた。だが、それで吟味役の安藤という番頭が高名の覚えを信じるかどうかは疑問だった。信じてもらえなければ、それだけの話である。そう思うと長い旅が億劫になる。

いっそ偽の一札を仕立てるか、とまた思った。ともに頼んで、ともの父親か、島田家の菩提寺の住職に重太夫のつもりで一筆書いてもらう。床についてから、その考えが不意に頭に浮かび、眼が冴えてしまったのである。

だがそれも、ともの父親なり住職なりが、よほど善意の人間で、しかも戦場の出来事をそっくり信じてくれなければ難かしい。

——第一ともが信じているかどうかも、危ないものだ——

と七内は思った。

七内の話を聞き終ったともの眼には、半ば信じ、半ば疑うという色があった。二十年前のことだ、それにこの体たらくだ、と七内は自分を顧みる。飢えた犬のようにたどりつき、粟粥を六椀も喰った人間である。戦場高名の士という印象からはほど遠い。

——安藤という吟味役の武士も、要するにそういう懸念を抱いたのだ——

と思わざるを得ない。半ば疑うが故に、証拠人の一筆をもらって来い、などと無理なことを言ったのだろう。慶長末、元和と二度の大坂の合戦ならともかく関ヶ原の戦は昔に過ぎる。俺の記憶の中では、昨日のことのように新しいが、世間からみれば、それは古色蒼然(そうぜん)とした一巻の絵巻物でしかない。

「……?」

七内は振り向いた。

薄闇の中に、何かが動いた気がしたのである。家の角に、ものが隠れたような感じだった。足音を忍ばせて軒下に行き、不意に角を曲がったが、何もいなかった。薪に使う古材木と、束ねた萱が置いてあるのが、ぼんやりと見えるだけである。

「猫か」

七内は呟いて戻った。早く眠らなければならない。明日はともを手伝って、畑を耕さねばならない。ただ居喰いしているのも心苦しく、七内は昨日からともの百姓仕事を手伝っている。

入口の戸を開けようとした時、背後でまたものが動いた感じがした。すばやく振り向いた眼に、薄闇を横切って、下の畑に飛び降りたものの姿が映った。人間だった。

「何者か」

七内は誰何(すいか)したが、闇を横切った人間は、足音もたてず風のように遠い闇に走り去った。無気味なものを見たと七内は思った。泥棒という考えが浮かんだが、この家に物盗りが押し入るほどの金目のものがあろうとも思えない。七内は頭を振って家に入った。

次の日、畑を耕しているときに七内は言った。

「昨夜、奇妙なものを見た」

「何でございますか」

ともは、七内が大まかに耕した後を、さらに鍬の頭で土を砕き、畝をつくっている。馴れた身ごなしで、以前城勤めをした女には見えない。

「人が来て、家を覗いて行った」

いくら考えても、そういう感じだった。

「………」

「泥棒のようでもなかったぞ」

「夜這いの衆でございましょう」

ともは、事もなげに言った。手は休めていない。鍬は規則正しく土を掬い上げ、黒々とした畝が出来て行く。

七内は唖然としてともを眺めた。晴れた空から、暑い日射しが降りそそいでいる。全身が汗だった。七内は袖口で額の汗を拭いた。鍬の柄に顎を預けた恰好で、改めてともの体を眺める。豊かな臀だった。頚から肩になだれる線が柔らかくなまめかしい。

「夜這いが、時々参るか」

腰をのばして、ともは七内を見ると微笑して首を振った。眩しげに笑い、ともは再び鍬を使いはじめた。

「ふむ、なるほど」

呟いて七内も鍬をふるった。重太夫が帰ってきたのが大坂の夏の戦があった年。その翌年にともは嫁に来たというと、今年三十一の後家じゃ。それにこの体つきでは、村の若い者が夜討ちを仕かけるのも無理はない、と納得したのである。

七内は子供の姿を探した。ていは畑の隅にしゃがんで虫か草をいじるのに夢中のようである。その姿を確かめてから七内は大声で言った。

「心配いらぬ。夜這いは、それがしが防いで進ぜる」

ともの笑い声が弾けた。闊達な農婦の笑いだった。

——しかし、そういつまであの家にいるわけにはいかんな——

と七内は思った。

その夜、七内は母子が寝たのを見届けると、こっそり外に出た。軒下に大きな石を持ち込んで、その上に腰かけると夜這いを待った。また来るだろうという確信がある。昨夜はその姿を見たが、考えてみると、その前の夜も、それらしい気配はあったのだ。背戸がしきりにきしむ音で目覚めた。背戸には、七内が削って作り上げた、頑丈な心張棒がかってある。

音はやがて止んだが、七内は猫が来たか、風が吹きつけたかと思っただけで眠ってしまったのである。あれは夜這いに違いない。

——来たら、手捕りにしてくれよう——

と思う。手捕りにして、それから先どうするものかは解らない。ただともの体をねらって来る者がいると思うと腹立たしい。

——立派なものだ——

と七内は思う。七内は夕方とんでもないものを見ている。ともと子供が、背戸口で行水を使っている姿を、偶然に見てしまった。夜食が済んで間もなく、母子の姿が見えなくなった。気になって外に出たとき、子供の笑い声がして、覗いたら二人が盥(たらい)の中に裸でいたのである。

淡い光の中で、一瞬の覗き見であった。あわてて七内は家の中に戻ったが、ともの肌の白さが眼に焼きついていた。真黒な顔をしているのに、ともは胸から腹にかけて、豊かに白い肌を隠し持っていたのである。

いつの間にか七内は眠ったらしい。忍びやかな足音が戸口に向かうのに目覚めた。男が一人戸口に吸いつくように寄って行くのが見えた。南の空に細い月があるが、軒下は暗く、そこに居眠っていた七内には気づかなかったらしい。

——まるで忍びじゃ——

七内は男の身ごなしの軽さに感嘆したが、そっと立ち上がると男の横に忍び寄った。近づくと大きな男である。七内より五寸は高い。

「おぬし」

夜這いかと言おうとした時、男が敏捷(びんしょう)に振り向いた。逃げるかと思ったのに、男は七内に摑(つか)

みかかってきた。組みとめたが、男の重みで七内はよろめいた。男の両手はがっきりと七内の襟首を摑み、体重をかけて締め上げてくる。

息が詰る苦しさの中で、七内は男の帯に手をかけると、思いきって腰を寄せ投げ業を打った。男の体は一回転して地に落ちたが、今度は逃げるかと思った見込みはまた外れて、無言のまま男はまた組みにきた。厚かましい夜這いである。憤然と組みとめて、男の腕を取ろうとした時、不意に七内の体は軽々と持ち上げられ、投げられ、次の瞬間地に投げられていた。

だが同時に男も横転していた。投げられる直前に、七内が足業を使ったからである。二人はほとんど同時に立ち上がっていた。

「さあ、参れ」

七内が手をひろげて言うと、相手はしばらく身構えていたが、突然身をひるがえして下の畑に飛んだ。そのまま男の姿は仄暗い光の中を一匹の獣が走り去るように遠ざかった。

七内はがっくりと地面に膝をついた。息が切れ、口は乾いている。

――衰えた。夜這い退治にこのざまだ――

と思った。悲哀に似た感情がこみ上げてきた。相手は若い男で、体も大きかったが、ただの百姓である。その男に、一度は軽々と投げられたことに、七内はひどく気落ちしていた。

――もはや、仕官は無理じゃ――

そう思ったのは初めてである。長い放浪の間に年を取り、力も衰えたことを認めないわけに行かなかった。

青首ひとつ打留申候。この高名立会見候者は、松平下野守御家中島田重太夫存ぜられ候――。長い間持ち歩き、いまは北国の荘内藩家中の者に預けてある高名の覚えが、いま静かに光を消すのを七内は感じた。

どこにも、目指して行く場所はなかった。だが全くないわけではない、と七内は思い直した。温かく、豊饒なものが、あるいは迎え入れてくれるかも知れない。

よろめいて立ち上がると、七内は着物の埃をはらい、家の中に入った。家の中は闇だった。闇の奥に進んだ。

蹲ると、軽い寝息がやんだ。

「夜這いじゃ」

七内は囁いた。やさしい含み笑いがし、闇の中から伸びた二本の腕が、七内をすばやく抱き取った。

（「小説新潮」昭和四十九年六月号）

唆す

一

神谷武太夫の日常は、はた眼にも退屈に映るほど変化に乏しい。

朝起きて顔を洗うと、武太夫は甲斐甲斐しく襷をかけ、内職用の前垂れをしめて仕事にかかる。襷は内儀の腰紐のお古であり、前掛けは内儀が厚い木綿の生地で縫った。朝飯を喰べると、武太夫は再び襷、前掛けで内職に戻り、没頭する。

仕事は筆作りである。入口脇の三畳は、竹の束、糸でくくった兎の毛、馬の毛などが雑然と散らばり、そのほかに細い鑿、五、六本の形が違う小刀、薄刃の鋸、細工台などが置いてある。神田橘町にある渡海屋という問屋から仕事をもらっているほかに、神田明神下、金沢町の筆屋遠州屋から誂え仕事を頼まれる。細工道具一式は、遠州屋の注文がある時に使うのである。

筆作りのほかに、春には団扇の紙を貼り、冬には楊子を削る。神谷武太夫は裏店住まいの浪人であり、ほかに勤めがあるわけではないから、これが仕事である。内職という言い方は当たらない。事実武太夫は仕事に熱中し、筆作りは結構いそがしい。

家の内の仕事が一段落したあと、内儀の竜乃が仕事に加わることもある。仕事をしている間、夫婦はほとんど言葉をかわさない。黙々と筆作りにはげむ。

七ツ（午後四時）の鐘を聞くと、武太夫は仕事を片寄せて立ち上がる。前掛け、襷をはずし、身じまいを繕うと奥に行く。出てきたときは両刀を腰にたばさんでいる。

武太夫は長身で肩幅が広い。毎朝丹念に髭をあたるから、剃りあとが青々として、威厳のある眼鼻立ちを引き立てる。

「では、行ってまいる」

「行っていらっしゃいませ」

竜乃の声に送られて、武太夫は深川六間堀町の裏店の軒を出る。

その時刻、裏店の井戸のまわりには大概かみさん連中が三、四人いて、お喋りに励んでいる。

武太夫はここで声を掛けられる。

「あら、先生お出かけですか」

「先生、まあちょっと聞いて下さいな。うちの餓鬼が近頃……」

極めつきの低音で、口寡なに武太夫が答えるのを、竜乃は仕事の手を休め、じっと耳を澄まして聞く。

やがて武太夫が解放されて去った気配を聞くと、竜乃はまた仕事に手を戻す。馬の毛をそろえながら、小さく溜息をつく。

武太夫が先生と呼ばれるのは、月に一度を仕事の休みと決めて、その日裏店の鼻たれどもを集め、手習いをさせるからである。汚いなりをし、手足の真黒な子供たちが七、八人、目白押しに六畳の部屋に集まり、武太夫が与えた筆、紙で文字を習う。無償である。

親たちははじめ恐縮したが、やがて鼻たれがどうやら文字らしいものをおぼえはじめたことに感嘆し、感嘆はすみやかに武太夫に対する尊敬に変わった。

何かと相談を持ちかけられることが多くなった。娘が男にだまされた、親爺が博奕に手を出した、亭主が両国の見世物小屋に入りびたり、といった訴えから、昨年の暮れなど熊太夫婦が駈け込んできた後から、血相かえた借金取りが追いかけてきて、武太夫の家の土間まで入り込んだ、などということまであった。

武太夫は、そのひとつひとつに、実直につき合う。喋り方は流暢とは言えない。考え考え、押し出すように話す。もとは北国のさる藩に勤めていたという噂のとおり、重い訛がある。だが博奕に足を突っこみそうになった日傭取りの忠蔵という親爺のために、中川に近い深川古元町にある賭場まで出かけ、親分と掛け合いもした。こういう人柄に加え、仕事熱心である。裏店の評判がいいのは当然だった。

一刻ほど後、武太夫は家に戻ってくる。その頃には裏店の露地は薄暗くなっている。家に入ると、武太夫は行燈の下に坐り込み、手にしたものをひろげて読む。武太夫が手にしているのは、両国広小路で買いもとめてきた一枚刷りのかわら版である。

安房のなにがしの村の孝行娘の話、替え歌、北国の海岸に出た光り物、常州沖にマンボウという珍魚が浮かんだ、などということが書いてある。武太夫は絵入りで書いてあるマンボウの記事をじって見つめる。

内儀の声に促されて夜食を喰べると、武太夫はまた襷、前掛け姿に戻り、さらに一刻ほど筆作りに励む。その間に内儀の竜乃は後を片づけ、少し縫物をした後奥の部屋に寝む。

武太夫が仕事を片づけて寝るのは、大概五ツ半（午後九時）過ぎである。

六間堀町の裏店は寝るのが早い。日傭取りの忠蔵や、木場人足の儀助が、深夜酒に酔って帰ることがあるが、裏店の者がその声を気にかけるなどということもない。

武太夫は竜乃が敷いた布団の中に、ゆっくり躰を横たえる。隣の部屋に、いっとき耳を澄ますが、襖のむこうには寝息も聞こえない。

武太夫は闇の中に眼を開き、さっきみたマンボウという怪魚の摺り絵を、もう一度眼の裏に描き出してみる。あれは以前にも一度みたな、と思う。

不意に眠気が襲い、武太夫は声を立てずに大きな欠伸をすると、夜具に四肢をゆだねて眼を閉じる。

神谷武太夫の一日がこうして終る。

二

「では、行ってまいる」

「行っていらっしゃいませ」

竜乃の声を後に、武太夫は家を出た。

井戸端に、忠蔵の女房と多七の母親がいて、顔をくっつけるようにして話し込んでいる。おはつという忠蔵の女房は、背が低く肥っている。おまけに腹に四人目の子供を孕んでいて、樽のような躰つきをしていた。両袖に子供が二人ぶら下っている。

左官をしている多七の母親は、連れ合いに早く死に別れ、後家である。色の黒い、長身の瘦せた女で、この二人は裏店きってのお喋りだった。

武太夫は、この二人につかまると長いな、と思ったが、おはつはちらと武太夫をみて、

「あら、お出かけですか」

と愛想笑いを送って寄越しただけだった。

おはつはすぐに多七の母親に顔をもどし、手をひっぱる子供を邪険にふり払いながら、伸び上がるようにして多七の母親の耳に何か囁いている。よほど耳よりな噂話を仕込んできたもののようだった。

木戸を出て、武太夫は六間堀にかかる中之橋を渡る。堀の岸に並んでいる柳が、小さく芽を吹いているのが見える。日は暮れかけていて、柔らかい光が、灰色の柳の枝と薄緑の点のような木の芽を包んでいる。

胸がゆるやかに開かれて行くように、武太夫は感じる。通り過ぎる人も、町の中も話したり笑ったり、ざわめいているのが快い。

橋を渡ると右側は町屋、左側は籾蔵の長い塀になっているが、武太夫は八名川町の角を曲がり、六間堀町に突き当たってから、左に武家屋敷の方に曲がる。大日如来の角を出ると、御船蔵に突き当たる。

その通りにも人がせわしなく往来しており、町のざわめきがある。武太夫はゆっくり歩いて

両国橋の方に向かう。

——情の強い女だ。

と思う。竜乃のことである。

七年前の安政六年。武太夫は羽州海坂藩を追放されている。追放されて、とりあえず江戸にきて住みついたのは、藩の江戸屋敷に、むかし三年ほど勤めたことがあったからだ。海坂領をのぞけば、知っている土地は江戸しかなかった。江戸には諸国から人が集まる。混雑し、どこの誰かを詮索することもない。追放された者が住む場所にふさわしかった。

江戸に行くと決めたとき、竜乃を離縁しようとした。

領内から追放されたのは、百姓一揆を煽った疑いをもたれたためである。藩の大目付笹目藤右衛門の訊問に、武太夫は沈黙を守ったが、否定はしなかった。領外追放の処分にも逆らわなかった。

だが、江戸に竜乃をともなって行くことにためらいがあった。百十石の神谷家を潰すことになったが、肉親のいない身分には、家名に対する未練はなかった。

だが、竜乃には両親も、兄弟もいた。追放人に係累は無用である。無用な重荷を置いて出たかった。そう思った武太夫の心に、追放人の屈辱とは別に、身軽なひとり身の境涯への願望が潜んでいたことも否めない。

一揆の煽動人となれば、これは札つきである。諸藩に忌み嫌われる。再仕官の道はまずない、という判断が武太夫にはあった。浪々の境涯が目に見えている。そうでなくとも世間体を気にし口喧しいたちの竜乃が、そういう境涯で、どういう女になるかは容易に想像できた。恐らく夫を叱咤激励して、仕官の道を求めさせようと躍起となるだろう。それも元の百十石取りで勝気な竜乃は満足しないだろう。それ以上の身分を得て、旧藩の者を見返してやる。そう望むだろう。

そして再仕官などということが容易に出来るわけはないから、竜乃は焦燥と失望を日々繰り返して、年を取って行くだろう。これは勘弁してもらいたいという気持ちが、武太夫にはあった。

人は日常の規矩で自分を縛るかわりに、その代償として平穏な暮らしを保証されている。だが、一度保証された平安を捨てる気にさえなれば己れを縛っていたものを捨てることに何のためらいも持たないどころか、かなり徹底した裸になることも厭わないものなのだ。

ただの素浪人に、竜乃のような女は厄介な存在でこそあれ、好ましい同伴者ではなかった。だが竜乃は離別を受け入れなかった。たって離縁するというなら自害すると脅した。やむを得ず江戸にともなった。だが武太夫の予想ははずれた。竜乃は仕官を催促することもなかったし、裏店住まいに不満をとなえることもしなかったのである。

ただ次第に無口になった。近頃は止むを得ない用のあるとき以外は口を利かないと決めているようだった。竜乃は細面で、眼が細く鼻の形もよい。口が少し大きめだが、武太夫と六ツ違いの三十二という体は、年相応の稔りを示し、醜くはない。だが国元にいた時は、日頃こまごまと文句を言い、活発に動いた口が、むっつりと引き締められ、視線をかわすのもなるべく避けようとしているのをみると、武太夫は時折りうっとうしい気分になる。あれは十八のときに嫁にきた、とひょいと思うことがある。可憐な嫁だった。だが十四年経ち、子供がいないために竜乃はどこか意固地な女になったと思う。

たまに妻を抱いても、石を抱くように味気なかった。いつとはなく、夜は別々の床に寝るようになった。ひとつ屋根の下に暮らしていて、一日の間にかわす言葉は数語に過ぎない。

――要するに。

竜乃は、百十石の神谷家を潰し、その家の嫁の座から、裏店の浪人の境涯に自分を落とした男を許すことが出来ないのだ、と思う。そういう自分を武太夫の眼の前に示すことで復讐しているつもりだろう、と思うしかない。

「旦那、ここですぜ」

若い男の声で呼びとめられた。呼びとめておいて男は、声を張り上げて客を呼んでいる。

「さあ大変だよ、子をひり出すは女子の仕事、とはいうものの生まれ出たる、子供がなんと熊娘、蜆のうちから毛があっては、こりゃなんとする、さあ買った、買った」

男は棒縞の袷の肩に、左右から手拭いをかけ、編笠をかぶっている。左手にひろげて持ったかわら版を、細い字突きの竹でいい音をさせて叩きながら呼びかけている。

両国広小路の橋寄りの場所である。広場は見世物小屋が終った時刻で、小屋掛けから出てきた人が、ぞろぞろと四方に散って行くところだった。

曲独楽、手妻、祭文語りなど、軒をならべた小屋掛けは、大方葭簀囲いの中に縁台を並べただけのもので、客が小屋を出た後は、あっという間に葭簀を巻き、縁台を積み上げて、丸太組みだけになってしまう。

男の声に釣られて、かわら版を買う客も少なくなかった。いなせな恰好に惹かれたらしい町娘が三人寄ってきたかと思うと、一人が買う間に、二人が腰をかがめてすばやく笠の中をのぞいた。

娘たちがきゃっきゃっと笑いながら遠ざかった後で、武太夫も一組買った。

「また熊娘か」

「またかはないでしょう、旦那」

と若い男は言った。新八という、猿若町の芝居に出てくるような名前で、きりっとした顔立ちの男である。鋭い目つきをしている。武太夫とは顔馴染である。

「しかし、これはつくり物だろう」

「それを言っちゃいけませんや。あんまりほんとのことを書いちゃ、手が後ろに廻るご時世ですぜ」

「それでほんとの方は、何か聞いておらんか」

「また米が上がりますぜ」

と新八は言った。米価は万延元年頃からじりじり上がってきて、京で禁門の変があった一昨年には安政四、五年頃の二倍になった。

それが幕府と長州藩の間が再び険悪になった昨年六月には、一石につき銀四百匁とさらに二倍に暴騰していた。

「また西の方で騒いでいるのか」

「よくは知らねえけどよ」

新八は声をひそめた。

「長州の立石というのが、倉敷の代官所を襲ったって話だぜ。いよいよ征伐があるって話も聞いた。こちらのお城の旦那が、その支度のために、大阪の商人衆から二百五十万両借りたとよ。豪儀な話だが、そんなことは……」

新八は字突きで、パチンとかわら版を鳴らした。

「ここには刷れねえしよ。せいぜい熊娘でも売るしかねえよ」

新八は、さあ驚いた、驚いた。読んでびっくり、腰が抜けること受け合いだ、と声を張り上げたが、また武太夫に顔を寄せると、

「押し込み浪人のことを聞きやしたかい、旦那」

と言った。

勤皇浪人と名乗り、軍資金を借りるととなえて、市内の裕福な商家から金を奪うものが出没していた。だが武太夫には興味がない。時勢に便乗して悪いことを考え出す連中は、いつの世にもいるのだ。

それよりも、武太夫の心は新八が言った、いよいよ征伐がある、という一語に奪われている。幕府が長州征伐を諸侯に号令したのは一昨年の元治元年である。幕府は、中国、四国、九州二

十一藩に出兵を命じ、征長総督に紀州藩主徳川茂承（後に前尾張藩主徳川慶勝と交代する）、副総督に越前藩主松平茂昭を決めた。十一月十八日を攻撃開始日と定めて、上旬漸く攻撃態勢をととのえたが、長州藩追討の朝議が決定した七月から、それまで四カ月もかかっている。参加した諸藩は、一応出兵はしたものの、全く気乗り薄で、あるいは長州藩への同情、あるいは自藩の利害という打算から、形の上でともかく征長軍に加わったという感じが強かった。中には従軍の辞退を申し出る藩まであり、長州包囲の形を整えるまで、時間がかかったのである。幕府の威信の低下は、目を覆うものがあった。

この時の長州征討は、長州藩内で保守俗論派が藩論を押さえ、国司信濃、福原越後、益田右衛門介の三家老を切腹させ、宍戸、竹内、佐久間、中村の四名の参謀を野山の獄で斬ることで、禁門の変の責任をとらせ、幕府に謝罪したことで収まっている。

西国が、また火を噴きはじめたのだ、と武太夫は思った。遠い雷鳴のようなものを、武太夫の耳はとらえている。

将軍徳川家茂は、いま大坂にいた。長州藩に再び不穏な動きがある、として家茂が長州再征を触れ、大坂城まで進んだのは、昨年五月である。だが、今度の再征については、前にも増して諸藩の反対があった。前回の総督であった徳川慶勝、副将を勤めた松平茂昭まで反対を表明した。

諸藩は従軍にともなう出費によって、藩財政が疲弊することを恐れ、また貢租負担の増額、米をはじめとする物の値上がりで、領民が離反することを恐れていた。

戦争がはじまるとなると、従軍する藩は、江戸、大坂でも米、味噌から乾魚、乾物のたぐいまで争って買い占めようとする。戦いが短期間で終るという保証はない。この先何が起るか解らないという不安も手伝って、領内に米穀を貯蔵する。その動きを好機とみて値を釣り上げる商人が暗躍し、物の値段は暴騰するのである。

長州再征は、むしろそれ自身が人心不安の火種となった感じで、態勢が整わないままに、ぐずぐずと今年に持ち越されていた。

——ひと騒ぎ起きるな。

と武太夫は思った。それもなみの騒ぎではない。規模が大きく、押さえがきかないような騒ぎが、やがて起こる予感がした。むくりと、胸の中で何か動く気配がした。それは、武太夫の中で、長く眠っていたものだった。

「押し込みですがね、旦那」

新八の声に、武太夫は夢から覚めたように顔を挙げた。あたりはだいぶ薄暗い。広小路の人混みは、ほとんど消えて、疎らに人が歩いているだけである。

「ゆんべは明神下の遠州屋という筆屋がやられたそうですぜ」

三

竜乃は繕い物をしていた。

武太夫はかわら版を買いに出たまま、まだ戻って来ない。

——なぜ、あんなものを毎日読みたいのだろうか。

と思う。

買いためてあるかわら版を、夫の留守にのぞき見たことがある。四ツ谷で起きた火事の絵入り記事、やっちょる節という卑猥な替え歌、白蛇の話、狐にだまされた男の話などがのっていた。武太夫が飽かず眺めていたマンボウという怪魚の摺り絵もみたが、竜乃には何が面白くて首をひねりひねり見ていたか、と思うようなものだった。

かわら版だけではない。江戸に来てから、武太夫がいったいに以前と少し変わったという気が竜乃はしている。

一度浪人してしまえば、再び主取りすることが難しいぐらいは竜乃も心得ている。武太夫の尻を叩くつもりはない。かと言って、裏店の女房で終りたいとは、さらさら思わなかった。武太夫にいつか聞いたように、尊皇だ攘夷だと騒がしい世の中である。何かのつてが出来て、武家に戻る日があるかも知れない、と漠とした希みを持っていた。

だが、武太夫はその期待を裏切った。

内職をもとめて来、せっせと筆作りに精出したのはよい。そのために、裏店住まいながら、夫婦二人が着て、喰うことにはこと欠かなかった。だが武太夫は、竜乃が江戸深川六間堀町の裏店に落ちついた、その日からひそかに期待したように、仕事のひまには仕官先をたずねて歩くなどということを一度もしていない。じつに一度も、武太夫がそうした形迹がない。せっせと内職にいそしむばかりだった。

竜乃の期待は裏切られたまま、日がたち、月が経過した。ある日辛抱が切れて、というよりもあまりに不審で、武太夫に問いただしたことがある。

だが夫の答えはにべもないものだった。

「仕官の口など、そう手軽にあるものでない」

「いいえ」

竜乃は抗弁した。

「仕官をいそいでくれと申すわけではありませぬ。ただあなた様をみておりますと、その気があるのかどうか、疑わしゅうございます」

「裏店住まいに倦いたか。それならそなたは国に帰ってもいいぞ」

竜乃は口を噤んだ。頭に血が昇るほど怒りがこみ上げていたが、いまさら国元の実家に帰れるものではなかった。

以来竜乃は、武太夫がいたずらに内職の腕を上げるのを眺めてきた。

――夫はもともと武家暮らしを嫌っていたのではないか。

まるで昔からそれで飯を喰っていた人間のように、器用に指を働かせて、せっせと筆作りに励んでいる夫をみると、竜乃は近頃そう疑うことがある。すると、あの疑惑が還ってきた。

――あの噂は、ほんとうだったのではないだろうか。

海坂領で、空前の百姓一揆が起こったのは、七年前の安政六年である。

その二年前からの不作で、藩の財政は窮乏の極に達していたが、藩政を預かる重臣たちは全く無能で、これといった対策もないままに、百姓から厳しく年貢を取り立てることだけに、腐心していた。潰れ百姓が出れば、町家、家中屋敷に奉公させ、不納米の分を給金から差し引いて納めさせた。

この中で赤石郡代の滝口四郎兵衛がした穀物改めは、鬼滝口と憎悪をこめた陰口をきかれたほど徹底したもので、百姓は屋敷裏、縁の下まで改められた。米はおろか、大豆、小豆、黒豆、蕎麦(そば)、粟(あわ)一袋に至るまで、滝口四郎兵衛の眼を遁(のが)れることは出来なかったのである。

滝口は容赦なく取り立て、年貢を納めずに穀物を隠し持っている者を摘発するために、ついに密告まで奨励した。

安政六年も、こうした凶作のあとに暗澹(あんたん)と明けたが、雪が少なく、土は象皮のように固く乾いた冬が過ぎても、雨は降らなかった。苗代をつくり、田を耕したが、田植えに困るような日が続いた。僅かな雨が落ちてくることがあったが、田畑をうるおすほどもなく空はすぐに晴れ、植えられた苗は黄ばみはじめていた。

そして六月、不意に雨がやってきた。百姓は狂喜したが、雨は三日天地を闇に閉ざして降り続き、未曾有(みぞう)の豪雨となったのである。川はすべて溢(あふ)れ、田畑はその下に隠れた。

希台、赤石、山田の三郡に不穏な動きがあると囁かれたのは、その豪雨の後である。溢れた川は濁り、音立てて流れ、その水は植えたばかりの苗、豆苗を浮かべて矢のように走った。真夏のように暑く強い光が、渦巻いて流れる水を照らしていた。

辛抱強く、容易なことでは望みを捨てない百姓の心に、もし虚無が忍び込むとしたら、このような光景に立ち合った時であろう。

土に対する望みを捨てた百姓の一群が、最初に襲ったのは赤石の郡代役所であった。そこには滝口四郎兵衛がいた。百姓達は、土から何も得られないと覚ったとき、鬼滝口が持ち去った一袋の大豆、一袋の粟を思い出したのである。滝口は重傷を負ったが、辛うじて城まで遁れ走った。

暴動は急速にひろがり、希台、山田、赤石三郡をつなぐ、大規模な一揆にふくれ上がって行った。郡代役所が襲われ、村の富農が襲われ、一揆は海坂の城下を目指して動きはじめていた。藩が不納米の一切免除、備荒籾の放出などを発表し、漸く城下への一揆進入を防いだのは八月の初めだった。

一揆に係わりあった者が処分されたのは、十月になってからである。百姓が土に戻ったのを見届けたあと、藩は迅速に手を打ったのであった。主謀者五人が捕えられ、牢につながれた。処分の中に、神谷武太夫の追放が含まれていた。

――暴徒停止に相勤めるべき処、逆さまに使嗾したる疑い有之――

そう記した藩の出頭令書を、竜乃は眼にしている。

武太夫は赤石の郡代役所に勤務していた。赤石は一揆が最初の小さな火を噴き上げた土地である。武太夫は滝口四郎兵衛の助役を勤めていた。

藩の取り調べの間も、また追放の処分を受けたときも、竜乃は武太夫の無実を信じて疑わなかった。たとえば百姓の窮状を見かねたとしても、滝口郡代、あるいは、藩の為政者に意見書を出すとか、藩士としてとるべき方策は別にある筈だった。一揆を煽るという行為は、禄を喰むものがすべきことではない。まして使嗾の二字には冷たい響きがある。竜乃の理解を阻むものがあった。夫がそれをしたとは思われなかったのである。

だが、裏店の暮らしに自足したように腰を据えている武太夫をみると、武家勤めを嫌った夫が、処分を承知で百姓を煽り立てたかという気もしてくるのだった。

加えてかわら版である。

毎日出かける。あまりに不思議で、竜乃は一度後を跟けたことがあった。四十近い男に、それもいかつい顔の浪人者に女が出来たとは思わなかったが、まるで人と約束があるように、日暮れ近くなると出かけるのが気にいらなかった。初めのうち、仕官の口を探しに出ると誤解したことがある。そうでないと解ると、不審が募ったのであった。

両国橋を渡り切った広場で、夫は編笠をかぶった粋なりのかわら版売りと話しこんでいた。買ったばかりの刷りものを指でつつき、親しげに喋っている。家にいるときとは、うって変わって機嫌のいい顔をしているのが、竜乃の癇に障った。

——あの訥弁で、恥ずかしげもなく。

と思うと、よけいに腹が立った。

そのときは腹が立っただけだったが、やがて武太夫のかわら版好きが、たとえば仕事のひまに釣りに出かけたり、発句をひねったりという道楽とは、少し種類が違う気がしてきた。行燈の下で、黙々とかわら版に眼を走らせている武太夫をみると、竜乃は、夫がその粗末な刷りものの向こうにある、得体の知れない世界を覗き込んでいる気がしてくる。

そういうとき、少し離れた位置から、危惧の眼で夫を眺めながら、竜乃は漠然とした懼れのようなものが、心の中に動くのを感じる。

もちろん竜乃には武太夫が覗き込んでいる世界は見えない。竜乃の懼れは、その竜乃には窺い知ることが出来ない世界が、どこかで国元追放の理由とされた一揆使嗾の疑いにつながっている気がするときに生まれる。

そうだとすれば、武太夫の興味は、一貫して何かに向かっているのだ、と思う。江戸にきて人柄が変わったのではなく、もともとそういう人間だったのを、最近になって竜乃が漸く気づいたということのようだった。

一度そう思うと、竜乃には、十八のときに嫁入り、二十五の時に遥ばる江戸まで随ってきた夫を、ふと理解し難い人間のように感じることがあった。武太夫が竜乃にはわからないものを抱え持ち、しかもそれを世間の眼からも、竜乃からも隠しているように思えてならない。夫が響きのよい低音で、裏店のものと応対したり、子供たちに文字を教えているときなどに、竜乃は強くそれを感じる。

ある夜、夫に抱かれていたとき、竜乃はふと、武太夫の心が全く自分に向いていないことを感じた。

夫は竜乃が知らない場所に、うつつなく心を遊ばせていた。闇で表情は見えなかったが、竜乃には夫が笑っているような気がした。それがもちろん竜乃のことではなく、筆作りのことでも、明朝のおかずのことでもなく、遠州屋の美しい後家のことでもないことが解った。もっと遠いところで、武太夫はひとりで充ち足りているようだった。

そのときほど、夫を得体の知れない人間に感じたことはない。腹が立った。次の夜から、竜乃は夫と床を分けた。

——こうして一生裏店の女房で終るのだろうか。

と竜乃は歯で糸を切りながら思う。仕官は望み薄で、夫は別のことに心を奪われている。竜乃は半ば世の中を諦(あきら)めたような気持ちで、時には自分も内職を手伝っている。そういう夫を許したわけではないが、夫婦の縁を切るまでは考えが及ばないのである。

「ご免下されませ」

誰かが呼んでいる。竜乃はうろたえて立った。二度ほど訪(おとな)う声がしたのを、上の空で聞き流した気がする。

「いらっしゃいませ」

「これは神谷さまの奥様でございますか」

相手は丁寧に腰をかがめた。髪の白い、町家の隠居のような風采(ふうさい)の男である。

「さようでございますが」

「手前は金沢町の遠州屋の者で、番頭の嘉兵衛(かへえ)という者でございます」

男は誂え仕事をくれる筆屋の番頭だった。

菓子折りを手土産にした番頭は、武太夫が留守だと解ると、ひどく気落ちした様子を見せた。

「留守と申しましても、ほどなく戻って参りますが、あの、御用向きを承って置きましょうか。仕事のことでございますか」

「いえ、それが仕事のほかのことでございましてな。ご本人が居られないと用向きのことも申し上げにくいんでございますよ」

不意に嘉兵衛は眼を光らせた。

「つかぬことをお伺い申しますが」

「……………？」

「こちらの旦那さまは、これの方はお出来で？」

嘉兵衛は人さし指を突き出し、剣を振る真似をしてみせた。それが声をひそめ、何やら芝居じみて見えて、竜乃は呆気にとられた。

「さあ」

「ご存じありませんか。もっともお武家さまと申しましても、こちらは全く不調法という方も、近頃はおられるようでございましてな」

むっとして竜乃は言った。

「どれほどの腕かは、私からは申し上げられませんが、主人は柏木流を遣いますよ」

「お遣りになる」

嘉兵衛は竜乃の険しい表情には気づかないようだった。愁眉を開いたという顔になった。

「それではまことに申し上げ兼ねますが、少々お頼みしたいことがございましてな。今夜遠州屋の方にお越し願えないかと、奥さまからお頼みして頂けないものでございましょうか」

四

武太夫は遠州屋の茶の間に通されている。喜久という女主人が自分で茶を入れ、武太夫と、少し下って控えている番頭の嘉兵衛に茶をすすめた。

「お話はうかがったが、しかしこの場合、それがしが間に立つというのも、妙な気が致すのう」

喜久と嘉兵衛は、黙って武太夫を見つめている。喜久は三十前といった年頃で、中高の彫の深い顔立ちをしている。渡海屋の世話で、この店の筆を作るようになってから、武太夫は二、三度店先で喜久と顔をあわせている。だが、こうして向き合って言葉をかわすのは初めてだった。向き合ってみて、あらためて美しい女子だと思う。瞳が黒々と濡れている感じで、紅をひいた口もとが小さく、それもぼってりと厚い。さっきから、いい匂いが喜久の身辺から押し寄せてくる。

――これで後家とは気の毒だ。

と武太夫は思った。遠州屋の主人は、喜久の美貌に見劣りしない、役者のように整った顔をした男だったが、一昨年の秋、癆痎で死んでいる。

「つまり、こういうことは町方の役人に届けるのが筋だと思うがの」

「お言葉ですが神谷さま」

嘉兵衛が膝をのり出した。

「泥棒に入られたのとはわけが違います。へたにお役人に届け出て、後でどんな仕返しがくるかと思いますと、恐ろしゅうございましてな」

押し込み浪人は二人連れだったという。ずかずかと茶の間まで上がり込み、何ごとかと青ざめて竦んでいる喜久に、勤皇のために働いている者で、資金を集めている。何がしかの金子を拝借したい、と言った。丁寧な口をきいたが、嘉兵衛が一人一両あて、小判二枚を出すと、とたんに狂暴な顔になり、我々を合力のたぐいと見くびったな、とどなり刀をひきつけて脅した。

遠州屋では、結局十両とられている。

「それにこの店では初めてですが、近頃こうしたことはちょいちょいございますそうで。みんな泣き寝入りだそうですよ、はい。お役人と申しましても、近頃はあまりあてになりませんのでな。こういうことがはやって来ると、届け出ても守って頂けるという保証はございませんようで、はい」

「またくると申しましたんですよ。こわいこと」

と喜久が言った。

「あんまりおとなしくお金を上げたのが悪かったかと、嘉兵衛とも話したところです。でもそうかと言って、さっき申し上げたように、お役人に届け出るのも、なおさら恐ろしくて」

喜久は、縋るような視線を武太夫に絡ませてきた。

「近頃はわたし、夜もろくに眠っておりません」

「いかがなものですかな」

嘉兵衛は、商談をすすめる具合に手を揉んだ。

「連中が来た時に、ひとつうまく掛け合ってもらえないものでしょうか。いえ、手ぶらでとは申しません。さよう、もう五両奮発致しましょう。これはご新造さんとも相談の上で決めましたんですが、もう五両で手を打って頂く。以後この店には参りませんという具合にして頂く。そんなふうに掛け合って頂きたいのでございますよ」

「つまり穏やかに話をつけろ、と申すのだな」

「さようでございますが、当家としては、神谷さまにお縋りするしかないと……」

「難しい話だのう。事情はよく解るが……」

武太夫は腕を組んだ。

「先方がうんと言わないと、少々面倒なことになるのう。こういう掛け合いは、それがし初めてじゃし、正直のところ、自信が持てんのう」

「なに、神谷さまなら大丈夫でございますよ」

嘉兵衛は、品定めをするように、武太夫をじろじろ見廻した。

「押し出しはご立派でいらっしゃるし、物言いはじっくりしていなさるし。おう、忘れておりました」

嘉兵衛は手を拍った。

「もちろんお礼はさせて頂きます。うまく片づきましたら、失礼ながら十両差し上げたいと相談致しましたので。なに、ろくでもない押し込み浪人に持って行かれることを思えば、十両のお礼は決して高くはございません。決して」

「ともかく、会ってみるか」

と武太夫は言った。十両の謝礼に心が動いたわけではなく、瞬きもしないで武太夫の返事を窺っている喜久に同情したのである。風体のよくない浪人どものようだが、会ってみれば何とかなる気もした。

「ありがとうございます、神谷さま」

と喜久が言った。初めて笑顔になっている。笑顔に含まれている喜久の信頼が、武太夫には快い。

「ところで、その者どもはいつ参る」

「いつくるものかさっぱり解りませんので」

と嘉兵衛は言った。

「申し兼ねますが、二、三日は日暮れから当家に詰めて頂きたいので。いかがなものでしょうか」

十両の謝礼にはその手間も含まれているな、と思ったが、武太夫はいまさら後にひくことも出来なかった。

七ツ（午後四時）の鐘を聞くと、武太夫は内職をやめて家を出る。途中両国橋のきわで新八からかわら版を買い、そのまま明神下の遠州屋に行く。遠州屋では、何もすることがない。茶の間で女主人の喜久を相手に茶飲み話をする。時には酒を馳走になることもある。武太夫は酒で乱れるということがない。酒を呑みながら、喜久にかわら版を読んで聞かせることもある。町木戸が閉まる四ツ（午後十時）前に、遠州屋を出て家に戻る。

　こうして日が経った。

「いつまでお通いになるおつもりですか」

竜乃が尖(とが)った声でそう言ったのは、八日目のことである。武太夫は刀を腰に差しながら、

「さあて、様子を見なくては何とも言えんな」

　と言った。上がり框(かまち)に出ようとした武太夫の前に、竜乃が立ち塞(ふさ)がった。

「押し込みなど、どうでもいいのでございましょ？　ほかの楽しみがあって、遠州屋においでになるのではありませんか」

竜乃の細い眼が吊(つ)り上がっている。ほほう、と武太夫は思った。竜乃が遠州屋の女房を嫉妬(しっと)している様子なのが珍しかった。竜乃はそういう女ではない筈だった。

「押し込みは来る。武士が一たん約束したからには、結着をつけねばならん」

「それならば、どうしてお酒など召し上がりますか。商人の後家と毎夜酒くみかわして、みっともうございます」

竜乃の瞼(まぶた)が薄赤くなり、涙がにじみ出るのを武太夫は見た。

「こっちへ来い」

武太夫は竜乃の肩を抱いて、茶の間にひき入れた。茶の間に入ると、竜乃は不意に強い力で武太夫にしがみつき、胸に顔をふせて啜り泣いた。

「亭主、嫉くほどもてもせず、と下世話に申すが」

武太夫は竜乃の背から臀のあたりを、そろそろと撫でた。

「それは、そなたの妄想というやつだ。後家相手にヤニ下っているほど、武太夫は落ちぶれてはおらん」

「でも、遠州屋の女房がきれいな人だぐらいは、私も存じております」

竜乃は町方の女房のような口を利いた。

「殿方というものは油断ならぬものだからと、嫁入るときに母に言われました」

「それをいまごろ思い出したというわけか」

武太夫は竜乃の顔をひき離した。竜乃は化粧が流れてすさまじい顔になっている。ただ眼の光だけが、昔にかえったように優しい。みっともない顔だ、と武太夫は思った。が、そのみっともない顔の下に、ひさしぶりに鎧っていない竜乃の表情があった。

夫婦というものは、他愛ないところがあると思いながら、武太夫はここは竜乃の機嫌をとり結んでおく方が無難だと思った。

「つまらぬ詮索は無用だ。わしには遠州屋の女房より、そなたの方がよほど美人に見えるがのう」

「いくら思案しても」

竜乃はもう一度武太夫の胸に顔をふせると、満足げな声で囁いた。

「旦那さまのほかに、頼る人はおりませぬ」

五

押し込みは、十日目にやって来た。

気配で喜久は奥に逃げ、武太夫一人が二人連れの浪人を迎えた。ずかずかと入ってきた、と嘉兵衛は言ったが、その日もそうだった。未だ宵の口で、店には客こそいなかったが、後片づけをする店の者が、四、五人は働いていたのである。

その間を、二人は案内を乞うでもなく、店先からどしどし足音をさせて茶の間に来たのである。大胆なものだ、と武太夫は思った。

「貴公は何だ」

茶の間の入口に突っ立ったまま、一人が言った。二人とも険しい表情で武太夫を見おろしている。

「貴公らと同業、と言いたいが、それほどの度胸はないただの浪人者だ」

「その浪人が、何の用でここにいる？」

もう一人が口をはさんだ。

「貴様、この店に雇われた用心棒か」

「似たものだが、用心棒というわけではない。ま、坐らんか。少し話を聞こう」

答えながら武太夫は、俺は落ちついているな、と思った。これに似たことが、昔一度あったという気がした。あれは赤石の郡代役所に勤めて二年目。海坂城下で、人を殺害した浪人を、国境まで追跡して斬ったことがある。そのときの浪人は狂暴な男で、話すひまもなく斬り合いになった。いま眼の前にいる若い二人連れなどの比ではなかった。

「話を聞くということは、この店の者になり代わって話合うということか」

「ま、そういうことだ」

二人の浪人者は、顔を見合わせると、眼くばせし合って畳に胡坐をかいた。肩が突っ張って、虚勢を張っているのがありありと見える。二人とも月代を伸ばしているが、着流しではなく、袴をつけている。

年嵩の方が二十五、六。もう一人は、まだ二十過ぎに見える。武太夫のように追放されたなどということではなく、尊皇攘夷の熱に浮かされて脱藩してきた若者でもあろうか。近頃こういう手合いが多くなった、と武太夫は思う。尊皇で飛び出してきて、その後の暮らしはどうなっているのだろうか、と老練な筆作りとしては思わざるを得ない。若く、頭の中ばかり熱い連中が、腰を据えて内職をするとも思えぬ。

武太夫は改めて、若いくせに荒んだ容貌をしている二人の浪人者をみた。

「さて、話をうかがおうか」

「われわれは勤皇のために働いている者だ」

「それはこの家の主に聞いておる」

「軍資金がいる」

「だろうな」

「不当に儲けている連中から、われわれは金を借りることにした」

「この遠州屋などは、実直な筆屋でな。コツコツと溜めたかも知れんが、米商人などのように、あくどい儲けなどということはしておらんぞ。筆を買い占めても、一文にもならん」

「貴公はそう言うがな」

若い方の浪人が口をはさんだ。

「筆屋といえども、安い手間賃で内職させて、それで儲けているのだ。商人というものはそうしたものだ」

「なるほど」

武太夫は苦笑した。遠州屋の誂え仕事は、仕事が面倒なわりには確かに手間が安い。

「しかし、だからと言って無体に金を強奪して行くというのは感心せんな」

「強奪はせん。暫時拝借するだけよ。やがて新しい世の中になれば、倍になって返る」

「ははあ、そういう理屈か。しかし……」

武太夫は胸を張って二人を見た。

「世間では、その理屈は通らんだろうな。げんに遠州屋では、貴公らは押し込み強盗並みの扱いだ。家中恐れ戦いている」

「それでは聞くが……」

年嵩の方が粘りつくような口調で言った。

「おとなしく、これこれの金子を拝借したいと申したら、金を出すか」

「出さんだろうな」

「そうだろうが。われわれは金を集めるのをいそいでいる。この際手段を問うてはいられない」

「金を集めてどうする」

「京にのぼって働く。貴公は知らんか。西の方では天下がひっくり返ろうとしているのだ。のんびりと何かの内職で、日を過ごしている場合でないぞ」

どうやらこれは本物の勤皇かぶれだ、と武太夫は判断した。

「しかし、こういうやり方を続けていると、いずれ役人の手が廻るぞ」

「役人だと？」

二人は顔を見合わせた。それから薄笑いを浮かべて武太夫を見た。妙に腹の据わった表情をしている。

「役人など恐れてはいない。あいつらに何が出来る」

二人は見せている。

「わかった」

武太夫は言うと、懐から金包みを取り出した。

「ここに五両ある。これで引き取ってもらおう」

「少ないな」

と言ったが、年嵩の男が手を伸ばして金を取った。二人はすぐに立ち上がった。

「もうひとつ」

武太夫は坐ったまま言う。低音にちょっぴり凄(すご)みを利かせた。

「これでおしまいにして頂く。今度来たら、ただの押し込み強盗とみなして、それがしが相手になる」

二人はじっと武太夫を見つめたが、荒っぽい足音を残して店の方に出て行った。

酒が出て、武太夫はもてなされた。

「あたしが見込んだ通りでございますなァ、神谷さま。さすがはお武家さま、度胸が据わっておいでなさる」

お相伴(しょうばん)した嘉兵衛は、酒が廻ると何度も同じことを繰り返した。喜久は微笑するだけであまりものを喋らないが、時々長い凝視を武太夫にあてて放心しているようなことがあった。

「では、これで失礼しよう」

武太夫が腰を上げかけたとき、不意に喜久が言った。

「お待ち下さいませ。差し上げたいものがございます」

「いや、謝礼ならさきほど遠慮なく頂いておる」

「刀を差し上げたいのですよ。死んだ主人が好きで、五、六本ございます。蔵(しま)っておいても宝の持ちぐされ、神谷さまに貰って頂けば嬉しゅうございます」

喜久は嘉兵衛に、土蔵の鍵を持ってくるように言った。鍵を持って、嘉兵衛が土蔵の方に行こうとするのを、喜久は呼びとめた。

「わたしが神谷さまを、ご案内してみてもらいます」

嘉兵衛は妙な顔をしたが、急にいかめしい表情になって、鍵を喜久に渡して言った。

「あたしはこれで寝ませてもらって。神谷さま、それではお見送りは致しませんが、今夜は有難うございました、はい」

提灯を持つと、喜久は先に立って土蔵に向かった。細い渡り廊下を行くと、土蔵の入口が見えてきた。

蔵に入ると、喜久はすばやく格子戸を閉め、柱の釘に提灯を下げた。くるりと振り向くと、喜久は不意に言った。

「二人きりになりたかったのですよ」

はすっぱに言葉を続けた。

「嘉兵衛ったら、気がきかないったらありゃしない」

武太夫は喜久の豹変ぶりにも驚いたが、それよりも竜乃の直感の鋭さに感嘆した。竜乃は家の中にいて、この場の情景を二日前に言いあてたようなものではないか。

そう思うと、眼の前に触れなば落ちんばかりの風情で胸に掌をあてて立っている若後家が、何となくうっとうしかった。

「わたしが、お嫌いですか」

喜久は武太夫のためらいを、敏感に覚ったように言った。

「恥ずかしいこと。わたしの思い違いかしらね」

喜久は掌で顔を覆った。羞恥(しゅうち)が、喜久を打ちのめしたように見えた。喜久は掌で顔を隠したまま、細かく躰(からだ)を顫(ふる)わせて立っていた。

「そんなことはない」

武太夫は喜久の肩に手を置いた。

「おかみのように美しい女子は、めったにあるものではない」

ああ、と溜息(ためいき)をついて喜久が倒れかかってきた。武太夫は仰向いて、そのしなやかな躰を受けとめたが、その眼に、蔵の奥にうず高く積まれたものが映った。積まれたものは、おぼろな灯の光に米俵のように見える。

「おかみ、おかみ」

武太夫は喜久の肩をゆすった。

「奥に積んであるのは、あれは何の俵だ?」

「俵?」

喜久は顔を上げ、薄く眼を開いたが、すぐに眼を閉じた。

「米ですよ」

「大層な米だの」

「抱いて。神谷さま」

喜久はもどかしそうに身を揉んだ。

「米は店の者が喰うのか」

「米ですって？」

喜久は顔を武太夫の胸からひき離すと、今度はまじまじと武太夫の顔をみた。

「店の者が喰べるかって、あたり前でしょ」

「しかし多すぎる」

「買い置きですよ」

喜久は少し邪険に言った。

「もっと高くなるというし、それにいまに江戸の町から米が無くなるという噂じゃありませんか」

「…………」

「二階も米だらけですよ。いかが？　それで気がすみました？」

「どこの家でもそうしているか」

「よそさまのことは、くわしくは知りませんよ。だけどどこでもそうしているという噂ですけど」

喜久はついに武太夫から躰を離して言った。

「米が、どうだって言うんです、神谷さま。やっぱり気が乗らないんですか」

武太夫は答えずに、腕組みをすると蔵の奥の米の山を凝視した。武太夫の眼の裏には、江戸の商家の蔵という蔵に、累々と積み重ねられている米俵の数が浮かんでいる。

武太夫は、胸の中でむくりと顔を持ち上げるものの気配を聞いた。

六

「何を考えていますか」

竜乃は闇の中で、武太夫の胸毛をもてあそびながら言った。三日前に抱かれたばかりなのに、また今夜も抱いてもらって、竜乃はまだ武太夫とひとつ床の中にいる。

武太夫の毛だらけの脛に足を絡ませていると、自分がひどく堕落した女のように思えてくる。心底裏店のおかみになりさがったような、うらぶれた気分になってくる。だがその気分の中には不思議な安らぎがあった。

床の中で武太夫に裸にむかれたときは、恥ずかしさに声を挙げた。だがその羞恥は、武太夫のひどく情熱的な行為に消された。武家暮らしの昔には考えられないようなことをしているという思いが、ちらちらと頭を掠めたが、同時に天地に二人という気もした。

武太夫が、いま何かを考えている様子なのが、竜乃には解る。だが、そのことも不思議なほど気にならない。武太夫には、やはりどこか得体が知れないようなところがある。そのことを、竜乃は仕方ないことだと思うようになっている。男というものは、そういうものかも知れないと思いはじめていた。

長屋のかみさんで朽ちようと、それが私のさだめなら仕方ない、と少し大げさに思う。武太夫の話によれば、やがて武家の世の中は大きく崩れるというではないか。先のことはわからない。

「ねえ？　何を考えていますか」

竜乃は少い若やいだ声音で囁きかける。

「今日、新八に会ったが……」

武太夫は、さっき竜乃の乳房に喰らいついた人物とは思えない重々しい声で言う。

「昨日の夜、品川で騒ぎがあったそうだ」

「どのような騒ぎでございますか」

五月二十八日の夕刻七ツ頃に、南品川本覚寺の境内で太鼓を鳴らしたものがあった。太鼓は御嶽町のお稲荷さまのものを持ち出したのである。

この太鼓の音にみるみる人が集まり、やがて膨れ上がった群衆は、南品川馬場町の油屋を打ちこわしたのを皮切りに、南品川から北品川歩行新宿、東海寺門前にかけて走り廻り、町家四十軒ほどを打ちこわして消えた。

「どうだ。ところが新八はこれほどの騒ぎをまだ刷っておらん」

「こわいこと」

竜乃は小さく欠伸をした。すると、また少し自分が堕落したような気がした。昔は、夫の前で欠伸など決してしなかった。だが快い睡気が、すぐに気泡のような欠伸を運んでくる。四肢が気だるいのを竜乃は感じる。男というものは、どうしてこのように奇妙なことを、夜も眠らずに考えたり出来るのだろうか。竜乃は胸毛をいじるのをやめ、かわりに体をすり寄せて言う。

「このまま、眠らせて頂いてようございますか」

次の日の夜、武太夫は珍しく一杯やってくると言って家を出た。五ツ（午後八時）頃だった。遠州屋で謝礼にもらった十両は、まだ手つかずで残っていて、竜乃も文句は言わない。

行く場所は決まっている。堀に沿って北に進むと、町は右に折れて、深川森下町と境を接する。そこに赤提灯を下げ、酒を飲ませる店がある。忠蔵、儀助に、苗売りの弥次郎、大工の手間取りで、なかなかうだつが上がらない熊太とか、同じ裏店の住人の、そこは溜まり場である。裏店の暮らしが、窮迫していることを武太夫は知っている。だが連中がそのために赤提灯通いをやめることはない。武太夫は今夜彼等に会いに行くのである。

暖簾をわけて中に入ると、目ざとく見つけた忠蔵が大きな声で呼びかけた。

「よう、先生」

そのくせ忠蔵が一番酔っているようだった。蛸のように飯台や、隣に坐っている熊太にしなだれかかるかと思うと、ひょいと立ち上がったりしている。今夜忠蔵の家ではひと騒動あるだろう。

しばらく、黙々と武太夫は飲んだ。

「珍しいじゃありませんか、先生。一杯注がせてくだせえ」

苗売りの弥次郎が寄ってきた。武太夫の猪口に酒を注ぎながら、弥次郎は頭を下げた。

「倅がいつもお世話になりやしてね、先生。嬶が喜んでまさ」

弥次郎は三十過ぎの、細身の体がいなせな感じの男である。苗籠をになって、江戸の町を美声で触れ売りして歩くが、家に帰るとおとらという女房の尻に敷かれている。いつぞやは女房の腰巻まで洗っていたというので、裏店の顰蹙を買った。女房も女房だが、亭主も亭主だというわけである。

——この男がいいだろう。

と武太夫は思う。武太夫の胸の中で、舌なめずりする感じが動く。弥次郎のように、気が小さく、多少生真面目なのがいい。忠蔵は出来上がり過ぎているし、熊太は鈍だ。

「品川宿で、騒ぎがあったのを知っているか」

武太夫は弥次郎にお返しの盃を持たせながら、重々しく言う。

「何か、こうちらっと聞きましたがね」

弥次郎は律儀に頭を下げて、盃を受けながら言った。

「家をこわしたとかいう話で、へい」

「わしは今日、品川まで行ってみてきた」

「へーえ？」

弥次郎の顔に好奇心が浮かぶ。そう、初めはこの調子なのだ、と武太夫は弥次郎の顔をみながら思う。

——赤石の百姓たちも同じだった。

希台郡の百姓が集まって話している。どうもそれが一揆の相談らしいと囁いたとき、武太夫の話相手をしていた若い百姓の顔に浮かんだのは、ごく単純な好奇心だった。自分と同じ窮地に追い込まれた連中が、ついに何かをはじめたのだと理解しながら、そのときまだ若い百姓と一揆の相談という具体的な行動の間には距離があった。

だが好奇心は行動の芽だった。それは欲望から、とり残される不安、動きに遅れまいとする焦りなどを呑みこむと、途方もない暴動にふくれ上がる。希台、赤石、山田三郡を捲き込んだ一揆のひろがりは、枯れ野を焼く火に似て迅かった。それを、武太夫はこの眼でみている。

「騒いで、何をやらかしたんですかい」

「喰いものを奪っているのう。米、味噌のたぐい。それに薪だ」

「米?」

弥次郎は眼を光らせた。

「先生とこはどうか知らねえが、裏店じゃ近頃満足に米なんぞ喰っていませんぜ」

「昨日は芝、四ツ谷、麻布が騒いだ」

武太夫はゆっくりした口調で言った。弥次郎は全身が耳になったように身動きもしない。盃を運ぶことも忘れて、武太夫の顔を見つめている気配が、弥次郎を見なくとも武太夫にはわかる。

「やっぱり米、味噌をとっちまったんで?」

「裕福な町家は、かなりの米を隠しているからのう」

「しかし先生」

弥次郎は言った。

「米を取っちまってもよ、お役人に捕まったら何にもなりませんぜ」

武太夫は弥次郎に視線を戻した。弥次郎の眼には狂暴なものと怯えが同居している。武太夫は微笑し、老練な医者のようにその怯えを消してやる。

「わしが見たところ」

裏店一番の信用おける人物は、微笑しながらゆっくり言った。

「お上もお手上げのようだの。考えてもみろ、弥次郎。仮りにだ。騒いでいる連中をみんな捕まえたら、小伝馬町が幾つあってもたまるまい。ん？」

「ちげえねえや、先生」

弥次郎は嬉しそうに笑った。

武太夫は飲み屋を出た。ここには種子を埋めるだけでいいのだ。それがすぐに芽をふいた証拠に、背後で「おい、聞いたか。品川で騒ぎがあってよ」という、弥次郎の浮き浮きした声が聞こえる。武太夫は立ち止まってその声をきいたが、そのままぶらぶらと歩き出した。

夜道は暗く、僅かに道の白さが見えるだけだった。その闇にむかって、いま武太夫が胸の中から解き放ったものに、足が生え、羽が生え四方に走り、飛び去ろうとしている気配が感じられた。

赤石で最初の火種になった、藤次郎という若い分別の確かな百姓のことが思い出される。

藤次郎が、麦一俵を隠しているという密告があって、武太夫は出かけた。一人で行った。初めから気が乗らない仕事だったが、その気分と探す仕事は別で、綿密な探索の末に、武太夫は竹藪の中に木箱につめて埋めてある麦俵を見つけた。

藤次郎の女房がそれをみて泣き崩れた。女房と、膝に抱いた子供の憔れようが哀れだった。鍬を抛り出すと、武太夫は藤次郎に言った。

「もう少しうまく隠すことだな」

そのまま帰るつもりだった。滝口郡代には麦はなかったと報告すればよい。滝口は妾を二人も囲っている。二人とも年貢を納め切れなくて潰れた百姓の娘で、滝口は女中に雇い入れたのだが、手をつけたあとは給金も払わずこき使っていた。藤次郎の麦を見逃す気になったのは、郡代に対する日頃の反感やら、藤次郎の女房、子供に対する憐れみやらが胸に衝き上げてきたためである。たかが麦一俵ぐらい、と思った。しかし、このままではどうにもなるまいという気もした。その気持ちが希台の郡代役所から来た男が話した、不穏な話を藤次郎にしてやる気を引き出した。

唆すという気持ちはなかった。追いつめられている藤次郎をなぐさめるほどの気分だった。だが話している間に藤次郎の眼に、不意に狂暴な輝きが生まれたのをみたとき、武太夫はぞっとした。藩の禄を喰むものがすべきでないことをした後悔が胸を走った。

数日、武太夫は息をひそめるようにして、百姓の動きをうかがった。山戸村と青瀬村で深夜百姓たちの寄り合いがあったと報告してきた者がいた。村を見廻りに行った足軽からの、その報告を武太夫は握りつぶした。青瀬村は藤次郎が住む村である。百姓たちの動きが眼に見えてきた。

ひとりの百姓は、今夜郡境を越えて希台に向かうだろう。青瀬村の使者は、明日は山田郡に走るだろう。

武太夫の心の中に、百姓たちの暴発を恐れる気持ちとは別に、押さえきれない喜びのようなものが動いたのはその頃からである。自分が播いた種子が、確実に育ち、枝葉をつけ、実って行く感覚が快かった。

武太夫は青瀬村の百姓たちを押さえに行くことも、滝口四郎兵衛に、足もとに一揆が動きつつあることを報告もしなかった。ひたすらに結果を待った。

先ず希台郡で一揆があった。すぐに青瀬、山戸、沢渡の赤石郡三村で打ちこわしが起きた。それが山田郡の数カ村を捲き込んで、大一揆が始まったのは瞬く間のことだった。

やってくる一揆にそなえて、郡代役所の守備を固めながら、武太夫は、青瀬村の百姓たちが捕まれば、多分俺にもお咎めが及ぶだろうと思っていた。しかし不思議なほどそれに対する恐れは薄く、胸に快感が疼いた。

暑い夏の日射しが野も道も灼いていた。塀の外に、高く土俵を積み上げた上に突っ立って、武太夫は白く乾いている道を眺めた。その道の向こうから、やがて蓆旗を押したて、凶器に変わった鍬、鎌をふりかざした百姓の群れが寄せて来る筈だった。武太夫はそれを見たい、と思った。

——大きな騒ぎになるだろう。これまで江戸で起こったことがないような、途方もない騒ぎがひろがるだろう。

いま、六間堀沿いの道を歩きながら、武太夫はそう思った。

武太夫にはそれが見える。弥次郎も、忠蔵も、左官の多七も、手間取りの熊太も、七年前の赤石の百姓に似ている。火を待っている沸った油だった。

彼等はやがて仕事を放り出し、血相を変えて流れの中に加わるだろう。

遠州屋も、そこからもらう仕事のことも、いま武太夫の念頭を占めていない。隠微な喜びだけがあった。人々が雪崩をうって狂奔にまきこまれて行くからくりが、自分に見えている喜びが、深く心をくすぐってくる。

武太夫は低く笑った。闇の中の笑いを聞いたものはいなかった。

江戸に窮民が暴発し、町々の町家を襲い、喰い物を奪って騒いだのは、慶応二年五月末から九月にかけてである。暴動に加わった人数は延べておよそ八十万人。のちにこの騒ぎをお粥騒動と称した。

（「オール讀物」昭和四十九年七月号）

潮田（うしおだ）伝五郎置文（おきぶみ）

霧がある。

その中で葦は、枯れたまま直立していた。骨のように白く乾いていた。葦は河原の上では、二、三十本ずつの、間隔を置く塊になって点在し、緩やかな岸の傾斜を這いおりると、そこではじめて密集する枯葦原となって、その先は浅い川の中ほどまで延びている。

男がひとり、河原に佇っている。白い霧のために、男は影のように見えた。男の耳に川水の音が聞こえている。川は男が顔をむけている方角にぼんやりと見えている橋の下あたりから、急に浅くなっていた。流れが向こう岸に片寄り、浅いところでは水苔に黒ずんだ石が透けてみえる。葦原の先端はそこまで延びていた。水はその周辺で絶えずざわめく音を立てている。

夜は明けていたが、霧のために明るくなるのが遅れていた。葦の塊の根もとのあたりには、夜の暗さが残っていた。

男が身動きした。橋を渡ってきた者がいる。橋を渡ってきた者は、ゆっくり河原に降りてくると、待っていた男との間に五間程の距離を置いて立ち止まった。羽織を脱ぐと、その下から白い襷が現われた。

霧の中で、二人の男はほとんど同時に刀を抜いた。しばらく睨み合った後、二人は気合いを掛けながら撃ち合った。技倆に差がみえ、闘いはそう長くは続かなかった。一人が足を斬られ、膝をついたところを、ひとりが肩口から斬り下げた。

潮田伝五郎は、井沢勝弥の躰を這う痙攣がすべておさまり、勝弥が一塊の骸となって横たわっているのを眺めたあと、ゆっくりと襷、鉢巻をはずして捨てた。それから少し湿っている粗い砂の上に坐り、着物をくつろげ、袴を押し下げると、ためらいなく小刀を腹に突き立てた。小刀を突き刺すとき、伝五郎が発した激しい気合いが、一瞬川音を切断したが、川はすぐにざわめきを取り戻した。

日がのぼり霧が霽れたとき、河原に二個の骸が横たわっていた。

一

それがし十二の年の春、道場の稽古から戻って、家の裏の流れで土に汚れた袴を洗っていて、母上に見咎められたことがござった。恐らく母上にはご記憶がござるまい。あの人に会ったのはその日でござる。

潮田伝五郎が、井沢勝弥に勝負を挑んだのは、道場を出て城下端れの野道を歩いている時だった。

神道無念流を教える塚本才助の道場は、城下町から十丁ばかり南に離れた村落にある。観音寺と呼ばれるものの、定まった住職もいない荒れ寺があって、才助は村役人からその寺を借りうけ、道場の看板を掲げていた。

才助は変わった人間で、どこからともなく飄然とやってきて、その荒れ寺に棲みついたのである。神道無念流の道場という噂を聞いて、市中の野瀬道場で師範代を勤める作間という若侍が試合を挑んだが、手一本足一本動かす間もなく打ち据えられた。野瀬道場は、城下でもうひとつの戸川道場と評判を分ける大きな道場である。作間はあまりに不思議で、再度立ち会いを所望したが、結果は同じだった。

作間について行った同僚が噂をひろめたために、塚本道場の名が挙り、城下から藩の子弟が通うようになった。七年前のことである。潮田伝五郎は四年前からそこに通っていた。

伝五郎が井沢勝弥に真剣勝負を言いかけたのは、道場の帰り道である。

理由は、井沢が伝五郎の粗末な衣服を嗤ったためである。伝五郎の家は、僅か十七石の軽輩だった。その上父の角左衛門が長年病臥している。母の沙戸は、夫の医薬を購うために倹約に倹約を重ねていた。それでも伝五郎の道場稽古を休ませることはしなかったが、着る物も袴も丹念に継ぎをあてた。

井沢は三百石の上士の跡取りである。いずれ小姓組に召し出され、さらに父の職を継いで物頭にもすすむ家柄の人間だった。伝五郎より二つ年上の十四で、躰も大きかった。

「刀は抜くな。素手でやれ」

声を掛けたのは広尾という少年だった。

「俺は真剣でもいいぞ」

井沢は、伝五郎を睨みつけて言った。底冷たい感じの美貌が蒼ざめている。

「生意気な奴だ。ガキのくせして」

「いや、刀は抜かん方がいい。事が大きくなる」

広尾も井沢と同じ十四だった。彼等には半ば大人の分別が具わっている。

「いいか潮田。抜いてしまえば生きるか死ぬかだ。先生にも迷惑が及ぶし、喧嘩口論で刀を抜いたではお上に申し訳が立たん」

広尾は伝五郎にむき合うと、諭すように言った。

「それに、親たちが嘆くぞ」

後から追いついた連中も加わって、十人余りの少年達が見守る中で、井沢と伝五郎は袴の股立ちを取り、組み合い、撲り合った。

勝負は初めから解っていたようなものだった。真剣勝負を言いかけられたとき、一度は蒼い顔になった井沢は、組み合うことにきまると余裕のある笑いを浮かべ、忽ち獰猛な力をふるいはじめた。

伝五郎は何度か地面に叩きつけられ、顔からも手足からも血を流したが、立ち上がると執拗に組みついて行った。少年達は伝五郎が投げられるたびに歓声を挙げた。

「何をしていますか、多喜蔵」

不意に鋭い声がした。

「あ、姉上」

一斉に振り向いた少年達の中で、広尾が言い、頭を掻いた。

「喧嘩ですよ」

その間にも、伝五郎は必死に井沢に組みついていた。眼が眩んだようになっていた。腰を入れて相手を投げようとし、たちまち井沢の重い躰に押し潰されて、顔から地面にのめった。

「やめさせなさい、多喜蔵。勝弥さんも何ですか」

女の声が言ったのが、伝五郎の耳にも聞こえた。若く澄んだ声音だったが、口論は厳しかった。

「おい、これまでだ」

広尾が二人の間に躰を入れてきた。強引な手が二人を分けた。井沢を真中に包むようにして、少年たちが笑いながら立ち去ったあとに、伝五郎はひとり取り残された。

伝五郎はしばらく少年たちを見送ったが、やがて道から田の畔に降りた。腕も胸も、脚も痛く、頭は熱を持ったように熱い。田植前で、田は一面に水を張っていて、その間を細い水路が走っている。水路の水は畔の草に溢れて澄んでいる。

水を掬って顔を洗った。泥と血を洗い落とすと、すり傷が急に痛んできた。

「これを使って下さい」

不意に声がした。深く澄んだ声音に、伝五郎は思わず顔を挙げた。
十五、六と見える若い娘が立っていた。娘の後に三十前後のもうひとりの女がいる。二人とも武家の女と解る着付けと髪をしている。二人とも手に摘草を入れた籠を下げていた。

娘は手に鼻紙を持って、伝五郎に差し出していた。

「わたしは広尾多喜蔵の姉です」

娘はしっかりした口調で言った。

「どういうわけから、こんなひどい喧嘩をしましたか」

伝五郎は黙って紙を受け取ったが、娘の質問には答えなかった。黙って顔を見返しているだけである。

伝五郎の顔は、額と頰が大きく擦りむけ、血が滲んで紫色に腫れ上がっている。年上の方の女は、娘の後から伝五郎の方を怯えた眼で覗き込んでいる。

「言いたくないのですね」

「はい」

と伝五郎は言った。

すると娘の顔に、不意に微笑が浮かんだ。黒眸がいたずらっぽく光り、白い歯がちらとみえた。娘の頰に刻まれた笑くぼを、伝五郎は瞬きもしないで見つめている。

「仕方がないひとですね」

娘は畔に降りてきた。裾をつまんでしゃがむと、伝五郎の着物と袴をはたはたと手ではたいた。埃を落としたのだった。

「お嬢さま」

年上の女が咎めるように声をかけたのに、娘は振り向かないで、しゃがんだまま首を傾けて言った。

「あの人たちは躰が大きいのですから、組み打ちをしてもかなう筈がありません。ね？ もうやめなさい」

娘と連れの女が立ち去ったあとも、伝五郎はしばらく茫然と畔に立ち続けた。娘の着物からにおったいい匂いに、まだ全身を包まれている気がした。その香りに、伝五郎の頭は痺れて、井沢と組み合った躰の火照りを忘れている。

二

六年ぶりに七重どのと顔をあわせたのは、盆踊りの夜のことでござった。それがし十八で家督を継いだあの年のことでござる。

海坂城下の盆踊りは、大がかりな結構と、華麗さで近隣に聞こえている。

仕組み踊りと言い、それぞれの町内が早乙女、傘飾猿、ぬれ髪、菊慈童、力弥などと名付け、踊りの趣向を凝らす。一町内からひと組、百五十人から二百人の踊り子を揃えて、八ツ（午後二時）から夜の八ツ（午前二時）過ぎまで、延々と踊り続けるのである。

世話役、拍子木役、唄揚げ、提灯持ち、踊り子で一組をつくる。世話役は数人いて、踊りの進退を指図し、唄揚げは唄い手である。歌の文句は、毎年城下で文才を知られる人物に頼んで作ってもらった。

唄い手は一番から四番までいた。一番揚げと呼ぶ最初の唄い手には、高く太く、よく通る声の持主が選ばれ、二番揚げは細い声の人、三番揚げは芸者衆が唄い、四番は一番揚げの人物が再び唱う。

このようにして町々をめぐり、店々の前で踊る。

盆踊りの初期には、藩は風俗の乱れを心配して、たびたび禁止の触れを出したが、元禄以降には公に許し、文政年間に入ると藩主自ら御用屋敷に踊りを呼んで見るようになった。初めは昼踊りだけ見たが、後には三十五組の踊りを見終って夜の八ツに及んだ。

こうした藩の取り扱いの寛容さは、豪華な仕組み踊りの評判が他国にも聞こえ、盆踊りの時期には他国から人が集まり、海坂城下に落とす金が無視できない額にのぼったからである。

踊りが始まった三日目の夜に、伝五郎は見物に出た。希世(きよ)が一緒だった。希世は伝五郎と同じ御旗組に属する加納五郎左衛門の娘である。年内に祝言を挙げることになっていた。希世を同道するように勧めたのは、母の沙戸である。

長い間重い胃病で倒れていた、父の角左衛門が春先に死に、伝五郎が家督を継いでいた。希世との縁談は、角左衛門の生前から内々で話があったが、死後、話は急にまとまった。希世は伝五郎よりひとつ年上だった。おとなしい女である。

「来た。間にあってよかったな」

と伝五郎は言った。

北陸屋という海産物問屋の店先である。店先も向かい側の商家の軒先も、真黒な人だかりだった。人は二階の窓からも顔を出し、屋根の上まで、上がっている人影が見える。重なり合った人影を、北陸屋で店先に出している高張提灯が照らしている。

伝五郎が希世にそう言ったとき、人々がどよめいた。鍵町の角を曲がって、盆踊りの行列が姿を現わしたのである。

「布引町が先頭だぜ」

と誰かがそばで大きな声を出した。行列の先頭に二張りの高張提灯が立ち、ゆっくりと近づいてくる。高張提灯には町名が太く墨書きしてあった。

踊りは大踊り、中立、ドサの三種がある。大踊りは踊り子二百人が男女それぞれ揃いの衣裳で装い、奴踊り、御所車と趣向を凝らした唄と踊りを披露する。中立は人数が多少落ちるが大踊りに準じたものであり、ドサは下級武士の一団が紙の仮面をつけて踊った。ドサは衣裳も所作も道化て、これはこれで人気がある。

伝五郎もドサに誘われたが断った。しつこく誘われたが、踊りは性分に合わない。

踊りは布引町の大踊りから始まった。

踊り子が揃ったのをみて、拍子木が鳴ると踊り子が一斉に掛け声をかける。北陸屋の前につくった高い台の上で、一番揚げが唄い出した。何年も唄っているらしく渋い喉である。中年の男だった。

女は白地に大輪の花模様、男は藍染めに白く波を染めぬいた揃いの着物を着ている。列を作った踊り子が、唄につれて踊り出すと、派手な衣裳が波のように動き、地を摺る草履の音が鳴った。

一番揚げの唄が終ると、再び拍子木が鳴った。すると踊り子たちはまた威勢よく声を挙げた。男の掛け声を女の踊り子が受ける。そして次の瞬間、若い男女の踊り子たちは一斉に上衣の片肌を脱いだ。下は男女とも、夜目にも眼を刺す緋の襦袢を着込んでいた。

見物の人々がどっと声を挙げる間に、二番揚げが唄い出し、踊りは次第に熱気を孕んできていた。

「きれいですこと」

希世が囁いた。希世は人に知れないようにして、伝五郎の袂先を握っている。

白く、どちらかといえば表情に乏しい希世の顔が、火明りに照らされて少し興奮しているように見える。伝五郎は母の沙戸が、希世を連れて行けと言った理由が、初めて解ったような気がした。

希世は無口で、ひっそりした性格の女である。縁談がまとまった後でさえ、伝五郎と顔をあわせても、それらしい親しみを表情に出すということもなかった。無表情に丁寧な辞儀をして通り過ぎるだけである。

今夜の希世は、いくらかふだんと違っていた。唄と踊りに押し出されて、伝五郎に寄り添ってきている。

だが伝五郎には、くすぐったいような感覚があるだけだった。希世が握っている袂を、そっと引っ張った。薄暗がりだから、こんなに寄り添っていいものではあるまい。

——人眼がある。

と思った。

縁談が決まったあとも、希世にはことさらな変化がみられなかったが、それは伝五郎の方も同様だったと言える。

親が選び、親同士が運ぶ縁談を、黙って眺めていただけである。同じ御旗組の長屋うちのことだから、希世本人のことも、希世の家のことも、日頃見聞きしていて大体わかっている。もの珍しいことは何もないという気がする。

縁組みの話が持ち上がったころ、伝五郎の胸の中に、悲哀と呼んでもいい痛切な思いが動いた時期があったが、その一人の女性を想った感情は、恥ずべきもののように、底深く隠され、いまは思い出すこともない。

母が、希世を気に入っていた。それだけで十分だった。縁組みというものは、このようにして運ばれ、夫となり妻となるのだろうと、伝五郎は思うだけである。

踊りは中立が過ぎ、ドサが廻ってきていた。僅かな人の隙間を見つけて、伝五郎は前に出た。伝五郎は小柄で、希世と並ぶと背丈が同じぐらいである。

胡粉を塗った仮面をつけた集団が、踊り狂っていた。手を振り、腰を突き出し、滑稽で達者な踊りだった。見物の人たちが笑うと、踊りは一層卑猥に、誇張した動きを加える。

「おい、伝五」

激しい勢いで、地を踏みならし、体を廻しながら、伝五郎の前に来た踊り子が、仮面の下から声をかけた。汗が匂った。

「女連れとは隅におけんぞ」

言ったかと思うと、仮面の踊り子はハッ、ハッと掛け声をかけながら、体をくねらせ、差しあげた手を振りながら、踊りの渦の中に戻って行った。

「どなた様ですの？」

と希世が訊いた。

「樋口だな、あの声は」

苦笑して伝五郎は言った。

眼の前で踊り狂っているのは、うだつの上がらない下級武士の一団だった。日頃の鬱屈を発散させるように、唄の文句も踊りも思いきり崩し、猥雑な空気を撒き散らしている。町人の仕組み踊りが上品で華麗なのと対照的だった。

だが、十八の伝五郎は醒めた眼で踊りをみている。

——子供の頃はあった。

と思う。眼の前で踊っている連中が抱えている鬱懐、別の言い方をすれば、志といったものが、である。絶えず心を焼くものに衝き動かされて、剣を学び、漢籍を学んだ。

だがあるとき、内部で何ものかが折れた。そのことを伝五郎は誰にも言うことが出来ない。以来押し流され、いま傍らにどこか愚鈍な感じさえする希世がいる。希世は、それとない伝五郎の合図にも気づかぬように、まだ袂の先を握っている。希世が言った。

「戻りましょうか」

踊ったまま、ドサの後尾が遠ざかり、小さくなっていた。

三

人垣が崩れ、動き出していた。

人の動きは、踊りを追って次の町へ行く者と、家へ帰る者とがぶつかり合い、広い路にとりとめないざわめきを生んでいる。

その雑踏の中で、不意に声を掛けられた。

「潮田さまではございませんか」

希世の手を摑んだまま、伝五郎は茫然と立ち竦んで女の顔をみた。

女は広尾多喜蔵の姉七重だった。小女をひとり連れている。七重はいま六百四十石の上士菱川家に嫁いでいる。菱川家の当主多門は、二年前組頭から中老職に進み、藩政を動かしている実力者だった。七重の夫である多門の子息庫之助も、いまはまだ小姓組にいながら、次の藩政を担うものと嘱望されている人物である。七重は聡明で美しい容姿にふさわしい家に嫁入っていた。

「………」

「お忘れですか。広尾の七重ですよ」

「いや、忘れてはいません」

伝五郎はあわてて言った。頭が少し混乱していた。七重に会うことはもうないものと思っていたし、それに七重が自分の名前をまだおぼえているとは夢にも思わなかったのである。

「あまりに思いがけないもので」

伝五郎は無器用に言って、手で額の汗を拭いた。体が石のように硬くなっているのが解る。七重は笑った。ちらりと見えた鉄漿で染めた歯が、七重が紛れもない人妻であることを示している。七重は以前にくらべて、いくらか肉づきが豊かに変わったようにみえたが、黒く濡れたような眼、笑ったとき頰に刻まれた笑くぼは昔のままだった。

声も娘の頃のように澄んでいる。

「お連れの方は……」

ついと体を寄せてきて、七重が小声で囁いた。いい匂いが伝五郎を包んだ。

「奥さまかしら？」

「いや、違います」

伝五郎は思わず言った。惑乱が続いていた。七重の大胆な挙措と近々と迫る匂いが心を乱している。

「これは親戚の娘で」

「私、よく思い出すのですよ」

七重はまた頬に笑くぼを作った。瞳がからかうようないろを帯びて、伝五郎を見つめている。

「あなたが井沢の勝弥さんと喧嘩したときのこと」

「……」

伝五郎は眼を逸らした。不快な名前を聞いたと思った。不意に惑乱から覚めた気がした。井沢のことを言った七重の言い方が、親しげに聞こえたからである。

「あれから喧嘩はなさいませんか」

「ええ、ま」

伝五郎はあいまいに答えた。

七重と別れると、伝五郎は希世と連れ立って狐町の組屋敷に歩き出した。

大通りには、まだ通りすぎた踊りの余熱のようなものが残っていて、あちこちに灯を点している家もあった。だが商人町から武家屋敷が密集する一角に曲がると、道は急に暗くなった。

狐町は、この先にある。

「暗いな」

「はい。提灯をお持ちすればようございました」

暗い路で、二人は短い言葉をかわした。

春の野道で井沢と格闘してから、伝五郎は四、五回七重の家に招ばれて行っている。多喜蔵に招ばれたのである。

二ツ年上の多喜蔵は、あの喧嘩以来伝五郎が気に入ったようだった。塚本道場でも眼をかけた。広尾の家は三百六十石で、多喜蔵の父郷右衛門は奏者を勤めていた。奏者は幕府や京都の御所に、藩の公式の使者として赴くのが役目である。そのため郷右衛門は始終家を留守にしていた。

広尾の家では、雙六（すごろく）、歌合わせ、郷右衛門の京土産だという賀留多（かるた）遊びなどをやった。七重や、多喜蔵の弟も加わり、自由な空気があった。郷右衛門の勤めが、城勤めでなく、また留守がちだったために、そういう家風が生まれたように見えた。

伝五郎は遊びにはあまり興味がなかった。むしろ苦痛なほどだった。人並みに出来るのは雙六ぐらいで、ほかはいちいち広尾に教えてもらわないと出来なかった。時どきしくじって、七重に笑われるのは辛かった。

家柄も育ちも違うことが、身にしみて解り、身の程知らずなことをしている気がした。それでも広尾に誘われると、伝五郎は行かずにいられなかった。七重のそばにいるだけで、言葉を交わさなくともしあわせだったからである。

ある日、広尾について行くと先客がいた。井沢勝弥だった。井沢は大人びた風にゆったり坐り込んで、七重と話していた。伝五郎をみると、

「おや、狐町か。こういう場所にも出入りするのか」

と露骨に厭味（いやみ）を言った。

「勝弥さん、あなたはまた喧嘩を売るつもりですか」

七重がきつい口調で叱った。

「いえ」

勝弥は丁寧に頭を下げた。

「そんなつもりはありませんよ。ご安心下さい。ただあんまり珍しい人物を見たものだから」

井沢の家と広尾家は、遠い姻戚関係にあると聞いていた。伝五郎は怒りを押さえたが、井沢の七重に対する自由な物言いが羨ましい気もしたのだった。七重の前では、一塊の石でしかない自分にひきくらべたのである。

井沢勝弥と顔を合わせてから、伝五郎は広尾多喜蔵の誘いを断った。井沢は道場でも鎬をけずる相手だった。初めは井沢の方がはるかに腕が上だったが、近頃は伝五郎が追いあげ、ほとんど並んでいる。そのことに井沢はこだわっていた。

そうしたいきさつのほかに、伝五郎は井沢の中に、軽輩の者を卑しむ気持ちがあるのを強く感じ取っていた。井沢は、ときに露骨にその感情を眼にみせ、口にする。

七重の前で蔑すまれるのは耐え難いと思った。まして、七重に対するひそかなもの思いを覚られたら、恥辱のために腹を切るしかないだろうと思った。その懼れのために、伝五郎は広尾の家から遠ざかった。

だがその時期に伝五郎が、広尾の家から離れたのは賢明だったのである。年が明けた春、七重は当時組頭だった菱川家に嫁入った。

組頭は六百石以上の家柄の者が勤め、才幹のある者は中老にすすみ、やがて家老職にものぼる。菱川家の当主多門繁幸は、いずれ中老にすすみ、藩政に参画する人物と家中に思われていた。

伜の庫之助倫幸は、七重を嫁に迎えたときまだ二十だったが、少年の頃から英才をうたわれ、藩中の若者の異常なほどの憧憬を集めている人間である。漢学の造詣が深く、剣は城下第一の道場戸川門で一刀流の奥儀を究めていた。小姓組に属していたが、庫之助が、父多門の跡を引き継いで、いずれ藩政の枢要の位置に坐ることを、疑うものはいない。

伝五郎は、七重の縁組みを聞いた日、狐町の背後を流れる赤目川の岸に出た。御旗組の長屋がある狐町は、城下の端れにある。赤目川の川向こうには、田圃がひろがっている。田はまだ田起こしの前で、去年の草の枯色がひろがる中に、嫩草の淡い緑が混じっていた。

川は勢いよく流れていた。遠い山の雪解けの水を運んで岸に溢れ、葦の芽を水底に隠していた。のびやかな日射しが、水流と田の面を静かに照らし続けていた。

一刻ほど、伝五郎は赤目川の岸に蹲って、身動きもしなかった。菱川庫之助に対する嫉妬は不思議なほどなかった。庫之助は、伝五郎も日頃尊敬している人間だった。眉目秀麗、長身の人だという姿も、噂に聞くだけで見たことはない。

七重どのには似合いの人物だろう、という気さえする。だがそれとは別に、断たれたもの想いの痛みが、胸の中にあった。七重に対して、大それた望みを持ったつもりはない。いえば菱川庫之助に対する憧憬と、そう変わりない感情を抱いただけである。

――それがこのように辛いのは、七重どのが女であるためだろう。

伝五郎は、痛みに耐え抜いた胸の空虚に、不意に風が吹き込み、通りすぎるのを感じながら、そう思ったのだった。

「おきれいな方でしたこと。さっきの方」

不意に希世の声が、伝五郎のもの思いを断ち切った。道は狐町に入っている。

「友だちの姉だ」

「どちらの奥さまでございますか」

「菱川中老の家の方だ」

と言ったが、伝五郎は不意に希世がひどく遠い距離にいる人間のように感じて、思わず振り返った。闇は深く、希世の顔は白い面輪（おもわ）がわかるだけで、表情はさだかでなかった。

四

辛卯（しんぼう）の大変があったのは六年前。さよう、天保二年の暮れのことでござったのを、母上もお憶えがござろう。それがしがそのことを聞いたのは、あの夜勤めを終って家に帰るべく、城を下る途中でござった。

御旗組は月に二度城中に勤務し、馬印を納めた長持を守護する。長持は昼夜守護され、朝の五ツ（八時）に勤務につき、夜の五ツ（八時）に交代するのである。

その夜伝五郎は、交代を済ませて同僚四人と大手門まできた。寒い夜で、寒気が衣服の上から肌に突き刺さってくる。

「降って来そうだな」

真島彦助という同僚がそう言って、大きなくしゃみをした。霙(みぞれ)か、悪くすると雪が降りそうな暗く冷えた空が頭上にひろがっていた。

「お、あれは何だ」

不意に一人が言った。四人とも眼を瞠(みは)った。

門の前に篝火(かがりび)が燃え、黒い人影が慌しく動いている。

近づくと槍を持った二、三人の武士に制止された。

「いずれへ参る」

武士たちは襷をかけ、白い鉢巻を締めている。立ち止まった四人のそばを、二十人ほどの一団が門の外へ駆け去った。異様な空気があたりを支配している。

「いずれへとはおかしいではないか」

平田という同僚がむっとしたように言い返した。

「家へ帰るに決まっている」

「身分とお名前を承りたい」

「おかしいな」

平田はますます膨れ面になって、一歩槍先に近づいた。

「貴公ら、どういうお役目か知らんが、少し無礼ではないか。そっちこそ先に名乗るべきではないか」

「まあ待て、平田」

年輩の真島が平田を押さえて言った。

「我らは御旗組の者で、いま勤めを終って城を下るところでござる。御旗組の真島彦助と申す」

「潮田伝五郎でござる」

次々に名乗ると、武士は「暫時待たれい」と言って、一人が篝火のそばに戻った。そこに床几に腰をおろしている人間がある。離れて行った一人が、床几の人物に何か話している間も、残った二人は油断のない眼を光らせて、四人に槍を突きつけている。

「どういうことだ、これは」

平田が腹立たしそうに呟いたとき、篝火のそばの人間が立ち上がって歩いてきた。小柄な老人だった。羽織を着て、この老人だけが平服である。

四人の前に来ると、老人は手をこすり、洟をすすって、

「今夜は冷えるのう」

と言った。四人はあっけにとられて老人を見つめている。

「いやお役目ごくろう。それがしは徒目付の曾根権兵衛でござる。大目付の芦野様の指図で、門を固めておる。ちと事件があってな」

「………」

「そこで、まことにお気の毒だが、もうしばらくここにいて下さらんか。すぐに事情が知れ申

そう。そうなれば帰して進ぜる」

「……………」

「ま、火のそばにでもござれ。すぐに帰してやりたいが、芦野様の指図で、この門を一人も出入りさせてならんと言うことでな」

「ご老人」

伝五郎が言った。

「何ごとが起こったのでござるか」

「くわしくは知らんが、上つ方で争いがあったようだの。菱川様のお屋敷、ほか二、三のお屋敷で斬り合いがあるらしい」

老人は洟をすすった。

「前代未聞のことじゃ。この寒い夜中に」

老人の呟きを、伝五郎は最後まで聞かなかった。

あ、待て、という叫び声を聞き流して、一散に門を走り抜けた。菱川家の屋敷は大手門から遠くはない。濠(ほり)を東南に曲がった場所にある。暗く静まり返っている濠を右側に見ながら走り続けた。

間もなく明るい光が見えてきた。菱川家の門前を固めている人数が持つ、提灯のあかりだった。高張提灯も二本立っている。近づくと提灯の光は濠の水面にも映って、昼のような明かるさだった。

菱川家の門は、八文字に開かれている。門の内外には三十人以上とみられる襷、鉢巻の人数がいる。大目付の支配下にある徒組、足軽組の者たちであろう。

門を入ったところに、陣笠をかぶった人物が立ち、声を張り上げて叫んでいた。

「双方とも鎮まれ。刀を引け。お城そばで何ということじゃ。お上に相済まんと思わんか。刀を納めろ」

その声を弾ね返すように、刀を打ち合う音が門まで聞こえてきた。

隙をみて門の中に飛び込むと、伝五郎は玄関から家の中に走り込んだ。後ろでどよめきが起こったのを構わずに、式台から廊下に上がった。庭の植込みの中で二人の武士が斬り合っているのが、提灯のあかりで見えた。あかりは暗い家の中まで射し込んで、ぼんやりと間取りが識別できる。

廊下に一人倒れている。茶の間と思われる部屋の障子を開くと、そこにも刀を握ったまま一人の侍が倒れていた。

座敷に踏み込んだとき、激しい刃交ぜの音が起こった。

「菱川どのに、ご助勢仕る」

と伝五郎は言った。

「何者だ」

落ちついた声が言った。

薄闇に馴れた眼が、一人の長身の男を囲んで、三人の男が剣先を揃えて対峙している姿を映した。長身の男は、白い寝衣のままである。寝巻の胸が黒く汚れている。

「七重どのの親戚のものでござる」

咄嗟に伝五郎は言った。

「それは有難い」

庫之助と思われる長身の男が、やはり落ち着いた声で言ったとき、

「貴様」

突然一人が反転して伝五郎に斬りかかってきた。伝五郎は抜きあわせた。

ぐいぐいとすさまじい勢いで押してくるのを、茶の間に誘い込んで、伝五郎は反撃に転じた。同時に打ちおろしてきた、敵の刀身の唸りを耳のそばに聞きながら、伝五郎は体を沈めて二の太刀を打ち込んだ。

骨を斬り割った鈍い音がし、敵の体が突き飛ばされたようにのけぞって、背から壁に打ち当たった。伝五郎の刀は敵の膝を斬ったようだった。ずるずると壁を背でこすって尻から落ちた敵は、そのまま立ち上がれず、呻き声を洩らしながら、必死に刀を構えている。

「ここはよい。水屋の方を見てくれ」

座敷に戻った伝五郎に、庫之助が声をかけた。

「女子どもは父上と一緒に逃がしたが」

斬り込んだ敵の刀を受け流し、大きく位置を変えながら、庫之助は言葉を続けた。

「七重が、逃げ遅れたかも知れん」

伝五郎は茶の間を駈け抜け、玄関から水屋に走り込んだ。

「誰じゃ」

弱々しい声が、伝五郎の足音を咎めた。水屋の隅に蹲っている七重の姿を、伝五郎は明り取りを透してくる淡い火影の中に認めた。七重は小さく蹲ったまま、小刀を構えている。白い寝巻を着ていた。

「お静かに」

伝五郎は囁いて、そっと足をすすめた。

「潮田伝五郎でござる。助勢に参りました」

ああ、と嘆声を洩らすと、七重は小刀を板の間に落とした。そのまま柔らかく体が崩れる。

「ご安心めされ」

伝五郎は囁いて七重の体に手を触れた。しなやかな肉の感触が、伝五郎の手にまつわりついてきた。伝五郎は突然体が顫え出すのを感じた。

「それがし、かくまって進ぜます」

寒気に襲われたように、歯を鳴らしながら言うと、伝五郎は七重の体を背負った。七重は、ぐったりと伝五郎の背に体の重味を預けたままだった。血が匂うのは、七重がどこかに手傷を負っているのである。だがそこまで心が届かないほど、伝五郎の心は上ずっている。

それでも水屋から裏庭に下り、塀の隅の潜り戸から屋敷の外に出た。

冷たい夜気に頬を撫でられて、伝五郎は漸く気を取り直した。

——うかつな場所には運べぬ。

という気がした。

七重の様子の異常さも胸を衝いてきた。医者に運ぶのがよい、と思ったが、すぐに途方に暮れた。医者の家がどのあたりか、見当がつかないのである。何者が菱川家を襲ったのか、誰が敵かも解らない以上、近くの屋敷に駈け込むということも憚られた。

暗い道を、伝五郎は急ぎ足に歩いた。左右の上士屋敷は固く門を閉じ、黒々と塀をめぐらしているばかりで、明りの洩れている家はない。

——長屋へ連れて行くしかない。

ついに伝五郎はそう判断した。家まではかなり距離があった。七重の体は重い。だがその重みは、伝五郎の心を膨らませている。

冷たいものが頰を打った。まばらな雨だった。

「さむい」

背中の七重が呟いた。不意に襲ってきた七重の体の顫えが、伝五郎を驚かせた。

町は石榴町に差しかかっていた。小流れがあり、橋が架かっている。その橋を渡ったところに地蔵堂があるのを伝五郎は思い出した。橋を渡って狭い境内に走り込んだとき、音を立てて驟り雨がやってきた。

堂の扉を開くと、伝五郎は黴くさい畳の上に七重の体を降ろした。

「どこを怪我された？」

伝五郎は手早く肌脱ぎになり、肌着を切り裂きながら訊いたが、七重はかすかに呻いただけだった。手探りして、伝五郎は七重の傷を改めた。白く地に飛沫を上げる雨が、僅かな光を手もとに運んでくる。手傷は左腕の付け根だけのようだった。袖が血に塗れて、傷口に貼りついている。

伝五郎は切り裂いた布で傷口を縛った。

「さむい」

また七重が呟いた。七重の歯が鳴った。手をあてると、火のように熱い額だった。不安のために、高い動悸を打ち続ける胸をなだめながら、伝五郎は囁いた。

「ご安心めされ。伝五郎がおります」

裸の胸のまま、横たわって静かに七重を抱いた。伝五郎の腕の中で、七重の悪寒は少しずつ納まって行くようだった。

五

七重どのが、榛ノ木の茶屋で、密かに男と会っていると聞いたのは、昨夜のことでござる。さよう、そのように知らせたのは希世でござる。その男が井沢勝弥であると希世が告げたとき、それがし即座に果たし合いを覚悟致し申した。これを男の妬みとはお取りなされまい。七重どのは、それがしにとって神でござった。かくのごときものを宿命と申すべきでござりましょう。

わが神を汚すものは、井沢であれ、他の何びとであれ、わが前に死ぬべきものでござる。また希世を責めてはなりません。希世は女の性にしたがい、なすべきようにしたまででござる。さて、この文をしたためる前に、井沢に果たし状を送り申した。ことがまことか否かは、明朝赤目川の河原に井沢が来るか否かで相わかることでござる。井沢も武士なれば、卑怯未練な素振りは致すまい。

「男が先に出、しばらくして七重さまが茶屋を出られました」

「その男が井沢勝弥だというのだな」

伝五郎は暗い眼で希世をみた。

「はい」

「しかし、二人はその日何か相談があったのかも知れんな。両家は遠いながら親戚だ」

「二度や三度ではありませぬ」

「そなたは」

伝五郎は絶句し、漸く言葉を続けた。

「そのようなことを、自分で探ったのか」

「いいえ、人の噂でございますよ」

「………」

「ご城下で隠れもない噂です。殿方はご存じないようですけれど」

勝ち誇ったように希世が言った。その口調の確かさが、伝五郎を戦慄させた。井沢勝弥によってもたらされた、七重の汚辱は、もはや疑いようがなかった。希世の眼に憎悪が燃えているのを、伝五郎は懼れるように見た。

――希世は、地に堕ちた七重どのを土足で踏みにじりたがっている。

と伝五郎は思った。なぜもっと早くこのことに気づかなかったろうか、とも思った。しかしすぐに無力感が伝五郎をとらえた。希世を娶るはるか前から、伝五郎は七重の囚われ人だったのだ。

辛卯の大変と呼ばれる凄絶な政争があったのは、六年前である。

事情は後に判明したが、中老の菱川多門、筆頭家老浅沼宮内が手を結んで進める藩政改革に、終始反対を唱えていた保守派の次席家老本郷八郎兵衛、支城鐘ヶ井城城代河鍋三左衛門、組頭朝海主馬が、一挙に主流派を抹殺し、藩政を握ろうとしたのが真相だった。

しかし襲撃は、浅沼家老が重い手傷を受けて、半年ほど寝込んだだけで失敗し、反対派はそれぞれ切腹、閉門、蟄居、追放の処分をうけて潰滅した。

城下を愕かせた事件は、いつとなく忘れられ、六年経ったいまは、筆頭家老の位置に浅沼の子息吉之丞が坐り、中老に菱川庫之助が就任して、改革派の藩政はゆるぎないものになっていた。

とくに若冠三十四歳の中老がすすめる新田開拓は、長大な吉兵衛堰が完成して、疲弊の底にある藩財政を立ち直させようとしていた。

辛卯の大変の夜、七重を屋敷から救い出してから、伝五郎は七重に会っていなかった。あの夜、地蔵堂の闇の中で、ほとんど肌を接するまで寄り添ったことも、事件が通り過ぎてしまえば、一ときの甘美の夢のようで、あったことが信じ難かった。ただ余韻が残った。遠い鐘がひびくように、あの夜四肢をゆだねた七重の記憶が、伝五郎の胸の中に時おり微かに鳴りひびく。その記憶だけで伝五郎は満ち足りていた。

才幹のある夫がいて、七重はその妻だった。それでよいという気持ちが伝五郎にはある。七重が幸福であることを、遠くから眺めているだけでよかった。

「七重どのは、するとしあわせではないのか」

と伝五郎は言った。その疑念が、不意に心に射し込んだのである。七重が多情な女だとは思いたくなかった。

「よそさまのことは、存じ上げませぬ」

にべもなく希世は言った。希世は娘の頃にくらべて、幾分痩せた。表情の乏しい顔の中で、眼だけが生きて、伝五郎を刺してくる。

この女を、愛したことはなかった。

「そなたは、七重どのを憎んでいるのだな」

「はい」

希世は眼をそらさずに答えた。伝五郎は沈黙した。希世の憎悪は正当だと思ったのである。ただ希世は的を間違えている。憎悪の矢は真直ぐ俺に向けられるべきなのだ、と伝五郎は思った。

七重に対する俺の感情を、希世がいつから気づいたのだろうかと思った。

六年前の雨の夜、七重を家に担ぎ込んだとき、希世は無表情に七重のために床をのべ、伝五郎が医者を呼んでくると、手当てする医者を手伝った。

――だが、あのときではあるまい。

そういう気がした。

不意に重い衝撃が、伝五郎の内部に動いた。十年も昔の盆踊りの夜のことが、不意に記憶に甦(よみがえ)ったのである。帰り道の、長い沈黙の後で、希世は自分から七重のことを話題にしたのだった。長い沈黙の中で、希世は夜の雑踏の中から、不意に話しかけてきた美しい女と、やがて夫になるべき男とのつながりを探っていたのだろうか。

長く荒廃した妻との日々が見えてきた。

「もうよい。そのことは誰にも言うな」

と伝五郎は言い、先に休めと言葉を重ねた。

行燈(あんどん)の灯の芯(しん)を剪(き)り、墨をすりながら、伝五郎は井沢勝弥に書きおくる果たし状の文句を案じた。その思考の中にも七重は姿を現わし、光り輝くようだった。

青岳寺の門を出ると、冬には珍しい温かい日射しに体を包まれた。七重は短い影を踏みながら、ゆっくり歩いた。

「奥さま、ちょっと」

女中のひさが軽く袖を引いたのは、青岳寺の塀が尽きる場所に来たときである。そこは四ツ角で、右に曲がると布引町の商人町に入る。

角の青物屋の前で、店に背を向けてこちらを眺めている老女の姿に、七重も気づいていた。老女の視線がきつく、眺めているというよりは注視しているように見えたからである。その見つめようは、明らかにこちらの身分を知っていることを示している。

「あれが、潮田の母親でございますよ」

とひさは言った。

二人は角を左に曲がって、青物屋を通り過ぎていたが、七重は思わず振り返った。伝五郎の母沙戸は、まだこちらを見つめている。その眼に憎悪のいろを見て、七重は訝しんだが、不意に腹が立った。

――潮田が果たし合いなど申し込まなかったら、勝弥は生きていた。

と思ったのである。

夫の立派さに、七重は倦きあきしている。夫の庫之助は、藩政の中枢に坐ることに、異常なほどの執着を示してきた男だった。庫之助の異常さは、そのために自分自身に苛酷な試錬を加え、それをひとつひとつ着実に克服してきた立派さにあった。万巻の書を読破し、剣は一流の奥儀を究め、歴代の藩執政の治績の枢要を、ことごとく諳んじていた。

だが、庫之助のこのような努力は、要するに権力者の資格にふさわしい自分を作りあげることに目的があったのである。その資格を完璧(かんぺき)なものにするために、庫之助は立派な風姿、声音、笑いにまで気を配る努力を惜しまなかった。

夫の立派さの異常に気づいたのは、菱川家に嫁いで四、五年経った頃である。夫はそのようにしてつくり上げた自分を武器に、一歩一歩権力の座をのぼり、のぼるたびに、妻にその座を誇示し、尊敬を強いた。いま庫之助は家老の地位を手に入れることに熱中している。

これが藩内の尊敬を集めている男の正体だった。

――勝弥はだらしがない男だったが、正直だった。

と七重は思う。

七重は菱川家に嫁ぐ前、一度だけ井沢勝弥に肌を許していた。榛ノ木茶屋で忍び会ったとき、勝弥はふざけた口調で、

「たった一度の過去のために、いまだに嫁をもらう気になれないのだ」

と言った。勝弥は井沢家の跡取りなのに、まだ独り身で女遊びをしたり、悪友と酒を呑み廻ったりしていた。

勝弥がふざけ半分に言った言葉を、七重はことごとく信じたわけではない。だが言ったことの中に、何ほどかの真実が含まれていることを覚ったのだった。

――潮田は、どういうわけで勝弥に果たし合いなど申し込んだのだろう。

七重にはいくら考えても解らない。潮田伝五郎は、ある時期弟のまわりにいた男たちのなかで、一番目立たない人間だった。辛卯の年の暮れ、屋敷から救い出してくれたのが伝五郎だと

知ったときは驚いたが、偶然だろうと思っていた。

果たし合いは、伝五郎の方から申し込んだと聞いている。どのような理由からそうなったかを語る者は誰もいない。七重に解っているのは、一人の男が、いまの七重にとって大切な人間の命を奪ってしまったことだけである。

——あのような眼でみられるいわれはない。

七重は、憎悪を含んだ眼で自分を見つめてくる潮田の老母に、憤りを感じた。

風もない、穏やかな日射しの中で、二人の女は、なおしばらくきつい眼でお互いを見合った。

盆踊りの項は、「鶴岡市史」を参考にしました。

（「小説現代」昭和四十九年十月号）

密夫の顔

一

房乃が行燈(あんどん)の灯を消すと、闇の中に油煙の香がしばらく漂った。

その匂いが消えても、房乃が横になった気配がしないのに、浅見七郎太は気付いた。

「おい、どうした？」

「……………」

「身体(からだ)のぐあいでも悪いか」

身体を横に向けて手を伸ばすと、妻の寝巻の膝頭(ひざがしら)に触れた。いやな予感が七郎太の頭をかすめた。房乃は、膝を七郎太に向けて、床の上に端座しているらしい。

妻がそういう姿勢をとっているとき、よいことはひとつもなかった。

独り身のときの悪友に誘われて、茶屋酒を呑み、女と浮気してきたときも、房乃の実家と言い争いをしたときも、房乃はこの手を使った。明るい灯の下では、さり気なく振る舞っていたのに、いざ寝ようとする時、闇の中で突然改まったことを言い出すのである。それも容赦なくぎゅうぎゅう締めあげてくる。

――だが、今夜は勘弁してもらいたいな。

と七郎太は思った。

一年の江戸勤めが終って、今日帰国したところである。城についてからも、結構役向きの後始末があって、城を下がって来たときは七ツ時（午後四時）を回っていた。

疲れている。途々房乃を抱くことも考えてきたのだが、気がすすまないなら、別に今夜いそいで抱かなければならないというものでもない。穏やかに眠らせてもらえばいいのだ。江戸で遊ばなかったわけではないが、深夜妻に問いつめられるほど、怪しからんことをした覚えはない。

「何か話があるのか。それなら明日にしろ」

指先に触れている妻の膝を、軽く叩いたが、その手はすげなく払われた。

「何ごとだ？」

不意に怒りに駈られて、七郎太は起き上がった。布団の上に胡坐をかくと、荒い声になった。

「話があるなら、早く申せ。俺は眠い」

「お疲れのところ、申しわけありませぬ」

と房乃が言った。その声が沈みきっているのに、七郎太は愕いた。帰ってきた七郎太を迎えたとき、房乃の顔はかがやき、声は晴ればれとして、喜びを露わにしていたのである。

だが、いま房乃の声は闇がものを呟くように陰気に湿っている。

「ぜひとも申し上げねばならないことがございます」

「早く言え」

七郎太は苛立った。

「離縁して頂きとうございます」

「………」

またか、と七郎太は思った。四年前、茶屋女のみよという女と懇ろになったときもそうだった。悪友の貝島藤之進が、ぽろりとそのことを洩らし、房乃に問いつめられて、ことが露見したとき、房乃は夜、寝間に入ってからいきなり同じ科白を切り出したのだった。先ず高飛車に出て七郎太を愕かし、その後めんめんと詰り、愚痴を述べるのが、房乃のやり方なのだ。

――だが、今度は俺の方に尻尾をつかまれるような悪いことは何もない。

「お手討ちにして頂いても構いませぬ」

「何のことか解らん」

七郎太の苛立ちは高まった。

――俺ではない。これが何かをしたのだ。

そう思うと、不意に押し寄せてきた不安に、七郎太は心が冷えるような気がした。ただごとではない、悪い予感がする。

「灯をつけろ。いや俺がやる」

動こうとした七郎太の寝巻の袖を、房乃が摑んだ。

「灯はお許し下さいませ。このままでお聞き下さいませ」

「………」

衝き上げてきた胸騒ぎを押さえて、七郎太は低い声で言った。

「よし、申せ」

「申しわけございませぬ」

と房乃は言った。叫ぶような鋭い声だった。が、そのあと暫く沈黙して言葉を続けたとき、房乃の声は乾いていた。

「お留守の間に、過ちがございました」

「過ちだと？」

「わたくし妊っております」

抑揚のない房乃の言葉が、七郎太の耳の中で、次々にはじけた。

「そのとき死ぬべきでございました。ただ、ひと眼お会いしてからと思い、今日までお帰りをお待ち致しました」

「………」

「もはや心残りはございませぬ。覚悟はきめておりますゆえ、存分に遊ばして下さいませ」

呆然と七郎太は闇の中に坐り続けた。房乃がした告白を、まだ現実のものと信じられない衝撃が身体を包んでいる。

浅見七郎太は小姓組に属し、八十石の藩士である。二十のとき、御目付下役を勤めた父が死歿したあと、家禄を継いで五年になる。

房乃は槍奉行を勤めている金井権兵衛の娘で、七郎太が家督を継いだすぐ後に浅見家に入った。七郎太の母は、早く病死していて、七郎太二十、房乃十七という若夫婦が出来上がったが、これまで格別の波瀾もなく過ぎて来ている。房乃は父譲りで気が強い面があり、何かの拍子に、七郎太が鼻白むほど自分を主張して譲らないことがあったが、そういう気の強さを知っているために、江戸詰めで一年家を空けることになった時も、七郎太は一人残される房乃を案じる煩いを持たなかったのである。

怒りは、愕きの後からゆっくりやってきた。身体を熱くしているのは恥辱だった。そういう立場に落とされる自分を予想したことはなかった。それが房乃に対する憎悪を掻き立てた。

冷ややかな声で、七郎太は問いかけた。

「相手は誰だ?」

「申しあげられませぬ」

ほとんど間を置かずに、房乃が答えた。房乃の声にはほとんど悲鳴のような響きがあったが、七郎太にはそれが挑みかかるように聞こえた。

七郎太の身体が、闇の中に躍り上がった。左手で房乃の肩を摑むと、右手の拳を打ちおろした。

幾度も拳を打ちおろし、その掌にぬるりとした血の感触を感じたとき、七郎太ははじめて殴打をやめた。その間、房乃はひと言も声を挙げなかった。

「死ぬことは許さん」

七郎太は、息を調えてから言った。

「誰が相手かは、俺がつきとめる。その上で二人並べて成敗する。床は次の間に運べ。汚らわしい女だ」

房乃は、闇の中で無言で床を畳みはじめた。

「ひとつ聞いておく」

房乃が立ち上がった気配を聞いて、七郎太は言った。

「その男に、心を移したのか」

「いえ」

房乃は冷たい声で答えた。

「過ちと申しあげました」

房乃が去ったあと、七郎太は床に横たわって闇に眼を開いた。身体の中に重い疲労がたまっているのが感じられたが、少しも眠くなかった。

二

七郎太は家を出た。

柔らかい日射しが、樹や垣根の嫩葉(わかば)に降り注いでいる。

慰労のため、三日間の勤め休みが藩から出ている。が、家の中にいる気はしなかった。房乃は今朝、一年前と同じように起きて、台所仕事をし、食卓を出した。その後は、七郎太の旅に汚れたものを抱えて、裏口を出て行った。洗濯にかかるようだった。

房乃の実家金井家は百三十石で、女中を置いているが、七郎太の家は小禄で、しかも二人だけの住まいである。房乃は嫁にきたその翌日から台所に立ち、濯ぎ物をしなければならなかったが、そのことで不満を言ったことは一度もない。

朝、房乃と向き合って朝飯を喰べながら、七郎太は、昨夜あったことが、夢のようにおぼつかないもののように感じていた。しかしそれが確かにあったことは、房乃の左頰が無残に腫れ上がっていることで疑いようがなかった。頰が腫れ上がっていながら房乃の顔はなぜか血色がよく、あれだけの告白をした人間の憔悴がなかった。女の生臭さが溢れ、ふてぶてしく見え、それが七郎太の胸にまた憎悪を甦らせた。砂を噛むように飯を噛んだ。

七郎太はゆっくり町並みを歩いて行った。武家屋敷から、足軽町に続くその通りは、人通りが少ない。

それでも七郎太は、始終誰かに背を視られているような気がした。これから登城するらしい足軽が二人、擦れ違うときに丁寧な辞儀をしたが、いつもは気にもとめないその辞儀が、今朝の七郎太にはひどく面映ゆい。

——それにしても、男は誰か?

七郎太は憂鬱な気分でそう思った。

自分で探すしかないと思っていた。房乃を責めても言う筈がなかった。死んでも言う筈がない。房乃の性格はそうしたものだった。だが、自分で探すとなると、七郎太は途方に暮れる気がした。思い当たる男など、いる筈がない。

——だが、探しあてねばならん。

自らを励ますようにそう思った。そのことを知っている人間が、藩中に一人いる。恐らくその男は、七郎太の背に、遠くから嘲りの視線を注いでいる筈だった。その男を探し出し、結着をつけねばならなかった。

——しかし、そういうことが出来る人間は限られている。

と思った。

浅見家の内情を、少なくともある程度知っている人間に違いなかった。行きずりの男が、房乃とそういう刻を持ったとは、房乃の性格から推して考えられないことだった。

——内情を知り、家に出入りして怪しまれない人物となれば、いよいよ限られてくる。

七郎太の憂鬱は、そこで極まる。剣持鱗蔵、中林豊之助の名前が、先ず浮かぶ。二人とも親友である。お互いの家に出入りしている仲だった。それに、最近は足が遠くなっているが貝島藤之進がいる。

三人とも城下で空鈍流を教授する宝生道場の相弟子である。貝島藤之進は、二百石で郡奉行を勤める貝島家の三男で、三人の中ではもっとも身持ちが悪い。十八の頃には道場通いも怠け、茶屋酒を飲むことを覚えて遊び回っていた。どこかに婿に入るのが望みだが、藤之進の悪名は家中に知れわたっていて、まだ独り身の筈だった。

剣持は馬廻り組に勤め、中林豊之助は七郎太と同じ小姓組に勤めている。剣持は、七郎太と入れ違いに江戸に到着して、七郎太が江戸を発つとき、一年ぶりに会って話をしている。

——もっとゆっくり話をすべきだった。

そう思ったが、七郎太は首を振った。そういう眼で親友を見なければならないことが、不意に浅ましく思えたのである。

房乃の実家の金井家に着くと、房乃の兄の勝之丞が非番でいた。

「房乃に縁談を申し込んだもの？」

帰国の挨拶の後、七郎太は雑談の中に、房乃と縁談が調った当時のことに触れてみた。

勝之丞の不審な表情に、七郎太は弁明した。

「じつは帰国早々夫婦喧嘩（げんか）をやりましてな」

「ははあ、やったか」

「このような貧乏暮らしの家に来なくとも、嫁入り口はわんさとあったと申した」

勝之丞は声を立てて笑った。

「相変わらず我儘（わがまま）なことを申しておるようじゃな。貴公も苦労する」

七郎太は苦笑した。

「それはな、七郎太どの。女の見栄というやつだな。縁談なんぞひとつもありはせん。よその娘が次々に嫁入る。当人は無論、家の者までじりじりしておったときに、貴公からの話が舞い込んで、一も二もなく飛びついたあんばいだったな」

「………」

「風采（ふうさい）はよし、剣は空鈍流の免許取りという噂（うわさ）に、話が決まってからは、嫁に行くまで貴公に恋い焦れるというふうじゃった。何がわんさとあった、だ。もっとも、これは本人には内緒にしてもらいたいな。気の強いあれのことだ、兄にまで喧嘩をふっかけに乗り込んで来ないものでもない」

妻の実家を出ると、七郎太は代官町の方にまわった。

勝之丞の話で、房乃にむかし、心を通わせた男などというものもいないことがはっきりすると、疑いはいよいよ剣持、中林、貝島に濃くなってきていた。

七郎太は、代官町の剣持鱗蔵の家を訪ねてみようと思ったのである。剣持は留守だが、妻女の梨枝とは顔なじみであるし、江戸で会ったときの模様を話してやってもいい。梨枝と話しているうち、剣持について何か解るかも知れない、と思った。

「お帰りなさいませ。房乃さまがお喜びでございましょう」

梨枝は七郎太の顔をみると、すぐに言って家の中に招じ入れた。

「こうして一人になりますと、房乃さまがさぞお淋しかったことでしょうと、いま頃ご同情申しあげているのですよ」

梨枝はゆっくり手を動かし、茶を淹れてすすめると微笑した。剣持は、七郎太に一年ほど遅れて梨枝を娶っている。

梨枝はおとなしい女だった。物言いも立ち居も静かで、身体つきまでほっそりしている。剣持の父は四、五年前に死歿し、母親は中風で寝ていた。いまも離れに寝たきりで臥っている筈だった。家の中はひっそりして、陰気な感じがする。

七郎太はふと、道場で遣う、剣持の竹刀の激しさを思い出していた。七郎太、剣持、中林の三人は、宝生道場の三羽烏と呼ばれ、師範の宝生四郎右衛門は、七郎太の精妙、中林の品格、剣持の気迫と評して珍重した。

空鈍流は、竹を真綿でくるんで、その上を紫革で包み、打ち合う稽古をするが、剣持が稽古をつけると、その激しさに昏倒する者が出た。だが稽古を終ると、剣持は三人の中でもっとも口数が少なく、立ち居も控え目な男だった。

剣持の竹刀の激しさは、家の中の陰気さに原因があるのではないか、と七郎太は改めてそのことを発見した気がした。梨枝もひっそりした女である。声は小さく、容貌もととのっているが明るいところがない。剣持に似つかわしい嫁だといえるが、時には剣持をやり切れなくするかも知れない。

七郎太は、江戸屋敷で会った剣持の表情が、晴ればれと明るかったのを思い出した。

「江戸のお屋敷で、主どのにお会いした」

と七郎太は言った。

「ま」

梨枝は一瞬眼を輝かせて七郎太をみた。

「こちらのことを気にしていましてな。時には見廻ってくれ、と申された」

それは本当のことだった。剣持は、女世帯だから、時々見廻ってくれ、と言ったのである。

「さようでございますか」

梨枝は言い、ふと顎を胸もとに埋めるような姿勢になって、

「一年は、長うございますね」

と呟いた。

「ずいぶん静かだが母御はお変わりないか」

「はい」

「やはり寝たきりか。世話が大変でござろう」

「いえ、もう馴れておりますゆえ」

梨枝は微笑した。

「ひさは使いでござるか」

ひさは剣持家の女中である。剣持は馬廻り組で百石取りである。昔から女中を置いていた。

「ひさはついこの間嫁に行きました」

「ほほう」

「いまはお母さまと二人だけでございますよ」

「それは、少々不用心でござろう」

「いえ、女二人に召使いはぜいたくでございますもの」

すると、長居してはいかんのだ、と七郎太は思った。

――剣持も、このように房乃を訪ねてきたことがあるのだろうか。

そう思ったのは、剣持の家を出て、明るい日射しの中に出たときだった。

梨枝はなんのためらいもなく、七郎太を家の中に招き入れ、茶を振る舞った。夫の親密な友人をもてなす心遣いだけがあって、男を警戒する気持ちは初めから脱落していた。だが、女中も置かず、母親は離れにいて口も利けない病人なのである。

――剣持の妻女は、少し不用心過ぎないか。

そのことだけが妙に気になり、梨枝に剣持のことを問い糺すつもりだったことを、七郎太はすっかり忘れていた。梨枝の不用心さが、房乃の過失を思い出させている。

三

中林豊之助には、登城したその日に会った。

「浅見、ちょっと来い」

豊之助は、七郎太をみるとすぐに声をかけて、小姓組の詰めの間から庭に連れ出した。豊之助は少し肥っていた。だが役者のような美貌はますます磨きがかかって、相変わらず颯爽としてみえる。

いつも颯爽として、立ち居も物言いも朗らかだが、まるで陰影のないその明るさが、男としてはむしろ損をしている。ときに軽薄に見える。

ただ道場で竹刀を握ると、豊之助は別人のようになった。空鈍流は八双の構えを基本にするが、豊之助の構えは重厚で、一分の隙もないものになる。焦った相手が踏み込むと、絵に描いたような斬撃が決まった。

「貴様に話しておくことがある」

豊之助は中庭の池の際まで七郎太を誘うと、声を落とした。

「内密の話だ」

七郎太はぎくりとした。房乃とわけがあったのはこの男で、いま豊之助はそれを告白するつもりなのかと思ったのである。

豊之助の顔は、いつものようでなく、緊張している。

「近くお上のご意向で、人が討たれる」

豊之助は早口に言った。

「誰のことだ、それは」

「そこまでは知らん」

豊之助は言った。

「討手は俺と貴様だ。貴様が帰国するのを待っていると申した」

「誰がそう言ったのだ」

「伯父御だ」

中林豊之助の家は七十五石で、七郎太とほぼ同格だが、藩の老職を勤める中林備前の分家だった。豊之助が伯父御といったのは備前のことである。

七郎太は豊之助の顔をじっと見た。豊之助の顔には、日頃と少し違う緊張が現われている。

七郎太を見返している眼にも、普段の軽薄なほどの明るさはなかった。

——この男も、房乃と通じる機会はあった筈だ。

と思った。そう思うと、豊之助のやや緊張した色が、上意討ちの話のためなのか、房乃とのことを、上意討ちの話にかこつけて隠そうとしているのか解らなくなってくる。

豊之助は七郎太よりひとつ年下だが、同じ頃に嫁を貰った。妻を溺愛しているという噂があったが、この疑いの前には、そうした話は何の手掛りにもならない。男女の間のことは、日常の物指しでは測れないのだ。

「どうした？」

と豊之助が言った。

「臆したか」

「いや」

夢から覚めたように、七郎太は答えた。

「相手が誰かも解らんでは、臆しようもない。承知したぞ」

「胸に畳んで置いてくれ。近く使いが走る筈だ」

豊之助は言い、顔をしかめた。

「人を斬ったことはないが、伊達に剣の修業をしたわけでもないからな」

城を下がると、七郎太は家とは反対に茶屋町の方に足を向けた。

茶屋町は、城下の端れにある。城門前を流れる川が、町に入り込もうとする場所で大きく迂回する。茶屋町は、その岸に沿って細長く連なる。

さざ波と見事な草書で書いた看板のある茶屋に、七郎太は入った。

「貝島藤之進は来ておらんか」

出てきた小女に七郎太は聞いた。小女は首を振った。

「では、卯女という女はおらんかな」

卯女という酌女に、藤之進は惚れて通いつめていたのだ。鋭い眼鼻立ちをし、浅黒い肌の女で、無口なくせに口を開くと刺すように皮肉なことを言った。あいつは悪女だ。一度寝たのが間違いだ、と藤之進が喚いたことがある。

だが小女はまた首を振った。七郎太は焦った。

「みねはおらんか。色が白くて肥った女だ」

「おります」

と小女が言った。

みねは、またひと廻り肥っていた。

「おや、浅見さま」

玄関の板の間に膝をつくと、みねは肥った顎を胸に埋めるようにして、上眼遣いに七郎太を睨んだ。

「ずいぶんお見限りですこと。よく迷子にならずにここまでいらっしゃれたこと」

「江戸に参っていたのだ」

この肥った女と、一度は寝たことのある弱みで、思わず七郎太は言ったが、

「ま、それはよい。貝島は来ておらんか」

と性急に聞いた。

「貝島さま？」

みねは顔をしかめた。

「貝島さまなぞ、どうでもいいでしょ。さ、お上がりなさいまし」

「そうもしておられん。貝島にいそぎの用がある」

「お逃げになるつもりですね」

みねは、また七郎太を睨んだ。

「奥さまが怖くて、茶屋酒も飲めませんか。殿方というものはどうして……」

「そのうち参る。そなたが昔岡惚れした中林を連れて参る。貝島、いや卯女の居所を知らせてくれ」

「おや、ご存じだったんですか」

卯女はこの先の川舟という茶屋にいる。貝島は両刀を捨てて、そこで薪を割ったり、走り使いをしたりしている、とみねは言った。

「酒も飲ませずに夜具を敷くような家ですよ」

と、みねは軽蔑したように言った。

「貝島は、そこで卯女と一緒に暮らしているのだな」

「卯女の方は嫌っているんですよ。でも、侍を捨てた貝島さまをいまさら見限るということも出来ませんでしょ。腐れ縁だって、あたしら、噂してるんですよ」

「……」

「あら、ご免なさいよ。貝島さまはお武家さまだったんですものね」

貝島に対する疑いは解けた、と思った。そういう貝島が友達顔で、七郎太が留守の家を訪ねることもなかったろうし、もし訪ねたとしても潔癖な房乃には、ひと眼で貝島のいまの暮らしがどういうものか解った筈だ、と思った。

だが、川舟は帰り途にあった。生け垣に柴折戸がはめこまれていて、そこが入り口だった。広い庭があり、奥の建物で三味線や唄う声がざわめいている。川舟は茶屋というよりも、誰かの別墅を買い取って、そのまま使っているという構えだった。

玄関の前の松の木の下で、誰かが焚火をしている。日が暮れて、西空に赤い色が残っているが、あたりは闇に包まれようとしていた。

火のそばに蹲っていた男が、棒で焚火をつつくと、威勢よく焔が燃え上がった。その明りの中に浮かび上がったのは、貝島藤之進の顔だった。髪も町人髷にしている。

貝島は、懐を探り大事そうに手拭いにくるんだものをとり出した。小さい徳利だった。栓を抜くと、顔を仰向けて中のものを飲んだ。仰向いた喉が、ものを嚥下する動きが、七郎太が立っている場所から見えた。

飲み終ると、貝島は、また慎重に栓をし、手拭いにくるむと懐にしまった。背をまるめ、立てた膝に腕をのせ、その上に顎をのせると、貝島は火を見つめたまま、石のように動かなくなった。

足音を忍ばせて、七郎太は柴折戸を離れた。

四

使いが書状を届けて来たのは、江戸から帰国してひと月近く経ったある夜だった。

書状には、家中成敗の儀これ有り、討手の支度をして急ぎ来たるべし、と書いてあった。使いを寄越したのは月番家老の片柳玄蕃である。

七郎太は部屋に戻るとすぐに刀の目釘を調べ、襷をしてその上から羽織を着た。鉢巻きは懐に入れ、革足袋を履いた。

玄関に出ると、灯を手にして房乃が立っていた。

「どちらに参られますか」

と房乃は言った。

「そなたが知ったことではない」

冷ややかに七郎太は答えた。

「あの、そのようなお支度をして、何ごとでございますか」

房乃は臆せずに畳みかけて聞いたが、その声はか細く顫えている。

房乃の声を振り切るようにして、七郎太は外に出た。闇の中を、急ぎ足に歩きながら、七郎太は索莫とした気分になっていた。上意討ちの相手が誰かは解らない。だが、いま生死を賭けた闘争の場所にいそいでいることは確かだった。そのことを妻に告げることも出来ない異様さが、胸を冷たくしたのである。

——あれは、妻ではない。

七郎太は荒びた気持ちでそう思い、足を速めた。

片柳家に着くと、すぐに奥の部屋に導かれた。玄蕃と向かい合って、中林豊之助が坐り、茶を飲んでいた。

「ま、坐れ」

玄蕃は言うと、七郎太にも茶をすすめた。

「急ぐことはない。相手は覚悟をきめて待ち構えている」

「ご成敗の相手というのは?」

七郎太は玄蕃の顔と、豊之助の顔を見くらべながら訊いた。

「北川源太夫じゃ」

七郎太と豊之助は顔を見合わせた。豊之助もいま初めてその名を聞いたらしかった。北川源太夫は半年ほど前、突然江戸詰めから帰国を命じられた。藩主の吉原遊興を諫めて不興を蒙ったという噂もあり、江戸家老芦野八郎左衛門に、江戸屋敷の経費節約を具申しているうちに、突然お上を誹謗したという噂もあった。

帰国したが、謹慎、閉門といった沙汰もなく、普通に勤めていたのである。半年経っていまこういう沙汰があるのだろうか。

「北川はこれが出来る」

玄蕃は指で撃剣の真似をした。

「討手は浅見と中林と決まったので、浅見が帰国するまで延ばした」

北川源太夫は三十半ばになるが、二十過ぎには城下の一刀流指南所岡村道場で一時師範代を勤めた男だった。

「成敗はかねて覚悟していたらしくてな。北川は一昨日、領外に女房、子供を逃がした。いまひとりで家に立て籠っている」

では、と言って立ち上がった七郎太と豊之助に、玄蕃がやや緊張した声をかけた。

「後詰めが要るか」

二人はまた顔を見合わせたが、膝をついて七郎太が答えた。

「いや、そのご心配は無用と存じます」

「よし」

元肴町の北川源太夫の屋敷まで、二人はゆっくり歩いた。

「剣持がいれば、後詰めを頼むところだな」

ぽつんと豊之助が言った。

「臆したか」

「いや」

それだけの問答だった。二人は黙って歩いた。

源太夫の屋敷が近くなったとき、七郎太は突然手足が萎えたように力を失い、歯が鳴るのを感じた。歯を嚙みしめると、顎が顫えた。

「中林、ちょっと待て」

と七郎太は言った。

「どうした？」

豊之助も立ち止まったが、その声が顫えているのが解った。

「顫えがきた」

「俺もだ」

二人は闇の中で低く笑った。すると手足に力が戻ってきた。

「よし、行くぞ」

気合いをかけるように七郎太が言うと、豊之助も、よしと言った。

源太夫の屋敷の前にくると、不意に闇の中から声がした。

「討手の方か」

「何者だ」

二人は刀の柄に手を掛けた。

「お静かに。山崎さまの下の者です」

山崎惣兵衛は大目付である。大目付支配の者が、源太夫の屋敷を見張っていたのだった。

「坂井良助と申します」

闇の中の声は言うと、二人の前に出てきた。顔ははっきり見えないが、後に配下らしい三人ほどの人影を連れている。

「北川源太夫どのは、玄関を上がったところの部屋の襖(ふすま)を取り払い、そこに寝ているようです」

「寝ている?」

「はあ」

「踏み込んでみないと解らんな」

と豊之助が言った。

「我々はここで見届けます。首尾よく仕留めなされ」

と坂井が言った。

源太夫の屋敷は意外に広く、門を入って玄関まで十間余の距離がある。近づくと玄関の戸の隙間から灯の色が見えた。

「行くぞ」

もう一度七郎太が言うと、豊之助が、よしと言った。二人は羽織を脱ぎ捨てると、左右に別れて、一気に戸を開けた。

百匁蠟燭(めろうそく)が二本、燭台(しょくだい)の上で焰を噴き上げている。その影で、男がひとり弾(はじ)かれたように立ち上がったのが見えた。手はもう白刃を握っていた。源太夫は刀を抱いて、横になっていたようだった。大柄な男だった。

「討手か」

唸(うな)るように源太夫は言った。

「待っていた」

「北川源太夫だな」

七郎太は確かめた。口が乾き、他人が物を言っているような声が出た。

「上意によって、お命申しうける」

源太夫は無言で式台を降りてきた。七郎太はすばやく後にさがると、履いてきた草履を脱ぎ捨て、足袋だけになった。八双に構えたとき、豊之助も八双に構えるのが眼の隅に見えた。

源太夫は青眼に構えたまま、ゆっくりと閾(しきい)をまたいだが、外に出ると猛然と豊之助の方に斬りかかった。豊之助も恰幅がいいが、源太夫にくらべると見劣りした。押しつぶすような源太夫の踏み込みの陰に、豊之助の身体はすっぽり隠れたように見えたが、豊之助もさすがに宝生道場の俊鋭らしい体さばきを見せた。

するりと抜け出して間合いをとったとき、構えは再び八双に戻っていた。源太夫は一度踏みとどまった。源太夫の左袖が切られてぶら下っている。だが踏みとどまったのは僅かな間で、再び畳みかけるように切り掛けて行く。

豊之助は刃を合わせて巧みに源太夫の刃先を躱(かわ)したが、その間に源太夫の刀は、二、三度豊之助の腕と肩に届いたようだった。豊之助は押されていた。

——房乃と通じたのは貴様か、豊之助。

七郎太の頭を、不意に残忍な想念が横切った。

七郎太は依然として八双に構えたままである。二人の動きは目まぐるしかったが、源太夫に斬りかかる隙はあった。その機会を、七郎太は二度見送った。

——もし、貴様だったら、死ね！

「浅見！　浅見！」

突然豊之助が連呼した。斬り合いは鍔競り合いになっていた。上背のある源太夫の押しに、豊之助の上体は弓のように反り返ろうとしていた。豊之助の顔が、苦痛に歪んでいる。

夢から醒めたように、七郎太は叫んだ。

「離れろ」

死力を絞って豊之助が源太夫の刀を弾ね返した一瞬の隙に、七郎太は横から斬り込んだ。その刃先を軽々と源太夫は躱して、七郎太に向かって構えていた。

庭を照らす百匁蠟燭の荒々しい光の中で、源太夫の血走った眼が無気味に七郎太を見据えた。髭に埋まった口をわずかに動かして何か呟くと、不意に源太夫の刀身は上がって、上段に構えた。七郎太の剣が八双から下段に変わる。その動きにかぶせるように、源太夫は刀を打ちおろしていた。

その刃先を、七郎太は避けなかった。身体を沈めて源太夫の刃の下に身体を投げ入れるように踏み込むと、激しい突きを入れていた。身体をよじって源太夫は突きを避けようとした。だが上体は伸び切って躱し切れない。七郎太の剣は源太夫の脾腹を貫いていた。

「ぐわッ」

源太夫は怒号した。だが撃ち込みに全身の重みをあずけた勢いは止まらないで、片膝を地についた七郎太の上に巨体がかぶさった。脾腹を刺した七郎太の刀身が、源太夫の背に抜けて刃先をのぞかせた。

七郎太が下から弾ね退けると、源太夫は刀身を腹にぶらさげたまま、よろよろと立ち、なおも刀を構えようとした。

飛び込んだ中林豊之助の一撃が、その肩を斬り下げた。

源太夫の身体が、ゆっくり傾き、やがて地響きを立てて横転したあと、二人はしばらく息を弾ませながら立っていた。

やがて豊之助が憤然とした口調で言った。

「さっきのざまは何だ！」

「済まん。斬りつけようと思ったが、隙がなかった」

「馬鹿言え」

豊之助は断固とした口調で言った。

「隙はあった。貴様にそれが見えなかった筈はない」

「………」

「やはり臆したな」

「そうだ。謝る」

「ひやひやした。俺はやられるかと思ったぞ」

「傷を負ったな」

「いや、大したことはない」

豊之助の声は、いつもの明るい響きに戻っていた。

「だが、浅見の突きはよかった」

七郎太は、源太夫の腹から刀を抜き、ゆっくり止(とど)めを刺した。

――豊之助ではない。

と思った。豊之助の怒りは率直で、七郎太に何かを隠している男のものではなかった。

――房乃のことは、豊之助には係(かか)わりはない。

ほっとした気分があった。だが、その後にすぐ重苦しい疑惑が来た。

――すると、あと残るのは剣持しかない。

門のあたりがざわめいて、さっきの大目付支配下の坂井と名乗った男が、配下を連れて入ってきたようだった。

「行くか。あとは連中にまかせよう」

七郎太は豊之助を促した。

家に戻ると、玄関に行燈を置いて、房乃が坐っていた。七郎太を見ると、房乃は弾かれたように立ち上がった。

「何がございましたのですか」

「そなたには係わりないことだ」

七郎太は言って、革足袋を脱ぐと振り向きもせず奥に入った。後ろで声がした。

「でも、ご無事でようございました」

七郎太は襷をはずし、敷いてある夜具の上に仰向けに寝ころがった。

不意に玄関の方で、房乃が泣く声がした。絞るような泣き声だった。

――まだ、地獄が続くのだ。

七郎太は闇の中に眼を開き、そう思った。

五

豊之助と、茶屋町のさざ波で飲み、外へ出ると夜になっていた。

上意討ちの一件が明らかになって、二人は城中で会う人ごとに手柄を賞めそやされ、年下の連中からはただならない畏敬の眼でみられるということが続いたが、公の褒賞としては、片柳家老の手を経て、僅かな金子が下げ渡されただけだった。その金で飲んだのである。藩命を首尾よく遂げたことに誇りがないわけではないが、北川源太夫の妻子のことを思うと、やはり胸が痛んだ。事件を、このあたりで忘れたいという気分になっていた。

「茶屋酒も、世帯を持ってしまうと、昔のようにはうまくないな」

と豊之助が言った。美男子の豊之助は茶屋でモテたが、それほど嬉しそうでもなかった。

「奥方が気になるか」

「そういうことだ。酒を飲んでいても落ちつかん」

豊之助は手放しの調子で言った。豊之助は率直にすぎる嫌いがある。七郎太は苦笑した。

「貴様はどうだ」

「俺のところは、ただうるさいだけだ。貴様の家のように、帰りを待ち焦がれているなどというのとは訳が違う」

七郎太は答えた。

二人は山伏町の辻で別れた。

剣持の家に行ってみよう、と思ったのは、豊之助と別れて暫く歩いたあとだった。七郎太はもう一度辻まで戻り、そこから代官町の方に曲がった。

家に戻って房乃と顔をあわせるのが、ひどく億劫だった。剣持の妻女梨枝に、茶でも振る舞ってもらったら気が紛れそうだ、とふと思ったのである。酒のために、考えが少し軽率になっている。夜、友人が留守と解っている家を訪ねることに対する配慮が、七郎太から脱け落ちていた。

もっとも気持ちの底には、訪ねる理由があった。房乃のことで、あと疑わしいのは剣持一人だという判断が、日頃胸を占めている。その本人がいま江戸にいることに、七郎太は焦りを感じていた。剣持の妻女に会えば、何かが解るかも知れない、といまも思っていた。

「ま、浅見さま」

戸を開いて、手燭を差し出した梨枝は驚いた顔になった。

その表情をみて、七郎太は、はじめて自分がしていることの非礼を覚った。梨枝は前帯に懐剣をはさんでいる。

「夜分、まことに失礼仕る」

七郎太は詫びた。引っ込みがつかなくなったのを感じた。

「実は、中林と飲みましてな。剣持の留守を見舞おうということで、そこまで同道致した」

七郎太は指を挙げて、背後の闇を指差した。酔いのために、口は滑らかに廻る。

「ところが、中林は知られるとおり、女房孝行でござって、あまり遅くなってはなどと申して……」

「お上がりなさいませ」

梨枝は静かな声で言うと、身体をよけて家の中に迎え入れる姿勢になった。

「夜分、失礼仕る」

七郎太は少しよろめいて式台に上がった。背後で梨枝が戸を閉めた音がした。

——このように、房乃も剣持を迎え入れたのか。

と思った。

七郎太を茶の間に導くと、梨枝は甲斐甲斐しく台所に立ち、漬物を切って出し、お茶を淹れた。

「夜分、まことに」

「それはもうよろしゅうございましょ。だいぶ召し上がったご様子ですこと」

梨枝はきっとした口調で言った。

「これは失礼」

七郎太は背をのばした。

「ときに剣持からは何ぞ便りがござるか」

「それがさっぱり」

梨枝は眉をしかめた。

「浅見さま。殿方というものは、家を離れるのを喜ぶものでございますか」

「そういうことはござるまい。なに、そのうち便りが参ろう。初めての江戸勤めでいそがしく働いているわけでな、家のことも心配している筈じゃ」

「そうでございましょうか」

「この漬菜はうまいな」

七郎太は空になった皿を突き出した。

「お代わりを頂戴したい」

「はい」

梨枝は気軽に立った。立つときに屈伸した腰の動きが、七郎太の眼を射た。梨枝は細身の身体つきなのに、豊かな腰をしていた。

——久しく女の肌に触れておらぬ。

鈍い酔いの感覚に全身を包まれながら七郎太はふと危険なことを思った。その考えは身顫いするほど危険で甘美だった。

「この漬物は、私が漬けました」

戻ってくると、梨枝は微笑して皿をすすめ、茶を淹れ直した。

「お母様は召し上がりませんので、私だけが頂いております」

梨枝は眼の前にいる人間の中に、獣が目覚めたことを知らない。行燈の袖に置いた縫い物を取り上げ、針に髪の油をくれた。白い腕が、また七郎太の眼を刺した。

「お淋しゅうござろう」

「は？」

梨枝は眼を瞠ったが、微笑した。

「もう馴れました」

言ったが、その微笑は途中で凍った。七郎太の眼は真直ぐ胸もとを見つめている。

「あの、もう遅うございますゆえ」

梨枝は襟もとを掻き合わせた。

「またいらして下さいませ」

「そう致そう」

あっさりと七郎太は言い、馳走になったと言って立ち上がった。梨枝が続いて立ち上がったのは、ほっとした気分が油断を生んだというべきだった。

茶の間の閾際で、七郎太は不意に振り向くと梨枝を抱いた。無言で梨枝は抗った。無言の争いはしばらく続いたが、男が女を組み敷くのに、それほど時が必要なわけではない。畳に横たえられてからも、梨枝は激しく抗った。初めて圧し殺した声を出した。

「おやめなさいませ、浅見さま。気が違われましたか」

「いかにも気が狂った」

七郎太は梨枝の四肢を畳に押さえつけると囁いた。

「誰も、知りはせぬ」

唇を近づけると、梨枝は顔を左右に振って避けたが、二度、三度と七郎太が唇を吸うと次第に四肢の力を抜いた。七郎太は裾を探った。梨枝の脚がぴくりと顫えたが、身体は諦めたように動きをやめていた。梨枝は眼を閉じ、眼尻からひと筋涙が流れていたが、頬はつややかに上気して、七郎太の獣心をそそった。梨枝の姿に、犯される房乃の姿が重なっていた。

七郎太の掌が、梨枝の腿の内側に触れた。熱い肉だった。

――剣持も、やはりこうしたのか。

七郎太の掌が、不意に動きを止めた。否と答える声が、鋭く内部に響き渡ったのを聞いた気がしたのだった。

女世帯だから、たまに見廻ってくれ、と言った剣持の表情には、一点の翳もなかったのだ。

酔いが醒めるのを、七郎太は感じた。

「梨枝どの、梨枝どの」

七郎太は眼をつぶっている梨枝を揺り起こした。梨枝は眼を開き、そこに端座している七郎太をみると、ゆっくり起き上がって、身じまいを直した。

「許されい」

七郎太は深々と首を垂れた。

「それがし、血迷った」

「…………」

「今夜のことは、なかったことにして頂けまいか。忘れてほしい」

「はい」

と梨枝は言った。

「さげすんで頂いてよろしい。ただ人には洩らされるな。剣持のためでござる」

「さげすみは致しませぬ」

梨枝は、真直ぐ七郎太を見て静かな声で言った。

「どなたにも申しませぬ」

七郎太は、梨枝の眼に思いがけない許容をみた。同時にひとりの女をみた。剣持の妻ではない、心の優しい女がひとり、そこに坐っているようだった。

六

異様な気配に遅い朝の眠りを断たれた。

――房乃が走り廻っている。

夢の続きのようにそう思った。それで今度ははっきり眼が覚めた。確かに房乃が次の間に走り込んできた、と思った。

半身を起こしたとき、表の方で房乃の鋭い声がした。

「許しませぬ」

それに答える、上ずった男の声がしたが、何を言ったのかは解らなかった。

夜具をはねのけて、七郎太は玄関に出た。開け放した戸の間から、男がひとり、走って門を出て行く姿が見えた。男は背に濃紺の風呂敷に包んだ大きな荷を背負っている。越中から来る薬売りに間違いなかった。

その背を、懐剣を握った房乃が追いかけた。

――何の騒ぎだ。

そう思ったとき、房乃がつまずいて転んだ。ひどい転び方をしたな、と思ったとき、薬売りが振り向いた。若い男だった。だが男はそのまま逃げるように去って行った。

一度起き上がろうとした房乃の身体が、また前に崩れ、動かなくなった。

下駄を突っかけて庭に出た。

「醜態だぞ、起きんか」

七郎太は不機嫌な声を掛けたが、不意に顔色が緊張した。血の匂いがしている。見ると夥しい血が房乃の足もとから流れ出ている。

「どうした？」

抱き起こすと、房乃が弱々しく呻いた。顔は血の気を失い、閉じた瞼が痙攣している。

「これは、いかん」

七郎太は房乃の身体を抱きあげた。抱きあげたとき、腕が血に塗れた。

房乃が口を利けるようになったのは、その日の夕刻だった。

流産したと覚ると、七郎太はとっさに隣の佐原家か、巫女町のおきんという取り上げ婆さんの家に駈け込むことを考えたが、すぐに思いとどまった。いま行なわれているのは、浅見の家の秘事だった。人に洩れてはならなかった。七郎太は湯を沸かし、襷がけで脂汗を流しながら自分で始末したのである。房乃の身体の内から出た、血塊のようなおぞましいものは、房乃の下着にくるんで、まだ庭の隅に置いてある。

弱々しい声が、七郎太を呼んだ。房乃が眼を開いていた。

「厄介をかける女だ」

七郎太は吐き捨てるように言った。だが、房乃に対する怒りは不思議なほどない。赤子をいじるように、房乃の身体を扱い、その間に何もかも見てしまった。気の強い房乃が、すべてをゆだね切っているのも哀れだった。夫婦の間にもまとっている虚飾がある。思いがけない出来事から、今日七郎太は妻の素顔を見てしまったようだった。妻ですらない、ひとりの裸の人間をみたという気がした。

「すみませぬ」

房乃は細い声で謝った。

「あの男だな」

七郎太は房乃が昏々と眠り続けている間に考えたことを口にした。妻が刀を持ち出すような、ほかに理由がある筈がない。

房乃はうなずいた。仰向けに寝た眼尻から、涙が滴り落ちて枕を濡らしている。

「今年の冬のことでございました」

房乃は眼を閉じたまま、ぽつりと言った。

高い熱を出して、房乃は臥っていた。二、三日前からひき込んだ風邪が悪化したと解ったが、ほかに人もいない家のことで、寝ているしかなかった。食事もとらず、終日うつらうつら夢を見ながら眠り続けた。起き上がる力を失っていた。

男がやってきたのは翌日の昼頃だった。

「風邪の薬を下さい」と房乃は言ったような気がする。越中から来る薬売りは、家々に置いた袋の中の薬を数え、使った分の金をもらって、また使った薬を補って行く。風邪の薬が無くなっていたことが頭にあった。

男は上がってくると、「これは大変な熱だ」と言った。親切に台所から水を持ってきて、風邪薬を飲ませた。それから「この薬は高いものですが、これで熱が下がりましょう」と言って、なぜか口移しに別の薬を飲ませた。清々しい香りが、口の中一パイにひろがった。

そのあたりから、房乃の記憶は曖昧になる。七郎太が帰っていた。唇を重ね、抱かれた。混沌とした意識の中で、房乃は七郎太に甘えた。男に犯されたことを知ったのは、その夜遅く眼覚めたときである。

弾かれたように起き直った。熱はほとんど下がっていた。そのままの姿勢で、房乃は明け方まで一睡もしないで坐り続けた。二度死ぬことを考えた。その夜と、やがて月のものが止まったのを知ったときである。

「朝、あの男が来ました。男を刺して、自害するつもりでございました」

「もうよい。喋らんで眠れ」

七郎太は穏やかに言った。房乃はまた眼をつぶった。その顔に、安らかな安堵のいろが浮かんでいるのを見ながら、七郎太は帰国してからの物に狂ったような日々を思い返していた。

砂浜の中にも道はある。

薬売りの男は、城下から四里ほど離れた海辺の、船戸という漁村に行く道を辿っていた。男は時どき後ろを振り向いて七郎太をみた。道は白く乾いて、ほかに人影はない。砂丘を二つほど越えた頃から、男は七郎太を気にしはじめたようだった。

七郎太は、男から七、八間ほど後を歩いている。越中から城内に入る薬売りは、藩の許しを得ている鹿屋善右衛門の店の者に限られている。城下で、鹿屋が定宿にしている旅籠も、何年というもの変わっていない。男を突きとめるのは訳もなかった。

前を歩いている男が佐吉という名前であることも解っている。佐吉は今日城下を発ち、海辺の村々を廻ってそのまま国境いに向かう筈だった。

「おい」

砂丘と砂丘の間の窪みに入ったとき、七郎太は足を伸ばして近づき声をかけた。

男はぎくりとしたように足をとめ、七郎太を振り返った。

「このあたりでよかろう」

「………」

男の眼に、みるみる恐怖のいろが浮かび上がった。顔が蒼ざめ、頬に痙攣が走った。男は背負っていた荷物の結び目をほどきながら、呟くように言った。

「お武家さま、何か、ご用で」

「座頭町の浅見という家を知っているな」

「はい」

「わしが浅見七郎太だ」

男の顔色が、紙のように白くなった。紺風呂敷の荷を砂の上に投げおろして走った。だが、七郎太がすばやく足を出すと、男の身体は勢いよく頭から砂にのめった。

「覚えがあるのだな」

「お許し下さいまし」

薬売りの佐吉は砂に膝を揃えて坐り込むと手を合わせた。まだ二十前後の若い男だった。浅黒い真面目そうな顔つきで細い身体をしている。涙がこぼれて、砂にまみれた頬を斑に濡らし、ひどい顔になったが、佐吉にそのことに気付くゆとりはないようだった。

「出来心でございました。申しわけのないことをしたと思い、この間はお詫びに上がったつもりでした」

「詫びて済むことと、済まんことがあるぞ」

七郎太は厳しい声で言った。

「密夫密婦は並べて成敗するのが、武家の掟だ。詫びられて済ますわけにはいかん」

佐吉は顔を掌で覆うと、大きな声で泣き出した。

「貴様、妻はおるのか」

佐吉は首を振った。

「両親はおるか」

佐吉はうなずくと、また泣き声を立てた。

七郎太は低く気合いをかけて刀を振った。佐吉の髷が飛んで、二、三間先に落ちた。佐吉は砂浜に突っ伏している。

「斬り捨てるつもりで来たが、両親が哀れゆえ、命は助ける。二度と領内に顔を出すな」

暫く歩いて、七郎太は道端の砂の上から昼顔の花を摘んだ。目立たない静かな花のたたずまいが、ふと剣持の妻女梨枝を思い出させた。

――悪い夢をみた、と思うしかない。

そう思った。しかしむかしのような日々が戻らないことは明らかだった。

振り向くと、日に照らされた砂の上に、まだ突っ伏して動かない佐吉の姿が見えた。

（「問題小説」昭和四十九年十一月号）

夜の城

一

雑木林の斜面を滑りおりると、細い道に出た。道は右側の斜面から現われて、左手の樹林の中に消えている。正確に言えば、樹林の入口で絶たれている。そこに柵が見えた。そこから先に人は行けない。近づくとどこからともなく手槍を握った男たちが現われて咎めた。男たちは山目付の配下の者だと聞いている。

御餌指人守谷蔵太は、道を塞いでいる柵を見つめた。するとまた奇妙な感覚が襲ってくるのを感じた。柵は丸太を植え、荒々しく藤蔓で繋いであって、半ば樹の枝に隠れている。その柵を越えて向こう側、樹林の奥に一度踏み込んだことがあるような感覚が、いま蔵太を包んでいる。その感覚は初めてではなかった。丁度一年前のいま頃、やはり密集する樹林の嫩葉の中に柵を見たときに、同じような感覚に襲われて首をひねった記憶がある。

降りてきた斜面の側の雑木林が、ひとところ切れているとみえ、道は蔵太の視界の中で、一カ所まぶしいほどの日の光に浮かび上がっている。人が往来することがないままに生いしげった草の中に、点々とたんぽぽの黄色い花が散らばっているのが見えた。

だが道はすぐに雑木の日陰に入り、小暗い樹林を背後に背負った柵の前で絶えていた。柵のあたりに、人影は見えない。だがそこに近づけば、番人が現われてくる筈だった。

道の向こう側、樹林の奥には、虎伏城と呼ばれた廃城の跡と、六年前に疫病に襲われて、一村死に絶えたといわれる黒谷村がある。藩が柵を設けて黒谷村に通じる道を封じたのはその時である。

——病気になる前に、小鳥を追って黒谷村のあたりまで行ったかも知れない。

と蔵太は思った。

蔵太は五年ほど前、熱病を病んで、以前の記憶一切を失った。恢復したとき、妻の三郷の名前も思い出せないほどだったのである。だが、その考えは、蔵太のいまの奇妙な感覚を裏づけるものではなかった。どこかぴったりしないところがある。

御餌指人は、藩主が鷹狩に使う鷹の餌にする小鳥を獲るために山に入る。だがその場所は御留場と称し、一般の殺生を禁じた特別の地域で、黒谷村がある国境の地域は、かつて御留場にされたことはない。

そうして、そういうことではなく、閉ざされた道を、柵を乗り越えて、その向こうに降り立ったことがあるような感覚が、蔵太にはある。

「おおい、守谷」

同僚の布施升蔵の声がした。

「ここだ」

蔵太は、夢から覚めたように、雑木の斜面を振り仰いで答えた。

やがてぽきぽきと灌木の下枝を踏み折る音がし、枝を分けて布施が道に降りてきた。肩にかけた紐で脇下に鳥籠をぶら下げ、右手に鳥もちをつけた細く長い竹竿を持っている。腰には小刀を一本差しただけで、編笠をかぶっている。蔵太も同じ恰好をしていた。

「どうだ獲物は？」

と布施は言った。

「こんなものだ」

蔵太は鳥籠を腹の前に廻してみせた。籠の中には、雀、鵙、松むしりなどが五、六羽入っている。

「そろそろいいようだな」

布施はのぞき込んで言ったが、自分の籠も前に廻してみせた。

「鷽がとれた。ちょっと頼まれているところがあってな」

布施は平気な顔で言った。布施は蔵太より三ツ年上の三十二だが、肥って丸い顔にも、言うことにも世帯じみたところがある。

「女房が喜ぶ」

と、布施は臆面もなく言った。鷹餌以外に名鳥を獲って売買することは禁じられているが、古参の御餌指人は、ほとんどがこっそりとそれをやっていた。鶯、駒鳥、鷽、秋なら鶸、眼白、頬白、山雀などが喜ばれた。町方の家だけでなく、家中の家からこっそり頼まれることもあって、いい金になる。

布施の籠には、雀に混って灰色の体色をした鷽が二羽もいる。頭が黒く、喉のまわりが淡いばら色に彩られている鸎は、声も立てず籠の中で目まぐるしく動いていた。

布施の口調には、禁令を犯した後ろめたさはなく、むしろ自慢げな響きがある。御餌指人は足軽身分で、扶持は少ない。どの家でも、家の者が機織り、縫物などの内職をしていた。蔵太の家でも、三郷が縫仕事で手間賃を得ているが、子供がいない夫婦だけの暮らしだから、小鳥を売るようなことはしないで済んでいる。

「腹が空いたな。このあたりで飯にしよう」

と布施は言った。蔵太はうなずいた。朝早く山に入り、時刻は日の位置からみて、そろそろ未の刻(午後二時)になろうかと思われた。腹も空き、足も疲れている。

二人は道を右にそれて、また雑木林に入った。道は左手にどんどん下がって行き、そのまま降りると麓の井本という村に出るが、城下に帰るには遠廻りになる。二人が入った雑木林の傾斜を東に山を横切ると、丁度山をはさんで井本と反対側の位置にある滝山という村に降りる。

獲った小鳥は、この滝山の肝煎りをしている弥惣治という家から、急ぎの村人足を出してもらって城下の鷹匠町まで運んでもらう定めになっている。

二人は無言で雑木林の枝を分け、前に進んだ。粉を吹いたように柔毛に覆われた楢、楓などの新葉が顔をなで、新鮮な香りが鼻を搏ってくる。林を抜けると、草地の傾斜がある。二人にはこのあたりの地理が、掌を指すように解っていた。

不意に明るい視界がひらけた。遙か下の雑木林まで、緩やかな傾斜の草地が続き、まぶしい日射しが溢れている。

傾斜の下の雑木林は、新葉を日にきらめかして、さらに遥かな麓まで凹凸を刻み、その先に、盆地のひろがりが見えた。四月の光の下で、盆地は霞のような薄い翳をまとい、その中に蒼黒く樹木に包まれた城下町がひろがっている。城の白壁らしいものが、点のように光ってみえる。

夏になると、左手の砂丘越しに帯のように連なる海が見えるのだが、いまは霞のようなものに覆われて、そのあたりの空は白く濁っているだけだった。

二人は編笠を取り、鳥籠をはずしてくつろぐと持参した握り飯を喰った。

「あの柵は、いつまでああして置くつもりかな」

と、蔵太は言った。半ばひとり言のように言ったのは、さっき道で襲ってきた感覚が、まだ続いていたためである。

「う？　何の柵だ？」

と布施は言ったが、

「済まんが、水が残っていたら、少し分けてくれんか。俺のは空だ」

と言って竹筒をかざし、逆さにして振って見せた。蔵太が水を入れた竹筒を渡すと、布施は遠慮なく喉を鳴らして飲んだ。

それから改めて蔵太を見て言った。

「何だって？　柵がどうした？」

「黒谷村に行く道を塞いだ柵ですよ」

「ああ、あれか」

布施は顔をしかめて握り飯にかぶりついた。

「あれはな」

布施はもぐもぐと口を動かした。

「当分は開かん。医者が、つまり御用医師の楢岡宗道さまのことだが、あの方が十年は封じを解くことはならんとおっしゃったそうだ。あの方が村まで行って病気を見たわけだから、確かな話だろう」

「そんなにひどい病気だったのですかな」

「貴公はしあわせ者だよ」

布施はじろりと蔵太を見、飯を喰い終った指をなめた。

「あの時のことをすっかり忘れたらしいからな。そりゃあ大騒ぎしたのだ。黒谷村は仙蔵川に流れ込む小黒川の川上だから、小黒川の途中から堰を掘って、近くの太郎池に水を流し込んだりしてな」

おお、眠くなったと言って、布施はそのまま後ろに倒れて眼を閉じた。

蔵太も丹念に指についた飯粒をしゃぶってから、小刀を抜きとってそばに置き、寝ころんだ。眼を閉じると、草の香が鼻腔をくすぐった。草の匂いには、生気に溢れた新草の香と一緒に、去年の枯草の匂いが混っている。伸ばした四肢に温かい日射しが降りそそぎ、蔵太は微かに兆してくる睡気を楽しんだ。

傾斜の下の雑木林で、郭公鳥が啼いている。瞼の裏は、日射しのために赤い血の色に染まっている。

不意に征矢（そや）のようなものに襲われた、と感じた。そう感じたとき、蔵太は小刀を摑（つか）みあげて、抜き打ちに黒いものを斬っていた。だが無理な姿勢から刀をふるったために、体勢が崩れて、斜面を二、三回転して落ちた。

腹這（はらば）って挙げた眼に、舞いあがる一羽の大鷹が映った。灰色がかった蒼黒い羽根が空に駈け上がり、夥（おびただ）しい柔毛が空中を漂って落ちた。蔵太の刀がどこかを斬ったらしかったが、鷹は空中で方向を定めると、矢のように尾根の陰に消えた。

「鳥をねらってきたらしいな」

半身を起こして見ていた布施が言った。

「いい鷹だった。嵩（かさ）が大きい上に、艶が何ともいえない色だった」

布施は御餌指人らしいことを言ったが、蔵太の耳には、なぜか冷たい口調に聞こえた。

二

「さて、ご一同。私はこれで失礼するが、あとは無礼講でゆっくりやって頂きたい」

そう言って鷹匠頭の宇部甚左衛門が出て行くと、座敷の中は急にくつろいで、ざわめきの中で盃（さかずき）のやりとりが始まった。

例年六月になると、その年の鷹場の日取りが決まる。すると鷹匠頭は、配下の鷹匠、御餌指人、鳩役人を集めて日取りを披露する。そのあとそれぞれの持分の状況を申告させ、鷹場までの細かい準備を打ち合わせるのである。

昼過ぎに集まって、終るのは例年今日のように申の刻（午後四時）頃になる。そのあと酒宴がある。だが鷹匠頭の宇部甚左衛門は二百石の家中で、鷹匠以下の足軽身分の者と同席して酒をのむことはなく、ひとり先に帰る。

「この間、大瑠璃をつかまえ損なってな」

蔵太のそばに坐っている布施が、鳩役人の高井という男に話している。

「あれは難しい。欲を出して追ったら、もう少しで谷に落ちるところだった」

「貴殿にはそういう役得があってうらやましい」

高井という四十過ぎの男は言った。鳩役人は、鷹待場と称する鷹の棲む場所で、鷹をとらえるときにおとりにする鳩を飼育している。鳩は逃げた鷹をつかまえるときにも使い、また小鳥が不足したとき鷹の餌にもする。ごく地味な役目だった。

高井は実際うらやましそうな顔をした。

「そういう注文がちょいちょいござるか」

「さよう。ま、感心したことではないが、お歴々からも、おのぞみがあったりするからの。そう、そう」

布施はにぎやかに言った。

「貴公けろろという鳥をご存じあるか」

「あの赤い鳥でござろう」

「あれを欲しいという家があってのう」

「それはおかしいな」

と蔵太の反対側にいた飯沼伊平という男が口をはさんだ。飯沼も同じ長屋に住む御餌指人である。

「あの鳥は、わけは知らぬが不吉な鳥とされておる。飼い鳥ではござらんぞ」

「あら、よくご存じですこと。旦那さま、あの鳥は博労（ばくろう）の女房の生まれ代わりなんだそうでございますよ」

飯沼の前で酌をしていた、平べったい顔をした女が、真面目な顔でそう言った。

佐渡屋というこの茶屋は、女中が大勢いて客をもてなす。藩のものが、会合の後の酒宴などによく利用するので、立ち居も言葉もよくしつけられていて丁寧だった。

女はこんな話をした。

昔馬商いをする男の女房が、なぜか一頭の馬を憎んで水をやらず、とうとう死なせてしまった。年月が経って女房は死に、一羽の鳥に生まれかわったが、ある日谷川の水を飲もうとして仰天した。水面に火が燃えているとみたのである。実際はその鳥の羽根が朱（あか）く、それが水に映ったのであるが、鳥は怯（おび）えて水を飲むことが出来ない。水辺に近づきながらも結局水を飲むことが出来ない。そこで空を仰いで啼き、雨を乞う。雨水しか飲めないからである。毎年けろろが啼く声が耳につくようになると、梅雨の季節がやってくる。

「やはり不吉な鳥じゃな」

と飯沼はねばっこく逆らう口調で言った。

「あの鳥はやめられたらよかろう」

「おひとつ、いかがですか」

不意に澄んだ声がそう言った。蔵太が顔をあげると、別の女が徳利を持っていた。酒を注ぐ間、女は少し蔵太を見つめ過ぎているようであった。そのため膳の上に酒が少しこぼれた。

「あらごめんなさい」

「いや構わん」

蔵太は言ったが、少し女の視線が煩わしい気がした。女はまだ蔵太の前に坐って、ちらちらと眼を向けてくる。二十過ぎの、眼がややきつすぎる感じがするが美貌の女だった。

「あなた様は、御餌指の方ですか」

「さよう」

「山歩きは大変でございましょ？」

「なに、それが我らの勤めだ。馴れておる」

「お小さい時からですか」

「さよう」

と言ったが、蔵太はまた煩わしい気がした。女の声音には雑談するというより、何か詮索がましい響きがある気がした。

蔵太は盃を突き出し、注いでもらうと無言で空けた。

「こちらさま、お子さまはおいでですの」

「いや、おらん」

「奥さまと、お二人だけでございますか」

「さよう」

蔵太は女の顔をみた。女は笑顔もつくらずに視線をからめてきている。

――どういうつもりだ。

と蔵太は思った。女にもてているという感じではなかった。詰問され、もっといえば非難されているような感じがある。だが、女の顔に見覚えはまったくなかった。

「守谷さまとおっしゃいますそうですね」

女が初めて微笑した。

「またお遊びにおいでなさいまし。私は喜代と申します」

そういうと、女はすっと立って鷹匠たちの席に移って行った。

「蔵太、貴公あの女中に惚れられたな」

と布施が言った。布施は赤い顔をし、上体が揺れている。だいぶ酔っているようだった。

「まさか」

「まさかなどと申していていいのか、ヒッヒ。しかし浮気はいかんぞ。三郷どのに相済まんというようなことは、いかんよ」

「暫時失礼いたす」

蔵太は立った。

廊下に出ると、庭はもう暗くなっている。続き座敷にも、客が大勢きているらしく、笑い声や声高な話し声がしている。だがそこを通り過ぎると、廊下は仄暗くなった。

廊下の端に、掛け行燈がぼんやり光っていて、そこが手水場だった。

手水場を出て、手を洗っていると、戸を開いたままの庭から、微かな風が動いて、酒に火照った頬を撫でた。

――明日からいそがしくなる。

と蔵太は思った。

鷹野は、藩主が在国のときは七月に、江戸から帰国する年は、八月に入ってから行なわれる。軍事調練を兼ねた鷹野には、留守のものを残すほかは、城が空になるほど、家中ことごとく参加する。

人数を二手に分け、広大な湿地を含む狩場に鶉を追い、鷹を放って捕えるのである。家中の武士で組織する勢子の進退は、軍法に従って整然と行なわれ、最後には合戦さながらに、兵繰りを展開して終る。帰城するときは、西空に日が落ちる。

広大な平野を、黒蛇のような長い列が城下をめざして進み、いよいよ野が闇に包まれる頃一斉に松明をともして、藩祖泰明公が天正の昔隣国深く攻め込んで勝ったとき、唱ったという歌謡を唱う。

「おもしろの　軍の旅や　勝ちて帰る　虎伏の　伏しかがみつつ　首のべて　妻と子や待たむ」という唱声が、暗い野をゆるがし、町の者が辻々に火を焚いて迎える城下町に入るのである。

藩主が忍びで行なう鷹狩はほかにも時々あるが、一年一度の大鷹野は、軍陣の古式を組み込んで盛んな行事だった。

その日まで、飼われている鷹は選別され、磨き上げられる。生き餌である小鳥も、慎重に選ばれた。餌がよくないために、鷹が嫌って喰わず、大鷹野を前に斃死して、鷹匠が処罰されたこともある。御餌指人の務めも重くなるのであった。

不意に女の声で名を呼ばれた。

振り向くと、さっき座敷で喜代と自分から名乗った女が立っていた。手に手拭いを持って差し出している。

「や、済まん」

「守谷さまにお訊ねしますが……」

蔵太が礼を言ったのに答えず、お喜代は唐突にそう言った。

「お組の中に、石神又五郎さまというお方がおられましたか」

お喜代の眼は、行燈の光の下に射るように光り、声は囁き声だが、切迫した響きがあった。

「石神と？」

蔵太は首をひねった。そういう人間は、御餌指人にも鷹匠にもいなかった。石神という姓は、これまで耳にしたことはない。

「そういう人間はおらんな」

「そうですか」

お喜代は怪訝な表情で呟き、なおも蔵太を注視したが、ふっと眼の光をゆるめた。

「石神という男がどうかしたか？」

「私をだまして逃げた男ですよ」

お喜代は不意に蓮っ葉な口調で言った。

「御餌指人だなどと言っていましたのに、そのうちぷっつりと来なくなって。今日は皆さんのお集まりだとおっしゃるから、来るかと思っていましたら、いらっしゃらないじゃありませんか」

「それは気の毒だ」

蔵太は言った。喜代という女の、さっきからの詮索がましい物言いが、それで呑みこめたと思った。

「守谷さまの奥さまを、わたくし存じあげておりますのよ」

喜代はまた、唐突な言い方をした。

「……？」

「いいえ、もちろん、先方さまはわたくしなどご存じありません。わたくしの方で、そうお聞きしただけ。二、三度お見かけしましたのよ、長慶寺へ参ったときに。おきれいな方ですこと」

障子が開いて、誰かが廊下に出てくる気配がした。

不意にお喜代が身体を擦り寄せてきて、囁いた。

「一度二人だけでお会いしとうございます。そのお気持ちになりましたら、鶴屋から私をお呼び下さいまし」

言うとお喜代はついと離れ、小声で唱を口ずさみながら遠ざかった。「虎伏の　伏しかがみつつ　首のべて……」という、鷹野の帰りに唱う、今様ふうのあの歌謡だった。

取り残されて、蔵太は腕を組んだ。女の化粧の香が残っていたが、言い寄られたという気持ちは少しもしなかった。女が謎をかけたまま去って行ったような不安が残っている。

――昔知っていた女か。

そういう気もしたが、それなら女はもっと率直に言う筈だと思った。お喜代の言うことは謎めいていて、ただ不安を残して行っただけである。三郷を長慶寺で見かけたという話も、思わせぶりな響きがあった。長慶寺は藩主の菩提寺で、御餌指人の女房や茶屋の女中が出入りするような寺ではない。それとも三郷は、長慶寺に縫物を頼まれて持参したことがあるのか。

酒席に戻ると、飯沼が、

「長い小便じゃな、貴公。いつもそうか」

と言った。飯沼は酔うと人に絡むくせがある。組内で飲むようなときも、皆はなるべく飯沼の脇に坐らないようにする。

「はあ、少々長小便で……」

蔵太は面倒だから逆らわずに答えた。すると飯沼はむくりと身体を起こして、蔵太に胡坐（あぐら）を向けてきた。

「貴公、平気な顔をしとるが、そういうことでは、いざというとき困ることになりはせんか」

三

「頼まれ物が出来上がりましたので、ひと走り届けて参ります。遅くなりましたら、お休みになっていて下さいまし」

と三郷が言った。

蔵太はもち竿にする竹の節を削っていた手を休めて、「うむ」と言った。

「曲師（まげし）町のふくべ屋まで参ります」

蔵太はうなずいて細工に戻った。

だが三郷が家を出て、組長屋の外に出た気配を聞き取ると、すばやく細工物を片づけ、行燈の灯を消すと、静かに家を忍び出た。小刀を一本腰に帯びただけだった。

提灯（ちょうちん）をさげた三郷の姿は、すぐに見つかった。町家はことごとく雨戸を閉め切り、ところどころ小窓から灯の色がこぼれているだけだったが、暗い町には、まだ人通りがあった。

三郷の足は渋滞なく、組屋敷がある翁町から河原町の方に向かって行く。だが、河原町を突っ切って、町中を流れる仙蔵川の川岸に出ると、ためらいなく赤柄橋を渡った。

蔵太の胸が、不意に激しい動悸を搏った。曲師町は、川岸を北に行って、河原町に続く鷹匠町の先にある。橋を渡るのは、行く場所が曲師町でないということになる。

胸が不吉な思いに波立ったのは、佐渡屋の女中お喜代が言った長慶寺のことを思い出したからである。

川向こうには城があり、長慶寺がある寺町がある。ほかはほとんど家中の武家屋敷で、町家はずっと川下に蠟燭町と桶屋町があるだけだった。三郷がその町に行くとは思われなかった。もし職人が多いその町へ行くとしても、橋は赤柄橋ではなく、川下の檜橋を渡る方が近い。

三郷が、蔵太に嘘を言ったのは明らかだった。

三郷が持つ提灯は、赤柄橋を渡り切って、真直ぐ武家屋敷の間に入って行く。蔵太は足音を忍ばせて、滑るように橋を渡った。

三郷が、長慶寺にたどりつき、門脇の潜り戸を、忍びやかに叩いて、その中に入ったのを見たとき、蔵太は蹲っていた石垣の下から茫然と立ち上がった。

これまで妻の行動に疑いを持ったことはなかった。三郷は十人並みの顔立ちだが、白い肌を持ち、澄んだ眼と小さめの唇が、ときに可憐に見える女である。蔵太とは六ツ違う二十三である。同じ御餌指組の田宮勝兵衛の娘だった。

夫婦二人だけの、つつましい平凡な暮らしである。明るい笑い声をたてるということもめったにないが、そうかと言って口論したということもない。無口な蔵太に寄りそうようにして、黙々と家事を片づけ、内職に励んでいる。三郷はそういう女だった。

ときどき蔵太は、三郷との間に、眼に見えない隙間のようなものを感じることがある。それが自分がした病気のためだということが、蔵太には痛いほど解っている。

熱病から解き放され、目覚めたとき、蔵太は医師楢岡宗道の屋敷にいた。宗道に、

「貴殿の名は？」

と問われて、自分の名前を思い出せなかったのである。いろいろ問いただしたあと、宗道は首をかしげて部屋を出て行った。やがて一人の風采の立派な三十前後の武士が現われて、宗道と同じようなことを訊ねた。慎重に、ためすような口調だったが、蔵太は結局身分も暮らしも、何ひとつ答えることが出来なかったのである。

「お診たてどおりじゃな」

と、武士は宗道に向かって言い、

「上役のそれがしのことも、憶えておらん。ま、このまま妻女に引き渡すしかあるまい。御奉公がかなうかどうかは、少し様子をみぬと解らんな」

と、やや憐れむような眼で、蔵太を見ながら言ったのだった。

その日の夕刻、三郷がきた。三郷は寝ている蔵太をみると、初めはやや怯えた表情でじっと見守ったが、やがて蔵太に覆いかぶさるように顔を寄せ、

「お気づきですか。お前さまは楢岡さまのおかげで命拾いしたのですよ。長い間眠っていたの

です。ほんとに長い間……」

そう言って、不意に蔵太の顔の上に涙をこぼしたのだった。だが蔵太には、自分のために泣いているその女が誰であるか、解らなかったのである。ただ暗闇を手探りするような、恐怖に似た感情の中で、妻だと言い、頰を押しあててきて涙を流す女だけが、信じられる唯ひとりの人間だという気がしたのであった。

すべて三郷に教えられ、爪先で探りながら前に進むような、覚束ない気持ちで少しずつ組のことも習いおぼえた。仕事は思ったよりも早く慣れた。それは、記憶を失う以前に、長年やってきた仕事だからだろうと思い、蔵太はやや自信を得た気がした。

そうして蔵太の奇妙な、新しい人生が始まったのだった。

時おり、二人がふっと黙り込むような時があり、そういうとき、蔵太は妻との間に埋めつくせない裂け目のようなものをみる気がする。それは病気になる前の記憶をことごとく失ったことに原因があり、これから年月を経る間に埋めて行くしかないものだ、と蔵太は考えていた。

しかしその裂け目が、いまの暮らしの中にまで尾を引いていると考えたことは一度もなかったのである。だがいま、三郷は蔵太の知らない行動をとりつつあった。

――長慶寺の庫裡に、縫物を届けに来たのかも知れない。

蔵太はそう思ってみた。しかし夜の戌の刻（午後八時）に、女が一人で暗い寺町通りに踏み込むことは尋常なことではない、という気持ちはゆるがなかった。それに、三郷は曲師町に行くと、明らかに嘘をついている。

――俺自身のことだけでなく、病気になる前の妻のことも知らないのだ。

蔵太はいま初めてそのことに気づいてぎょっとした。拠りどころを失った、怯えに近い不安が、蔵太をとらえようとしていた。

蔵太が長慶寺の塀下の石垣の上に立ったのは、また暫く経ってからである。妻が寺の中で何をしているか確かめる決心がついたのであった。音も立てず、軽々と塀をよじ登り、蔵太は塀の内側の闇の中に飛んだ。

本堂脇の小部屋に、灯がともっていて、そこに三十半ばの武士と、三郷がいた。蔵太の眼が光った。武士は医師の楢岡の家で五年前にみた、あの男だった。

「餌指になりきっているか」

武士は言い、微かに笑い声を立てた。

「それもまた困るのだがの」

「………」

三郷は俯いたままでいる。

「誰かが、かの男に近づいているということもないのだな」

「はい」

「だが見ていよ、三郷。そのうち必ず何かが起こる。誰かがくるか、かの男が何か思い出すか」

男は金のかかった着物を着ていた。細面で中高のきりっとした容貌をしている。

「どうした、その顔は。蔵太に情が移ったわけではあるまいな」

「いいえ」

三郷は白い顔をうつむけて首を振った。

「情を移しては、役目が勤まらんぞ」

ゆらりと武士が立ち上がると、燭台を廻って三郷に近づいた。不意に膝を折って、三郷の肩を抱いた。

「今宵はゆっくりして行け。昔のことを思い出させてやるぞ」

あ、と思わず蔵太は息を詰めた。襖の隙間から三郷の上体が不意に隠れ、仰向けに倒れた膝が割れて、そこに男の手が伸びるのを見たのである。

「お許し下さいませ、御前さま」

三郷の鋭い声がした。三郷の身体がすばやく逃げ、男の手が畳を滑った。

「帰らせて頂きまする。長くいては疑われますゆえ」

「まるで貞女じゃの」

男が嘲るように言った。

「ま、よろしい。次の日にちを違えるなよ。わしは江戸に行って、帰りは殿と一緒になる。七月の二十五日と致そう」

男は手を叩いた。遠くで寺の者らしい男の声が聞こえた。

その夜三郷は、深夜、自分から蔵太の夜具の中に入って来た。浅い眠りの中を漂っていた蔵太が目覚めたとき、三郷が懐の中にいたのである。

「お許し下さいまし。眠れませぬ」

囁くと、三郷は蔵太の胸に顔を埋め、狂ったようにしがみついてきた。薄い寝衣を通して、胸の膨らみ、豊かな腿が熱く血の動きを伝えてくる。

三郷は蔵太の肩に顔を押しあてたまま、

「このまま、朝までおそばに……」

と、くぐもった声で囁いた。蔵太は三郷が泣いているのを感じた。肩が湿っている。

「泣くことはない」

蔵太は、妻の背に手を廻して言った。すると貝殻骨が指に触れた。指に馴染んだ可憐な骨の感触がそこにあった。不可解な行動をみたが、この女が妻であることは間違いがない事実だ、と思った。すると、自分と妻を取り巻いている敵意のようなものの存在が、おぼろに感じられた。その敵が、御前と妻が呼んだあの男なのか、それとも妻の不審な行動を示唆した、佐渡屋のお喜代なのかは解らなかった。

「心配することはないぞ、三郷」

蔵太は言い、静かに三郷が着ている寝巻の紐を解いた。三郷の身体に、波がうねるような動きがあらわれ、三郷は喘いだ。いつもの慎ましさを捨て、三郷は喘ぎを隠そうとしていなかった。蔵太の身体に火がついた。蔵太は荒々しく着ているものをはぎ取り、妻の裸身を抱きしめると、火の中に溺れて行った。

朝の光の中に、蔵太が目覚めたとき、三郷は蔵太の裸の胸に顔を埋めるようにして眠っていた。静かな寝息が聞こえ、三郷の顔は少女めいて見えた。寝顔をみるのは初めてだった。

――俺は何者だ、この女は何者なのだ？

蔵太は、三郷の寝顔をみながら思った。だが、それを三郷に問えば、腕の中の桃いろの肌をした裸身が、眼の前で消え失せる気がした。

四

「旦那」

不意に声をかけられた。狐町の腰掛け茶屋の中である。

狐町は城下町の南端にある。笹川街道と呼ぶ参覲交代の行列も通るこの往来に沿って、城下の人口が次第に南にのびてきて、ひとつの町が出来たが、以前はいま蔵太が休んでいる腰掛け茶屋や百姓家が十軒ほど、樹の幹に出来た瘤のように街道にくっついていただけだったという。町の西を流れる仙蔵川のほとりは、茅萱の密生する湿地と草地で、このあたりに昔狐狸が出現して人をたぶらかしたと言われ、狐町の名が出来た。

蔵太たちが、城下にたどりつく頃は大方日暮れになる。疲労し、喉が渇いている。疲れを休めるために、茶屋で麦茶を一服して町に入る習慣になっていた。

蔵太はその日一人だった。いつも組んで仕事をする布施が四、五日前から腹を病んで、蔵太は一人で山に入っている。

声を掛けてきた男の顔に見覚えがあった。鳥羽屋という古手屋の男である。荷を背負って、御餌指の組屋敷に出入りし、蔵太の家にも、二、三度顔をのぞかせたことがある。鳥羽屋は上方から古手物を取り寄せて、城下から近辺の村々まで、手広く商売して、質のよい木綿古手に買手がついた。

「いまお帰りでございますか」

男は愛想よく笑いながら言った。

「鳥羽屋か。今日は在方廻りか」

男の笑顔に釣られて、蔵太も微笑を返した。すると男が腰を滑らせてきて、蔵太のそばに坐った。

四十近い男の顔は日に焼けている。細長い顔が笑うと、瞼に皺が寄って、細い眼が隠れてしまう。

「旦那にひとつお願いがございますのですが」

「どういうことかな」

「じつはさる町方のお家に頼まれまして、山椒喰をつかまえてもらえまいかということでございますが……」

「それがしはそういう頼みは引き受けないことにしておる」

蔵太は穏やかに言った。

「これは、これは……」

　男は顔面を皺だらけにして笑った。すると眼はおびただしい小皺にかくれて、男は笑っているのかどうか解らないような表情になった。

「こちらさまはお堅くていらっしゃる」

「いや、それがしばかりではないはずだ。いまは餌指はいそがしくてな。内職のひまはないのだ」

　八月十五日と定められた鷹野まで、あと二十日しかなかった。鷹匠も、御餌指人も鳩役人も、その日に備えて、飼育している鷹の調整に細かく気を配りながら、それぞれの仕事に励んでいる最中である。

「なるほど、さようでございますか」

　男は相槌を打ったが、不意に声を落として囁き声になった。

「虎伏城の調べは、まだつかんのか」

「……………？」

　蔵太はぎょっとして男をみた。

　男は蔵太をみて愛想よく笑っていた。だが細い目は刺すように蔵太に向けられている。蔵太は混乱した。手代が、ほかの者にものを言いかけたのかと、とっさにあたりを見廻したほどだった。だが店の中には職人風の半天姿の男が三人、商家の者らしい女二人、それにずっと離れた奥に、笠をかぶったままの僧形の者が一人いるばかりだった。それぞれが蔵太たちには眼も向けず、茶を啜ったり、強飯を喰ったりしながら、高い声で話している。

男は明らかに蔵太にものを言っていた。

「どうしたその顔は」

男は続けて言った。

「喜の字が、貴公の様子がおかしいと言っていたぞ。一度あれと連絡をとれ。わしの方はどうも疑われている様子だから、そろそろ引き揚げる。貴公の生死を確かめるのが役目だから、仕事は終った。鷹野をみたら引き揚げるぞ」

それだけ言うと、男は立ち上がった。身ごなしも、言葉の訛も鳥羽屋の手代に戻っている。

「そういうわけで、旦那。少々ひまが出来てからで結構でございますから、ひとつお頼みいたします。へ、お値段は張ってもいいと先方ではおっしゃっておいでですから、なにぶんよろしゅう」

店の前に馬を繋いで、馬方ふうの男が入ってきた。鳥羽屋の手代は、馬方と擦れ違いながら、「いいお日和でございましたな」と、愛嬌をふりまいて出て行った。

男の背を見送ったまま、蔵太はしばらく石のように動かなかった。蔵太の内部で、三郷を長慶寺に呼びつけた武士が言った言葉が、無気味に響いていた。

——だがみていよ、三郷。そのうち必ず何かが起こる。誰かがくるか、かの男が何か思い出すか。

いまの男が、その誰かなのだと蔵太は思った。佐渡屋のお喜代もそうかも知れなかった。彼等は近づいてきて、蔵太には理解しがたいことを囁いて行った。暗い疑惑の底を、蔵太は覗き込んでいる。そこに失った記憶が沈んでいた。彼等の囁きは、多分蔵太が思い出せない、その部分に向けられている。そういう気がした。

――御餌指人守谷蔵太は何をしたのだ？

生死を確かめるとはどういうことだろうか。確かめるために、彼等はどこからかわざわざ来たのか。虎伏城という、いまは廃毀された国境の山城の名が、彼らの口から出るのはなぜか。

蔵太は首を振って、冷えた茶を啜った。男が残した謎のような言葉は、蔵太が抱える暗黒の部分に向かって放たれた矢のようだった。だがその言葉に触発されて動くものは何もなかった。矢は暗い空間に呑み込まれて行っただけである。

ただ自分のまわりに、依然として不吉な敵意のようなものが漂う気配を、蔵太はややはっきりと感じ取っただけである。

その夜、蔵太は妻の三郷が出て行くのを待った。三郷が、長慶寺で男に指令された七月二十五日の夜が今夜だった。妻が家を出たら、この前のように、後を跟けるつもりだった。

事実三郷は出かける支度をしていた。髪を調え、薄く化粧を刷いて、出来上がった縫物を風呂敷に包んだ。

だが、三郷は立ち上がらなかった。食事が済むと、風呂敷を解き、仕上がった衣服を取り出して簞笥に戻した。それからもちの木の皮を漬けてある桶を台所に持ち出し、台石と木槌を用意した。

鳥籠を修理しながら、蔵太は時どき妻の動きに眼をやった。三郷は俯いて鳥もちを作る支度をしている。その顔が青ざめているように見えた。支度が済むと三郷は部屋の隅に行って、顔の化粧を落とした。やがて蔵太は背後に木の皮を叩く槌音を聞いたが、何も言わなかった。

その夜三郷は、蔵太の腕の中で狂おしく燃えた。

——三郷は、あの男を裏切ったのだ。

妻の動きに、いたわるように応えながら、蔵太はそう思った。ただでは済むまい、という気がした。すると敵の形が少しはっきりした気がした。

今日の日暮れ、狐町の腰掛け茶屋で声をかけてきた男、佐渡屋のお喜代。この二人が敵なのか味方なのかは、まだあいまいで解らなかった。

だが長慶寺に三郷を呼びつけた武士は、明らかに敵だった。三郷の裏切りがその証しだった。そして敵である証拠に、必ず報復があるだろう。

三郷が鋭い喉声を挙げ、白い裸身をのけぞらせた。敵に追われ、穴に逃げ込んだ臆病な動物が、行きどころなく悲鳴を挙げたように見えた。

五

何気なく本陣の方を見た蔵太の眼が、そこで釘づけになった。いつの間に来たのか、そこにあの男がいた。長慶寺で三郷と話していた武士である。

藩主以下が、野袴(のばかま)をはき、草鞋(わらじ)ばきでいるのに、その男だけが平服だった。藩主式部少輔信位の陣笠の中を覗き込むようにして、何か話している。

「あの方は……」

蔵太は隣にいる飯沼伊平の脇腹をつついた。

「殿といまお話なされている方はどなたですか」

「どれ、どれ」

飯沼は人が塊(かたま)っている鷹野の本陣の方をみたが、無雑作に言った。

「万之助さまだ。貴公初めてか」

「………」

「いや、めったに人の前にお出なさらない方だから、知らんのも無理はないな」

飯沼の口ぶりは、酒席にいるときとは打って変わって穏やかである。

——あれが万之助という人か。

と蔵太は思った。式部少輔の弟で、領内黒川郡に一千石を領する津田万之助忠章の屋敷は、本丸と濠(ほり)をへだてて真西、二ノ丸の濠端にあった。広大な塀をめぐらしたその屋敷のそばを、梅雨の時期に一度だけ通ったことがある。

万之助は病弱で、城に上がることもなく、少年の頃から、与えられたその屋敷に閉じ籠っているという噂を耳にしたことがある。濠端の屋敷は、生い繁った樹の枝が道まで伸び出し、塀の中では物音ひとつしなかったことを、蔵太は思い出していた。

「万之助様はご病体だと聞いていましたが……」

蔵太が言ったとき、遠くの方で喊声があがった。蔵太たちが控えている場所から、鷹匠が本陣の方に駈けて行った。鷹野が始まったようだった。

勢子の姿はまだ見えず、声だけがしている。片目谷地と呼ばれている、湿地を含む広大な草地がひろがっているだけだった。茅萱の穂が、風にうねって、日の光を弾いている。

やがてその間に、ちらちらと勢子の黒い饅頭笠が出没するのが見えている。勢子はすべて家中の武士が勤めている。股引、半天を着、その上から背割羽織を着て、笠をかぶっている。人数を東西の両軍備えに分け、羽織の紐の色で区別していた。

勢子が挙げる喊声が大きくなり、時おり飛び立ってはまた草に潜る鶉の姿が見えるようになった。喊声は近づき、勢子が草を叩く音が聞こえるようになった。

ふと蔵太は、立ち上がって眉をしかめた。

男が一人、草地を走っている。初めは勢子の一人かと思ったが、やがてそうでないことが解った。旅支度をした一人の男が、追い出された鶉のように、両軍の勢子にはさまれた場所を走っていた。実際男の足もとを、矢のように走り抜ける、黒い鶉の姿が見える。

追われて、男は次第に本陣の方に近づいてきていた。蔵太は、また鋭く眉をしかめた。明るい日射しの中で、男の顔がはっきり見えたのである。男は二十日前に、狐町端れの腰掛け茶屋で話しかけた、あの得体の知れない男に違いなかった。

不意に鋭い矢唸りを聞いた。と思ったとき、走っていた男の姿が、跳ね上がるように空中で丸くなり、そのまま頭から地に落ちて、姿は茅萱の陰に見えなくなった。ほとんど同時に、そのあたりに黒い笠の勢子の人数が殺到するのが見えた。

「いまのを見ましたか」

蔵太はすぐ後ろにいる布施升蔵を振り向いた。布施はちらと蔵太を見たが、その丸顔には奇妙な笑いが浮かんでいる。蔵太は飯沼の顔を見た。飯沼は無表情に、相互に相手を敵の隊列に見たてた勢子が、喊声を挙げてかけより、駈け違うのを眺めているだけだった。

本陣の方を見た蔵太の眼に、式部少輔の背後にいる武士に弓を渡した万之助が、馬に飛びのる姿が映った。鷹野の喊声を後に、万之助の馬上姿は、みるみる野を遠ざかって行った。

お喜代という女に会おうと決心したのは、鷹野から十日ほど経ってからだった。

申の刻（午後四時）頃に、蔵太は天神町の鶴屋に行った。天神町には城下で最も大きい笠山天神社があり、神社の前に十軒以上の茶屋が並んでいる。佐渡屋がある鷹匠町とは、間に町二つをはさんでかなりの距離があるが、仙蔵川の河岸続きになっていた。

小部屋に通ると、蔵太は取りあえず酒をとり寄せ、運んできた女に、

「佐渡屋にお喜代という女中がいるが、呼んでもらえるか」

と言った。

言いながら蔵太は、耳を澄ますような気分になっていた。鳥羽屋の手代だといったあの男が、津田万之助に射殺されたのを見ている。その男と繋りがあるお喜代と会うことは、当然危険だと考えないわけにはいかなかった。

しかし酒を運んできた女は、軽い口調で受け合った。

「はい、はい。佐渡屋のお喜代さんですね。すぐに呼んでさしあげますよ。少々お待ち下さいまし」

「お喜代は、こちらへは時どき参るのか」

茶屋遊びをする者が、馴染みの女中を、別の茶屋に呼び出して遊興することは聞いている。

「ええ、あの人は人気がありますから。お武家さまにも、町方の旦那方にもよく呼ばれましてね。何しろきれいな人ですから。あら、これは旦那の方がよくご存じでございますよね」

女は笑って、酌をするとすぐ出て行った。

だが注がれた酒を、蔵太は飲まなかった。深ぶかと腕を組んで、お喜代を待った。

鷹野で殺された男のことは、城下で噂にもならなかった。男は白昼矢で射殺されながら、そのまま闇から闇に葬られたようだった。そういう身分の男なのだと思わないわけにいかなかった。

その男のことを、お喜代に訊ねなければならない、と蔵太は思っている。その男は、蔵太の生死を確かめにきた男だった。男がどこから来たのか、なぜ蔵太の生死を気にするのか。その理由をお喜代に聞けば、忘れてしまった記憶の手がかりになるかも知れないという気がした。

一種の怯(おび)えが、蔵太を包んでいる。失った記憶が戻ってくることに、恐怖があった。記憶が戻るかわりに、三郷の姿が消え、そのあとに凶悪な敵が立ち現われてくる予感がある。

——お喜代のくるのが遅い。

蔵太は不意にそう思った。すると本能的に、ここにいては危い、という気がした。

蔵太は手を鳴らした。さっきの年増(としま)女が顔を出した。女は部屋をのぞくと、

「あら、まだ見えてませんか」

と言った。不審そうな眼だった。

「使いは行ってくれたのか」

「とっくに。お喜代さんはすぐ来ますと言ったそうでございますよ」

「出直してくる。勘定を頼む」

と蔵太は言った。

外に出ると、町は仄暗(ほのぐら)い夕闇に包まれている。蔵太はいそぎ足に、河岸を鷹匠町の方に歩いた。

松明の光を見たのは、曲師町の河岸まで来たときだった。人が群れていて、川から何かを引き揚げているところだった。

引き揚げられたものは、河岸に敷いた薦(こも)の上に横たえられた。お喜代だった。お喜代は眼を見開いたまま死んでいた。

役人はまだ来ていなくて、このあたりの人間らしい町の者が騒いでいるだけだった。

「何か大きな物が浮かんでいると思ったら、人間じゃないか。びっくりしたぜ」

お喜代の死体を引き揚げていた、職人風の若い男が大きな声で言った。

「お役人はまだかい。遅いねえ」

と肥った女が言った。

「ちょっと待ってくれ。その女に見覚えがある」

蔵太は言って人の輪の中に入り、死体のそばにしゃがんだ。髪に手を触れて、横を向いていた顔を仰向かせた。その間に、指はすばやく動いて、髷の中を探り、ある物を指の股に納めていた。それは無意識の動きだった。

「この女は、この先の佐渡屋のお喜代という人だ。誰か佐渡屋へ知らせるといい」

言うと蔵太は立ち上がって人の輪を抜け出た。追われるような足どりで、蔵太は家へ急いだ。

「どうなさいました？」

家へ入ると、三郷が驚いたように迎えた。蔵太は妻に、鷹匠の野上丹治に呼ばれて帰りは遅くなる筈だ、と言って家を出ている。

「お話は、お済みでございますか」

「うむ、済んだ」

「早うございましたね。それではすぐに喰べものを作りましょう」

三郷は台所に立とうとしたが、ふと思案するように立ち止まって言った。

「ちょっとそのあたりに出て、肴を求めて参ります」

三郷が外に出るのを待って、蔵太は行燈に顔を寄せ、掌の中のものをひろげた。折りたたんだ鳥の子紙の文字は、水ににじんでいるが、次のように判読できた。

たかに不しんなし　え指は夜ばしりなり　とうりょうは万　ようじん　又五どの

――鷹に不審なし、餌指は夜走りなり、頭領は万、用心、か。

蔵太は顔を挙げた。不可解な文字だったが、それが自分にあてられた隠し文だという感じははっきりしていた。おそらくお喜代は、身に迫る危険を感じ取っていたのだろう。万一の場合を考えて、この連絡を髪に隠したのだ。

――又五とは俺のことだ。

蔵太はそう思った。お喜代の髷を探った、無意識な指の動きが、御餌指人守谷蔵太の行為ではなかったことに、蔵太はいま気づいている。そのとき俺は又五だったのだと思う。

だが蔵太は眉をしかめた。又五という名前、おそらく前に佐渡屋でお喜代が口にした、石神又五郎だと思われるその名前は、馴染みにくい他人の名前のように、蔵太の前を素通りするだけだった。

焦燥が、蔵太の中に芽生えている。鷹野で殺された男、そしてお喜代。蔵太に近づいてきて、無残に殺されて行った者が二人もいる。蔵太には、彼等が何者か見当もつかないが、二人は蔵太を知っていたのである。

――次に殺されるのは俺か。

蔵太は喜代の隠し文に、行燈から火を移しながらそう思った。にじり寄ってくる凶悪な力の気配がする。気配だけで、正体は見えなかった。

不意に外で三郷の叫び声がした。蔵太は燃えている紙を、すばやく掌に包んで揉み消すと、土間に飛びおりて戸を開けた。

眼の前の闇に、鳥が飛び交うようなざわめきがして、ふっと静かになった。闇の中から、よろめいて三郷が姿を現わし、蔵太の腕に倒れかかってきた。

「どうした？」

「戸を閉めて下さいまし」

三郷は喘ぎながら言った。三郷の肩に血が滲（にじ）んでいる。改めると、浅い刀傷だった。傷口を洗い、火にあぶってのばす黒い傷薬を厚く塗って、あとを縛りあげながら、

——そうか。

と蔵太は思った。

三郷は一度ある人間を裏切っている。その報復がやってきたのだ、と思った。津田万之助が怖（おそ）ろしい人間であることは、鷹野のとき眼の前でみている。お喜代の隠し文も、そのことを警告していた。三郷の裏切りを放置しておくような男ではない。

「誰に刺された？」

円い肩を布で縛りながら、蔵太は聞いた。だが三郷は頭を振っただけだった。蔵太に身体をゆだねたまま、放心したように障子を見つめている。

「夜走りとは何だ？」

「当国の忍びです」

三郷は無表情に言った。蔵太はぞっとした。御餌指人が忍びだと喜代の隠し文は言っているのだった。そしてその頭領は津田万之助だという。布施升蔵や飯沼伊平、金井藤六、鷲田（わしだ）庄作、

三郷の父田宮勝兵衛など、日頃屈託なくつき合っている組の者の姿は突然闇に溶けて、その底から闇に蠢く男たちの姿がぼんやりと浮かび上がってくるようだった。

三郷の腕を袖に入れてやってから、蔵太は念を押した。

「俺も夜走りの一人か」

「………」

三郷は首を振った。

「お前を刺した者が解った」

と蔵太は言った。二人はいま、敵の真只中にいるのだった。

「支度しろ。ここを逃げる」

三郷は眼を瞠って蔵太を見た。

「刺したのは組の者だ。それはお前にも解っている筈だ。飯沼か、布施か、あるいはお前の父御かも知れん」

「………」

「喰うものを用意しろ。あとは身軽に旅支度をすればよろしい」

「逃げられる筈がございません」

三郷は囁くように言った。恐怖で、声はかすれている。

「この家は、ずっと前から見張られています。国境も、すべて固められておりまする」

「心配するな。逃げ道はある」

蔵太は確信ありげに言った。じじつその道が蔵太に見えている。それは御留場の先の、柵の向こう側に、仄かに光って続いていた。

六

――やがて、子(ね)の刻(午後十二時)だな。

蔵太は漆黒の空にひろがる、星の位置を読みながら、そう思った。

柵は前方の闇につつまれている。火の色もなく、物音もしなかったが、その背後に潜む者がいることは明らかだった。

組屋敷を出るとき、闇の中から襲ってきた人間を二人斃(たお)している。だが山麓(さんろく)の滝山村の手前で、二人はおびただしい馬上の一群に追い越されていた。十四、五騎はいると思われる一群は、風のように夜の野を疾駆して、村の方角に消えている。追手であることは間違いなかった。

柵の向こう側にいるのは、山番士だけでなく、追手も加わっていると見なければならない。

「行くぞ」

蔵太は、三郷の掌を軽く握ると囁いた。

「戻ってくるまで、ここにじっとしておれ」

三郷は答えなかった。黙って蔵太の掌を握り返すと頬にあてた。

這(は)うように柵に近づいた。ぼんやりと柵の形が浮かび上がり、柵の奥に黒く山番小屋が見えてきた。小屋は灯を消して闇の中に眠っている。だが、ものの気配があった。柵と小屋の間の樹陰に、息づく者がいる。

――右に二人、左に三人。

と蔵太は読んだ。意外に小人数だという気がし、蔵太はその意味を探ろうとしたが、すぐにそのためらいを捨てた。逃げ道は、この柵を入ったところにしかない、という考えは動かなかったからである。

用意していた枯木の大枝を柵越しに投げ込んだ。すると待ち構えていたように、乱れた足音が起こって、柵ぎわに殺到してきた。その頭上に、藤蔓を足場に、駈け上がるように柵に登った蔵太の姿が飛んだ。闇の中の斬り合いは短かった。蔵太の足もとに、斬られた一人が呻(うめ)いていたが、ほかの四人はすばやく逃げ去っている。

三郷を半ば担ぐようにして柵を越えると、蔵太は樹林の中に踏み込んだ。平坦な、よく踏みならされた道がそこにあった。敵はどこからも現われなかった。

――以前に、この道を歩いた。

蔵太はそう思った。一度や二度ではない。歩き馴れた道のような感じが、踏みしめる草鞋の下にある。

三郷はぴったりと蔵太に寄り添うようにして歩いている。

「肩は痛まんか」

蔵太が言った。

「いいえ」

三郷が囁き返した。

「痛みませぬ。ただ少し寒うございます」

「どれ」

蔵太は立ち止まると、三郷の額に掌を当てた。熱っぽい感じはなく、額は冷たいほどだった。そのまま蔵太は、三郷の身体を軽く抱いた。三郷の身体は顫えている。

「案じることはない。ついてくればいい」

三郷がうなずき、不意に力をこめて蔵太にしがみついてきた。

虫の声に包まれながら、長い間樹林を歩いた。道は途中で二、三度枝わかれしたが、蔵太は少しも迷わなかった。

やがて右手に水音がして、樹林を抜けた。二人は立ち止まった。眼の前にひろびろとした平地がひろがっている。星明りの下に、田があり、畑があった。微かな風が起こり、熟れた稲の穂が鳴った。

「黒谷村だ」

「ここが、そうですか」

「そうだ。みろ、村は死に絶えてなぞおらん」

蔵太は手を伸ばして稲の穂を掬った。丹精された重い稔りが、掌に溢れた。

また少し歩いたとき、蔵太の言葉を裏書きするように、赤い火光が眼を射た。火明りはゆるやかな傾斜の上の森の陰に見え、森のそばの家々を浮かび上がらせ、背後の山の急斜面を照らしている。そこで篝火(かがりび)を焚(た)いているようだった。

「…………」

声もなく、蔵太は立ちすくんだ。火明りが照らし出している、異様に赤い山肌が眼に突き刺さってくるようだった。

——見たことがある。

いまははっきりそう思っていた。今夜のように暗い樹林を抜け、赤くそそり立つ山肌を見たことがあった。蔵太はそれを月明りで見たのだ。

「いそぐぞ」

蔵太は三郷に言って、火明りの方に近づいた。迂回(うかい)して田の畦(あぜ)を伝い、村の背後に出ると、蔵太は三郷を畦の上に残して、村に近づいた。

篝火は一軒の大きな構えの百姓家の庭で焚かれていた。その庭に、人が群れている。庭に積まれている荷がある。ある者はその荷を解き、ある者は闇の中から現われて、庭に荷を運び込んでいた。その間を槍を持った男たちがゆっくり動きまわっている。

さらに近づくと、男たちの話し声や、かけ声が騒然と聞こえ、男たちのきびきびした動きが見えてきた。家は屋根が夜空に聳(そび)えている感じの大きな百姓家で、庭は活気に満ちている。

太い欅(けやき)の陰から、蔵太は滑るように積荷の陰に走った。荷は荒い薦に包まれた木箱だった。箱はきっちりと荷造りされて、中味はまったくわからなかった。だが奇妙な匂いがした。それは潮の香だった。

荷は海から運ばれてきている。そう思ったとき、蔵太の頭の中で、このあたりの地勢がはっきりした。黒谷村は、総称して羅漢山と呼ばれる山塊の西南隅にある。御留場にされている広大な丘の起伏と、虎伏城があった国境の急峻（きゅうしゅん）な峰にはさまれている谷間の村だが、海までは半里の距離でしかない。背後の峰は険しい山相のまま、海岸に走り、そこで切り落としたように海になだれている。

——抜荷か？

蔵太は眉をひそめたが、不意に息を殺して地に這った。槍を持った男がこちらを振り向いたからである。だが足音は聞こえなかった。一片の影が動くように、蔵太は音もなく欅の陰に戻った。

峰の頂きに立ったとき、三郷はそのまま崩れるように、地に膝を突いた。苦しそうに肩で喘いでいる。

だが蔵太は、闇の中に鋭く眼を配っていた。そこは広大な台地だった。異様な感覚が蔵太を包んでいる。左手に松の木が三本あり、正面の遙かな奥に、か黒い森がある。すべて記憶にある風景だった。初めて見たものではない。だが、何かがこの風景の中から失われていた。

蔵太は台地を西に走った。そこは藪（やぶ）になっていて、足もとに熊笹がざわめいた。そして台地はそこで断たれていた。絶壁の下に黒い闇を溜（た）めた谷間があり、底深いところから、微かな水の音が立ちのぼってくる。そこが国境だった。

「間違いない。ここに城があった」

だが積み上げた土塁、東南にあったま新しい石垣、石作りの虎口、本丸と二ノ丸の間の深い空濠、濠に渡した跳ね橋、そして塀の間から無気味に覗いていた矢狭間。それを確かに見た記憶が蔵太を混乱させている。

「俺は一度ここに来たことがある。なぜ来たか、お前は知っているはずだ。さ、話してくれ」

蔵太は三郷の手をとって言った。

突然、闇の中で声が響いた。

「いや、その女は知らん。俺が話そう」

ぎょっとして立ち上がった蔵太の眼を、不意に赤々と燃える火光が焼いた。おびただしい松明の光が、広場を埋め、蔵太は眼がくらんでよろめいた。思わず眼をつぶって後じさりながら、腰を探った。

——待て。あれはあそこに埋めてある。

閃くようにそう思った。五年前と同じだと思った。一度に五年前の記憶が戻っていた。だがあのときは、得意の武器を土に埋め終って、村に降りようとしたときに襲われた。斬り合っているうちに、崖から落ちる、と思ったところまで思い出せた。そして今は鷹野で殺された鳥羽屋の手代が、同じ伊賀組にいた鵜飼惣太であり、女が鵜飼の妹喜代であることを思い出している。

蔵太は、後に縋っている三郷に、小刀を抜いて渡しながら囁いた。

「後ろに松の木がある。真中の松の根もとを掘れ。そこに袋が埋めてある。目立たないように持って来い。落ちついてやれ」

「お前が、江戸から何を探りに来たか知りたかったから生かしておいたが、やっとわかったぞ」

津田万之助が言っていた。万之助の周りには覆面で顔を包んだ、黒衣の男たちが松明をかかげて立っている。夜走りと別名を呼ばれる餌指組のものに違いなかったが、どれが布施か、飯沼かわからなかった。

万之助だけが、野袴をはいただけで、平服だった。手に鞭を握っている。

「どうだ、探しものはあったか」

万之助の声には嘲るような響きがあった。

「いまはない。だが五年前にはあった」

「いまは残念ながら五年前ではないぞ。それとも昔はあったと、夢のような話でも持ち帰るか」

「どうするか、考えているところだ」

「みろ、伊賀者。虎伏城などというものは、どこにもないのだ。お前が見たものは幻に過ぎん」

徳川幕府が諸国に一国一城令を出したのは、元和元年である。このためおびただしい数の城が廃毀され、全国に二百余りの城が残るばかりとなった。同じ年幕府は、武家諸法度を定めたが、この中でも「諸国の居城、修補をなすと雖も必ず言上すべく、いわんや新儀の構営は、堅く停止せられること」と、城郭に対する警戒心を露わにしている。

黒江藩が、国境にあった廃城虎伏城を、ひそかに掘り起こし、旧態に戻しつつあるという密告が、隣国桑城藩から幕閣にもたらされたのは、それから十七年目の寛永九年だった。

虎伏城が廃毀されたことは、先年巡見使の視察のときにも確かめられており、幕閣ではこれを信じなかった。事実なら処分は改易にあたるからである。桑城藩の密告も確信があるものではなく、山奥の炭焼きが、それらしいものを遠望したが、「未だ確かめるには至らざるも」と遠慮がちなものだった。

ただ一人、あり得るかも知れないという疑いを抱いたのは、若年寄の酒井備後守忠朝であった。忠朝は黒江、桑城の両藩が、累代宿怨の藩であることを知っており、黒江藩が慶長年間に新たに城を平地に移したあとも、国境の山城虎伏城に、厚く兵力を配って、桑城藩に対する警戒を解かなかったことを熟知していた。

そして忠朝の疑いは、黒江藩主の式部少輔信位の性格を知悉していることからもきている。式部少輔は極端な寡黙、偏狭の人柄で知られていた。忠朝が御広敷番にいた伊賀者石神又五郎を黒江藩に潜行させたのは、万一を考えた処置であった。

蔵太はいま、そのときのことをありありと思い出していた。

「そうかも知れん。だがそれがしはありのままに報告するだけだ」

「ほほう」

万之助は一歩近寄ってきた。白い顔に冷酷な表情が現われている。

そのとき、背後から三郷が包みを渡した。

「帰れると思っているか、伊賀者。城はともかく、貴様は黒谷村で村人が何をやっているか、みてしまった。帰すわけにはいかんぞ」

松明を捨てて、刀を抜いた五、六人が、夜鳥のようにすばやい身ごなしで殺到してきたのに、蔵太は袋からつかみ出した小さな鉛丸を飛ばしていた。蔵太は滑るように地を走っている。見えない矢のようなものが、走りまわる蔵太の指先から飛び、黒衣の男たちを打ち倒し、次々と松明の光を消した。狙いは正確だった。

狼狽(ろうばい)した黒衣の群れが、一斉に刀を抜いて駈け寄ってくるより前に、蔵太は三郷の手をひいて背後の藪に飛び込んでいた。あたりは再び闇に包まれていたが、蔵太の脳裏には、海辺の漁港までの細かな地理が甦(よみがえ)っている。

二人が崖下の漁村に駈け込んだとき、夜が明けようとしていた。人影もない漁村の辻を駈け抜けながら、蔵太の胸をふと不安が横切った。

――あれから五年経っている。

そう思ったのである。松蔵は、五年前の約束を憶えているだろうか。

村端れの軒の傾いた漁家の戸を、蔵太は叩いた。戸を開いてのっそり現われたのは、蔵太より首ひとつは十分に大きい、大男の老人だった。

「又五郎だ。用意はしてあるか」

蔵太が言うと、老人は黙ってうなずき、そのまま先に立って歩き出した。崖の上で、追ってきた男たちの声が聞こえたが、松蔵はそれを見向きもしなかった。

「国に未練はないのか」

蔵太は、不思議なものをみるように、寄り添っている三郷を眺めながら言った。三郷は遊山にでも行くような、穏やかな顔をして、海辺の景色をみている。

蔵太の質問には、黙って笑い、首を振っただけだった。

「しかし親御が哀しもう」

「いいえ、田宮は親ではありません」

三郷は言い、次に蔵太が胆をつぶすようなことを言った。

「わたくしは式部少輔さまの遠い血縁の者でした」

蔵太が黙りこんだのをみて、三郷はあわてて言いなおした。

「血縁と言いましても召使い同様の身分で、万之助さまの屋敷で使われていました。人なみのしあわせを知ったのは、お前さまと夫婦になってからでした」

「すると伊賀者石神又五郎の女房で、不満はないのか」

「不足などと、もったいないことをおっしゃいます」

三郷は口籠り、うつむいたままで言った。

「おそばにおいて頂くだけで、しあわせです」

「あのとき……」

蔵太は五年前初めて三郷と会ったときのことを思い出しながら言った。

「初めて会ったとき、お前は泣いたが、なぜだ？　芝居をしろ、と言われたか」

三郷は首を振った。それから羞じらうように顔を赤らめた。

「お前さまの眼が、わたくしを頼っておいででした。この人はわたくししか頼るものがいないのだと思いました。人に頼られたのは初めてでした。そのとき私は、お前さまと本当の夫婦になろうと決心したのです」

蔵太は沈黙した。松蔵の櫓は、舟を正確に隣国桑城領の漁村に寄せようとしていた。

（「問題小説」昭和五十年四月号）

臍曲がり新左

一

藩中で、治部新左衛門ほど人に憎まれている人物はいない。

役持ちである。登城すると、御旗奉行として定めの部屋に詰め、気が向けば配下の者に若い頃の戦場の手柄話などをした。が、大概聞き倦(あ)きた話なので、配下の者は欠伸(あくび)をかみ殺すのに苦労する。話もないときは、黙然と馬印を護って下城の時刻まで坐っている。閑職だった。

元和元年の夏、大坂の役があって、旧豊臣の勢力が潰(つい)えたあと、天下はひそと鳴りを静め、新左衛門のように若い頃から戦場を駈け廻ってきた人間には、それこそ欠伸が出るほど退屈な世の中に移って行くようであった。

そうした移り変わりに従って、御旗組も次第に人数が削られて、新左衛門が奉行を命じられた七年前の元和六年には、士分のものは新左衛門を含めて僅かに十三名という人数になっている。それもふだんは馬印を警衛する者が二名詰めるだけで、他の者は休む。馬印を納めた長持を置く部屋に詰めているのは、従って新左衛門と当番の者二名だけである。

年に二回、馬印の塵(ちり)を払い、戦場で使った各種の旗印をとり出して、修理に出したりするが、それだけの仕事だから、この人数で足りた。

新左衛門は、北向きの窓しかない、この薄暗い部屋に、終日黙々と詰めて、めったに部屋を出ることもない。

それでいて藩中の評判がよくないのは、新左衛門が稀代の臍曲がりであるためだった。軽い挨拶ひとつにしても、人に同じるということがない。ひとひねりして返す。

この性癖を知っているから、登城の途中新左衛門を見かけた者は、一様にいやな顔をする。中にはむきつけに狼狽に似た表情を示す者すらいる。しかし新左衛門は役持ちである。そ知らぬふりをするというわけにはいかない。やむを得ず、

「いい空模様でござるな」

などと、もっとも当たり障りないことをいう。すると新左衛門は、その挨拶に早速喰いつく。

「さよう、いまのところはな。だがあの雲をごらんあれ。午過ぎには曇ろう」

引っぱり込んで腰投げの荒技を打つようなことを言う。相手はまたかと思う。うんざりする。挨拶にしてこれである。普通の話、まして相談事などということになると、大概の相手が途中で腹を立てる。新左衛門が藩中で敬遠されているのは当然であった。

だが本人は別にそれを苦にしている様子はない。眉は太くて、前に長く伸び、その下に眼尻の上がった金壺眼を光らせ、くぼんだ頰の肉を埋め合わせるかのように、顎は横にがっしりと張っている、という憎さげな顔で、俯きがちに城と地蔵町の家を往復する。

だが治部新左衛門の性癖と容貌を憎んでも、彼を軽んじる者がいないのは、新左衛門が、十八で秀吉の小田原攻めの戦陣に初陣し、以来文禄元年の最初の朝鮮出兵、慶長五年の天下を二分した関ヶ原の役、その後二度にわたる大坂の陣にことごとく出陣し、先代光覚公の馬廻りと

して抜群の武功を謳われた人物であったからである。

新左衛門は大坂夏の陣のときまで、馬廻りを勤めた。戦陣の間、光覚公が、常に新左衛門を身辺から離さなかったのは、新左衛門が武芸の一派を究めていたからだという噂があった。事実光覚公の馬印めがけて殺到してきた敵を相手に、新左衛門が凄まじい太刀業を揮ったのを目撃した者はかなりいる。

しかし最後の戦が終って十数年経ち、当時新左衛門の武功を称賛した者も次々に死んで、いまは辛うじて伝えられた噂が残るに過ぎない。

その武士が新左衛門の詰めている間に飛び込んできたのは、誰かが新左衛門の古い噂を覚えていたためであったろう。

「治部どの、大事が起きてござる」

若い武士は襖ぎわに立ったまま喚いたが、新左衛門の金壺眼にじっと見つめられると、あわてて膝をついた。

「斬り合いが始まってござる。お出頂きたい」

「誰と誰だ」

「は。それがしかとは」

「それも解らずに人を呼びに来たか」

新左衛門はちくりと刺したが、五十八には見えない軽い身ごなしで立ち上がっていた。一緒に部屋を出ようとした御旗組の二人を、ここにおれ、と一喝すると、

「場所はどこだ」

と聞いた。

「は、嘉昌殿の中庭でござる」

嘉昌殿は能楽の舞台や書庫を納めてある一棟で、城の南端にある。ふだんあまり人が行かない場所だった。

築山の麓の石燈籠を背にして、若い侍が抜刀している。青白い顔をして、何か叫んだのがみえた。その前にもう一人の武士が、立ち向かっているが、これはまだ刀を抜いていない。新左衛門からは、丈高いその背だけが見えた。その二人を遠回りに囲んで、二十人余りの人間が騒いでいた。「篠井、刀を退け」、「城中だぞ。気を鎮めろ」などと声をかけているが、誰も身を挺して仲裁を買って出る者はいないようだった。刀が日の光を弾いて光るたびに、人の輪が揺れるだけである。

刀を構えている方が篠井という名前らしかった。篠井というからには、いま側用人として藩政を仕切り、ときめいている篠井右京と繋りがあるのだろう。細面で神経質そうな顔が血の気を失い、眼が血走っている。

新左衛門に背を向けている侍が言っている。

「刀を納めろ。ここは城中だぞ。どうしても斬り合うと申すなら、城の外で尋常に立ち合うと申しているのが解らんか」

「卑怯ものが……」

篠井は上ずった声で叫んだ。

「文句を申さず抜け。城中がこわいか。俺はこわくないぞ」

「わからん奴だ。のぼせを醒(さ)ませ」

背を向けた方は、落ちついた声で言っている。

——隣の倅(せがれ)ではないか。

と新左衛門は気づいた。新左衛門がみたところ、刀を構えている男は錯乱状態だった。説得を受け入れる余地を失っている。その危険な男に、素手で立ち向かっているのは、時どき生垣越しに娘の葭江(よしえ)をからかったりしている、隣家の総領犬飼平四郎だった。犬飼家は、平四郎の父郡兵衛が去年の秋城中で倒れ、それ以来床についたまま隠居して、今年になって平四郎が家督を継いだばかりである。平四郎は二月に馬廻りとして出仕し、城勤めをするようになってまだ二月(ふたつき)と経っていない。

——それなのにこのような騒ぎを起こしている。馬鹿めが！

と新左衛門は思った。

平四郎は、垣根越しに葭江とこそこそ話し合っているところを見つかっても、「やあ」などと平気な顔をしている無礼な男である。狼狽する気配が全くないのが面憎(つらにく)い。新左衛門が、金壺眼でことさら睨(にら)みをきかせても、一向にこたえる様子もなく、横着にも「それでは葭江どの、またな」などという。その声が武士にあるまじき優しげな響きを含んでいるようで、新左衛門は鳥肌が立つ。

そういう無礼きわまる男と、嬉しげに話をしている娘も娘、と葭江にも腹が立つが、新左衛門はそれを言うことが出来ない。葭江には負い目がある。

葭江はこれが治部新左衛門の娘かと、聞かされた者があんぐり口をあくほどの美貌だが、十八になる今日まで縁談らしい縁談がない。一人娘だから家中から婿を迎えることになるが、婿のなり手などは腐るほどいる筈なのに、それらしい話が持ち上がっても、すぐに立ち消えになるのは、先方が治部新左衛門という名前を聞くだけで二の足を踏むからである。そういうことが、新左衛門には最近漸く解ってきている。即ち親の不徳の至すところで頭が上がらない。

加えて新左衛門は、二年前に妻を病気で失っている。女中、下僕を置いているが、細かいことは葭江に面倒みてもらわねばならない。こういう負い目がある。

――だがいつかは、ぐわんと一発言ってやる。日頃新左衛門はそう思っている。

だが、ここは平四郎が斬られるのを、黙って見過ごしは出来ないところである。そう思ったとき、なぜか斬られては葭江が悲しもうとちらと考えたのはいまいましいことであった。しかし新左衛門に見える危険が、平四郎には見えていないことが確かだった。

「後へ退れ、平四郎」

新左衛門が声をかけたとき、篠井が平四郎に斬りかかった。狂暴な力が籠る太刀筋をみて、見ている者がどっと浮き足立った中で、平四郎は辛うじで剣先を躱れた。飛び下がりながら腰に手が行ったのは、抜き合わせるしかないと観念したのである。

篠井はすばやく第二撃を送ろうとした。そのとき、二人の間に新左衛門がすっと身体を滑り込ませた。篠井は一瞬動きをとめて新左衛門をみたが、上げかけた剣先を青眼に戻すと、じりじりと後退した。

飛び込んだときの間合いを崩さずに、新左衛門は小幅に足を移し、篠井を追いつめていく。篠井の額にみるみる汗が噴き出すのが見えた。新左衛門は両手をだらりと下げたまま、無造作に近づいて行くように見えたが、篠井の動きはそれだけで封じられているのが見ている者に解った。

ついに篠井の背は、石燈籠にぶつかった。篠井の眼は張り裂けんばかりに瞠かれ、身体は瘧に襲われたように顫えている。

躍りあがるように身体を捩って、篠井が刀をふりかぶった。そのとき、凄まじい声が新左衛門の口を衝いて出た。

「やッ、やーッ、やッ」

その声で、篠井はがくがくと膝を折り、地面に坐り込んでしまった。その手から刀を奪い取ると、新左衛門はぐいと襟を摑み上げ、いきなり篠井の頰を殴りつけた。殴られながら、篠井は朦朧とした眼で新左衛門を見上げている。

肝をつぶしたのは篠井だけではない。まわりにいた者も身顫いした。中には危うく腰を落としそうになった者もいる。腸を抉るようななんとも強烈な声だった。

汚れた足袋を脱ぎ、それを片手につまんで廊下を去って行く新左衛門を見送りながら、一人が呟いた。

「戦場往来の声というのがあれだな」

二

新左衛門は苦り切っている。

平四郎が、先日の礼だといって、母親が漬けたという山牛蒡の味噌漬を持ち、挨拶にきたのはよい。持参したものは新左衛門の好物である。あのときは平四郎の命を救ってやったと思っている。山牛蒡ぐらいは喰う権利がある。

だが平四郎が、家の中に上がってきたのは予想外であった。勿論新左衛門は上がれ、などとひと言も言っていない。風采こそ立派だが横着で、摑みどころのない気色悪い男だ、と日頃思っている。世辞にも口に出す筈がない。上がれと言ったのは葭江である。

呆れたことに、葭江のひと言で、平四郎はのこのこ上がり込んできたのである。それがまず気に喰わない。新左衛門の考えをいえば、たとえ上がれと言われても、一応辞退するのがこの際の礼儀である。それが武家のたしなみである。用件は玄関で済んでいる。平四郎は先日の礼を述べ、新左衛門は山牛蒡の味噌漬を受け取った。この上何の用があるかと言いたい。

その上、座敷に通ってからの平四郎の態度がまた気に入らない。葭江が茶を運んでくると、辞儀もなしにひょいと座を立って廊下に出、「なかなか見事な庭ですな、家の方からはこの庭が見えない」とか、「あれは何の木でござるか」とか、葭江をつかまえて聞きながら、庭を眺めている。

葭江も葭江で、慎みなく親に臀を向け、男と肩をならべて立ちながら、どこか浮き浮きした声音で男に答えている。二人とも新左衛門を無視している。新左衛門にはそう受けとれる。

新左衛門は咳払いした。

その声に、二人は初めて新左衛門がそこにいるのに気付いたように振り返った。

「や、これはご無礼」

平四郎は平気な顔でそう言い、葭江はさすがに羞じらうふうに微かに頬を染めたのはよいが、平四郎に続いて座敷に入ってきたものだ。茶をお相伴するつもりらしい。みれば盆の上には自分の茶碗もちゃんと乗せてある。

——どういう了見だ。

と新左衛門はいよいよ苦り切る思いだが、葭江は十八ながら、この家の主婦を兼ねている。猫の子を追うように追い払うわけにはいかない。

「それにしても……」

と平四郎は言った。

「大変なお声でございますな。あれが戦場声というものでござるかな」

——大変な声とは何だ。

と新左衛門はむっとする。ほかに言い方があるだろうと思う。それで答えないでむっつりと平四郎の顔をみている。

「何の声でございますか、平四郎さま」

と葭江が言う。

「いや、さきほど申し上げたとおり、拙者危うく篠井主馬と斬り合いになるところを、父御に救われたのだが、そのおり父御が篠井を一喝された声が物凄かった」

「まあ」

葭江は顔を赤らめた。

「変な声を出したのでございましょ？　父はご存じのとおり変わった人ですから」

——余計なお世話だ。

と新左衛門は思う。昔はあのぐらいの懸け声で驚くような人間はいなかったのだ。戦場の味も知らない若い奴らが、肝を潰したり、物珍しげに評判する。

篠井主馬を、顔がひん曲がるほど殴りつけたのも、新左衛門のやり過ぎだという評判が聞こえたが、それも新左衛門に言わせれば片腹痛いのである。昔はあのぐらいの折檻は日常茶飯事だった。荒々しく、それでいて折り目正しかった。

「それにな、父君に殴られた篠井の頬が脹れてな、四、五日は瘤が出来たようなあんばいでござったぞ」

「まあ、お気の毒に」

二人は顔を見合わせて、くつくつ笑っている。

新左衛門はまた咳払いをした。これはご無礼と言って平四郎が居ずまいを正した。

「ところで、尊公にひとつ訊ねたい」

と新左衛門は言った。

「は、何でございましょう」

「尊公と篠井の喧嘩の仔細をまだ訊いておらん。城中で刀を抜くというのは、容易ならぬことじゃ。よほどのことがあったに違いないと思うがの」

「いや、それが……」

平四郎は頭に手をやった。

「他愛もない口喧嘩が始まりでござる」

「ほほう。たわいもない口喧嘩……」

新左衛門は口を開いて感に堪えたというふうに、ゆっくりうなずいた。もちろんそのしぐさには、練りあげたわさびを塗りたくったように、じっくりといや味を利かせてある。

「若い者は勇気がある。われらが若い時分には、腹が気になって、なかなか城中で刀など抜く気になれなかったものだ。そのかわり、一たん抜けば仲裁の人間などは呼ばなんだ」

「だから拙者は、篠井に抜くなと申したのでござるが、きゃつ血迷いおって」

平四郎はけろりとした表情で言った。新左衛門の厭味は不発に終ったようだった。

「篠井とは日頃仲が悪いか」

「さよう。仲が悪いというのでもございませんが……」

平四郎は微笑した。言おうか言うまいかといった躊躇が、その表情の中にある。

「いろいろと、いきさつがござる」

「さっぱり解らんな、尊公の言っておることは」

新左衛門はここぞとばかり、ずけずけと言った。

「仲が良くて喧嘩するということはあるまい。故に仲が悪いかと聞けばそうでもないという。では、そのいろいろとあるいきさつをうかがおうか」

「お父さま」

と葭江が口を出した。咎めるような眼で新左衛門をみている。

「平四郎さまは、おっしゃりたくないのでございますよ。絡んだような言い方はおやめあそばせ」

「ふん」

と新左衛門は言った。金壺眼を光らせ、大きな口に笑いを刻んで、意地の悪い表情になっている。漸くこちらの土俵に、相手を引きずり込んだような快感がある。このいけしゃあしゃあとした男の面の皮をひん剝いてやろう。それが葭江のためにもなる。

「言いたくないいきさつなどというものは、だ。大方女子の話と昔から決まったものでな」

新左衛門はにたにた笑った。

「いかがかな。そのあたりの話をうかがおうか」

「何ということをおっしゃるんですか、お父さま」

葭江は顔を掌で覆った。

「わたくし、恥ずかしい」

「なに、気にすることはござらんのだ、葭江どの」

平四郎は慰めた。

「父御の思い違いだ。しかし少々わけのある話でな。済まんが、ここをはずして下さらんか」

葭江が掌をはずして平四郎の顔をまじまじとみた。その表情をみて、平四郎はあわてて手を振った。

「いやいや、女子の話ではござらん。誤解されるな」

――なにが誤解だ。

と新左衛門は舌打ちしたくなる。まるで言い交した女子に言いわけでもしているようではないか。そう思ったとき、新左衛門はぎょっとした。ひょっとしたら二人は言い交しているのではないか、と思ったのである。そう思ってみると、平四郎を見る娘の眼に、情があり過ぎるような気がする。

犬飼家には男二人と女子一人の子供がいる、ぐらいの知識は新左衛門にある。総領が平四郎で、次が佐久という女子、末弟は名前を源之助といって、まだ学問所に通っている子供である。だがその子供たちが、成人してきた過程というものは、新左衛門には至極あいまいにしか解っていない。平四郎なども、よく境目の生垣をくぐり抜けてこちらの庭に入り込み、死んだ妻が丹精して作った菊を摘み取っていた、などという子供の頃の記憶はあるが、今度郡兵衛の後を継いで出仕するようになって初めて、もうそんな若者に成人していたかと驚くようなところがある。

その間に、娘と平四郎が、どのようなつき合いをしてきたか、などということは新左衛門の推測の及ぶところではない。もし二人の間に何かあるとすれば、それは憂うべき事態だった。平四郎は総領で、葭江は婿を入れる立場である。そして何よりもこの礼儀知らずで厚かましい隣家の伜が、娘と何かあるなどということは耐えられないではないか。

三

葭江が部屋を出ると、新左衛門は唐突に言った。

「尊公は幾つに相なるな？」

「は？」

平四郎は怪訝(けげん)な顔をした。

「年じゃよ」

「二十五でござる」

いよいよ怪しむべきだ、と新左衛門は思った。二十五と十八。何とぴったりの年配りではないか。これまで気づかなかったのは迂闊(うかつ)であった。

「嫁はまだかの？」

「は？」

平四郎はまた眼を丸くしたが、殊勝に答えた。

「嫁をもらうほどの重みに欠けるとみられており申すようで、まだそういう話はまとまっておりませぬ」

「尤もだの」

と新左衛門は言った。

「しかし自分で承知しておるのはよろしい」

平四郎は苦笑した。しかし気を悪くした様子はない。新左衛門は拍子抜けする。普通このぐらいずけずけ言うと、大概の者が気を悪くする。短気な者は顔色を変えて、席を蹴立てたりする。だが平四郎に向けた言葉は、力のない遠矢のように、目指す敵に届かずに手前に落ちる感じで、張り合いのないこと夥しい。

「ところで、さきほどの件でござるが……」

平四郎は幾分顔色を改めた。

「………」

「篠井主馬との喧嘩の話でござる」

「む、む」

新左衛門の興味は、もうそこから離れているが、自分から言い出したことなので、仕方なくうなずいた。

「じつはわが家の佐久が絡んでおりまして」

「あのへなちょこが佐久に手でも出しおったか」

「いや、それならば話は別でござる。き奴、まるで町方の女衒のような口を利きよりましたので」

「ほほう」

側用人の篠井右京から犬飼家に対して、佐久を城勤めに差し出すように、という命令口調の話が持ち込まれたのは、半年ほど前である。犬飼家では即座に断った。

篠井右京が、家中の者の娘を城に入れるのに熱心なのは、娘たちを藩主の大膳亮信隆に奨めるためであることは、公然と噂されていることだった。事実娘の縁で、人も驚くような立身を遂げた家は、二、三にとどまらない。

大膳亮は、先代の光覚公にくらべると数段人物が落ちる凡庸な藩主である。右京はそうやって大膳亮の歓心を買う一方で、女たちの縁に繋がる藩士を自分の勢力下に引き入れ、閨閥に似た固い結束を藩中に育ててきた。

犬飼家では、そういう立身出世を潔しとしなかったのだが、篠井右京はそれを権勢並びない自分に対する公然たる敵意と受け取ったようだった。あるいは上役を通じ、あるいは犬飼家の親戚筋から説得させるという、陰湿で執念深いやり方で、犬飼家を攻め立ててきたのである。

平四郎の父犬飼郡兵衛が、城中で卒中を患って倒れたのも、その日親戚筋で八百石の大身である三神八郎左衛門と激論しているときだった。三神は一度は中老も勤めたことのある人物で、右京の口利きで末娘を側室に上げた縁で、篠井右京と固く結ばれている。

平四郎が家督を継いだあとも、右京はたびたび催促をよこしたが、勿論平四郎はすげなく断り続けてきた。

　主馬と喧嘩になったのは、あの日城中で擦れ違った主馬が、

「眼前にある出世が、眼に入らぬ石頭か」

　と冷笑して過ぎたからである。主馬は伯父の権勢を背にした傲慢な言動が目立つ男だった。小姓組にいて平四郎とは勤めが違う。

「なるほど。これが女衒の甥か」

　と平四郎が切り返したことから、争いになった。

「ほっほっ」

　と新左衛門は奇声を挙げた。

「言ってやったか」

「はあ。言ってやり申した」

「しかし初めて知ったぞ。お主も苦労しておるわけじゃな」

　それでいて、よく葭江の機嫌をとるひまなぞあるものだ、と思ったが、口まで出かかったその言葉を、新左衛門はあわてて抑えた。厚かましく、思慮が浅い若者とみていた平四郎が、これまでそんな重荷を背負っている翳りを見せたことがないのを、ふと健気に思ったのである。

　不意に篠井右京に対する怒りが押し出してきた。新左衛門は藩政などというものは何の興味もないが、篠井がこれまで何をしてきたかは解っている。

「篠井右京は、先代光覚公以来藩中に巣喰う虫でな。汚い虫けらに過ぎん。彼は子供の頃、先代に臀を貸して、そこから出世を摑んだ男だ」

「ははあ」

「いまも同じことをやっとるわけだ。もう年じゃから、己れの臀は誰も買ってくれん。そこで女の臀を周旋しておる」

「それがでござる。じつは女子の臀だけでござりませんので」

平四郎が言ったとき、障子の外で葭江が、

「入ってよろしゅうございますか」

と言った。

「む」

と新左衛門は言ったが、葭江が入ってくると、男二人はバツ悪い顔を見合わせた。品位に欠ける話題にしては、声が頗る高かったようである。

だが葭江はそれが聞こえたか聞こえなかったか、まるで読みとれない顔をしている。

「お食事を差し上げましょう、平四郎さま。どうぞ今日はごゆるりと」

どこか弾んだ声音で葭江は言った。新左衛門はそっぽを向いた。そういうことをいうから、この男がつけ上がる、と思った。さきほど来の話で、多少見直してはいるものの、この男が礼儀知らずの厚かましい人物であることに変わりない。一緒に飯などつき合わされるのはご免だった。

「いやいや、葭江どの」

と平四郎が言っている。

「初めてお邪魔して、さよう長居をしては、家の者に叱られる」

当然、しかあるべきだ、と新左衛門はほっとして視線を戻した。みると障子にあたっていた日射しが掻き消えて、部屋の中は白っぽい日暮れの光に変わっている。

「さようですか」

葭江は残念そうに言った。

「それではまたお出のときは、必ず馳走を支度しますゆえ、そのおつもりでお出なさいませ」

またなど来てもらいたくない、と新左衛門は思った。婿にとるわけでもない、隣家の伜などを、なぜちやほやしなくていけないのか、新左衛門には納得がいかない。この男には多少の貸しがあったが、それはさきほど返してもらった。これ以上つき合う何の義理もない。

「ね、お父さま」

不意に葭江は新左衛門を振り返った。

「ほんとに残念でございますね」

「む、む」

止むを得ず新左衛門は唸ったが、阿呆らしくて仕方がない。残念なことなど、ひとつもありはしないのだ。

行燈に灯を入れ、それではお茶を替えて参ります、と葭江が出て行くと、平四郎が、

「さきほどの女子の婿の話でござるが」

と言った。

「む」

と新左衛門は言葉を節約する。いい加減うんざりしている。やはり家に上げたのは失敗だった、と思う。隣家の伜がこのように長っ尻だとは予想の外だったのである。

「篠井右京どのは、お上に女子を周旋するだけでなく、ここ数年にわたって歴然たる失政があることが明らかになってござる」

「失政だと？」

と言ったが、新左衛門には政治向きの話は興味がない。

「六年前に城下の南にある伊波山一帯がお留場になったのをご存じでござるか」

「知っておる」

伊波山は、城下から二里ほど南にひろがる丘陵地帯の総称で、なだらかな雑木林の中に、意外に深い谷があったり、人跡稀な森があったりする懐の広い山である。

新左衛門は非番の日は伊波山に鳥刺しに入ったことがあるが、お留場になったので近年は行っていない。

「しからば立野郡三ツ鎌村の百姓十五人が、六年前逃散したことはお聞き及びでござるか」

「知らんな。初耳だ。しかし伊波山と百姓がどう致した？」

伊波山の奥深いところに、御陣谷と呼ばれる谷がある。大地に生じた亀裂のように細く深い峡谷で、水は暗く遥かな場所を流れて、音も聞こえない。その谷が砂金を産し、ここ五、六年の間に悉く採り尽くされた。砂金を採集したのは篠井右京で、右京は腹心の家臣に命じ、三ツ鎌村の百姓を使ってその仕事をやったという。

「砂金は大坂の商人に売られ、右京どのは、口留めに御家老の椎野さまに多少の金子を献じ、他は悉く私腹を肥やされたと聞きましてござる」

「………」

「なお奇怪なのは三ツ鎌村の百姓が事で、逃散した十五名の百姓は、年貢が納められずに領内から逃亡したと伝えられましたが、その所在はすべて今もって不明でござる。逃散したと申すのは実は表向きで、彼等は砂金場に使役されたのち、右京どのに言い含められて領内を出たか、あるいはひそかに消された者たちではあるまいかという推測もなされてござる」

「詳しいのう」

新左衛門は、もう一度改めて隣家の伜を見直す心になった。横着な人間であることは動かないにしても、これでは思慮が浅いとは言えない。見るべきところを見ている感じがある。ひらたく言えば、なかなかしっかりしているのだ。

新左衛門の金壺眼にじっくりと眺められた平四郎は、不意に頭を掻いて、がっかりさせるようなことを言う。

「いや、これはすべて加藤さまの受け売りでござる」

「加藤？　加藤図書か？」

加藤図書は次席家老である。しかし藩政は筆頭家老の椎野彦兵衛と篠井右京、それに中老の山県滝蔵、組頭で頭が切れる点では篠井の後継者と噂される赤松忠太が切り廻し、加藤は閑職同然の立場に置かれている。重要な施策が、加藤を除外した場で決定され、ここ二年ほどは、図書はほとんど登城することもなく屋敷に引き籠っていた。

平四郎の話によれば、事実は逆で、加藤は自ら身を引いたのだ、という。右京は藩内に培った強大な勢力を背景に、山県、赤松を手足に使い、度重なる賄賂で筆頭家老の椎野を骨抜きにしていた。篠井は加藤にも賄賂を使おうとした。伊波山の東麓にある鹿瀬という村落の外れに、瀟洒な別荘を建てて贈ろうとしたのである。これを断った頃から、加藤と右京との間に隠微な反目が生じ、やがて加藤は藩政の中心から遠ざかった。

「篠井右京どのの専横は、もはや見過ごし出来ぬところにきていると、ご家老は考えておられ、ご家老に同意見で、篠井一派の藩政専断を覆そうという考えの者が、藩中にひそかに増えており申す」

「尊公もその一人というわけか」

「無論でござる」

平四郎は胸を張って言った。朗らかな表情で、まるで悲愴感がないのは結構だが、少々口が軽過ぎないか、と新左衛門の評価はまた若干下向く。

「およそは相わかった。しかし、このような大事を儂に打ち明けたのは少々軽率ではないかな。儂が篠井にこのことを注進したらどうする。ご家老は、みだりに藩内に異派を樹てる者という名目で潰されるぞ」

「その心配はございますまい」

平四郎は平然とした顔で言った。

「治部どのが、そのようなことをなさる方ではないぐらいは、先刻承知でござる」

「わからんぞ。儂には敵もなければ味方もない。それに自分で言うのも何だが、儂の臍は少々曲がっておる」

「しからば篠井に注進なされますか」

平四郎の手が、いきなり畳の上の刀を摑んだ。

「馬鹿めが！　手を引っこめろ」

新左衛門は苦り切って言った。茶を馳走した上に、刀を振りまわされたのではたまったものではない。まったく今の若い者の頭の中はどうなっているのだ、と新左衛門は嘆かわしくなる。とんでもない秘事を、聞きもしないのにぺらぺら喋るかと思うと、こちらがとっておきの冗談を言ったのに対して、いきなり刀を引っこ抜こうとする。

昔朝鮮に渡って戦ったとき、言葉も通じない異人種と斬り結んだことがあるが、眼の前にいる平四郎も、そのときの相手と大差ない気がしてくる。言葉がまともに通じない部分がある。

「儂がそんなことをやる人間と思うか」

「いや、思いませぬ。それは先刻申しあげたとおりで。藩中に治部どのに勝る高潔の士はご座ないと、日頃尊敬しており申す」

今度は持ち上げて来よる、と新左衛門はうんざりした。尊敬している人間が、まるで親爺を無視して、娘と眼を見かわして意味ありげに笑ったりするか、と言いたくなる。腹は透けて見えるのだ。おべんちゃらである。

「ところで、ひとつお願いがございます」

「何だ」

新左衛門は不機嫌な声を出した。

「一度ご家老に会って頂けませぬか」

平四郎が言ったとき、葭江が戻ってきた。お茶を替えてきたばかりではない。盆には餅菓子を載せている。餅菓子は城下で唯一軒土師町の朝倉屋が売っているだけである。葭江が戻って来るのに手間どったのは、女中のみつにでも買いにやらせたのだろう。高い買物である。

葭江は餅菓子を紙に取り分けたが、みると平四郎の方に一つ多いではないか。新左衛門はますます不機嫌になった。

「断る」

「はあ。やはり駄目でござるか」

平四郎は言ったが、その顔に初めて気落ちした色が出た。

「じつはご家老に、ぜひにもお誘いしろ、と言われたのでござるが」

「加藤図書がそう言ったと？」

「は。治部どのがわが陣営に入れば百人力と仰せられ申した」

「意気地がない連中だ。お主もその一人だがな。儂ならうじうじと徒党など組まん。篠……」

篠井と言いかけて、新左衛門はあわてて口を押さえた。葭江が訝しげな顔で、二人の話を聞いている。

「儂なら、ナニ一人ぐらいは、ばっさり片づける」

「そういうものでござるか」

「そうだ。それに図書にはちょっぴり昔の貸しがある。儂に頼みごとがあるなら、もう少々丁寧に言えと伝えろ。話はこれで終りだ」

新左衛門は膝を起こした。

「葭江、平四郎どのをお送りしろ」

「では折角です故、これを頂戴してお暇申し上げる」

平四郎は餅菓子に手を伸ばしている。葭江がいそいそと熱い茶をすすめた。

喰い意地まで張っている、と新左衛門は憮然として部屋を出たが、ふと思い出して振り返った。

「佐久は幾つに相なる？」

「ふわ？」

平四郎は頬張っていた餅を、あわてて飲み込もうとしている。かわりに葭江が答えた。

「十四でございますよ」

「十四か」

新左衛門は廊下の外障子を開いた。月も星もない闇が顔にかぶさってきた。その暗い闇に庭木の新葉の香が満ちている。

——あれが、十四だと言ったな。

新左衛門は思った。加藤図書という名前に触発されて浮かんできた遠い記憶があった。それは異国の少女の顔だった。その顔を、より鮮明に思い出そうとするように、新左衛門は闇の中に眼を凝らした。

四

城を出たのが酉の上刻（午後六時）を廻った時分だった。新左衛門は、人気のない前庭を横切って城門の方に向かった。

この日、珍しく加藤図書が登城した。図書は登城するとすぐに、二、三の人に会ったようだったが、人が下城する申の刻（午後四時）になって、不意に新左衛門を詰めの間に訪ねてきたのである。

図書が言うことは、この間の隣家の犬飼平四郎の話と同じだった。概略の情勢を打ち明けてから、図書は慇懃に新左衛門を仲間に誘った。

「篠井が藩内に植えた勢力は強大でな。彼を廃そうとすれば、こちらも相当のまとまりがいるのだ」

と図書は言った。あれもわが陣営、かれもわれと同じ、と数え上げる人名の中には、前に筆頭家老を勤め、いまは引退して藩政から手をひいている長沼太郎左衛門、現職の中老だが、篠井とは一線を画して農政に力を入れている保科倫弥、大目付の半田作兵衛などがいた。その勢力を背景に、藩主大膳亮に連名の意見書を提出し、一挙に篠井派と対決しようというのが図書の考えだった。

「迂遠な話かな」

と新左衛門は言った。

「何でさように手間ひまをかけられる。ためにならぬ奸物とはっきりした以上……」

新左衛門は斜めに手刀を振りおろした。

「やればよい」

「いや、血は流したくない」

と図書は穏やかに言った。

「お家騒動とみられるのはまずいのだ」

図書は遠く江戸幕府を気遣っていた。慶長から元和、寛永に入ってからも、幕府はしきりに諸国の大名を取り潰していた。取り潰しの理由には藩主が病死した後に後嗣が備わっていなかった、あるいは法度に背いて城廓を修理、普請したというものもあったが、藩内の騒擾を咎められた例も少なくなかった。

元和四年、越後村上で九万石の大名村上周防守義明、伯耆黒坂五万石の関長門守一政が封地を没収されたのは、家臣騒動したのを咎められたためであった。元和七年、出羽十二郡のうち秋田領をのぞく五十七万石を領した最上源五郎義俊が潰されたのも、父駿河守家親以来のお家騒動が表沙汰になった結果である。家中の取締不行届きだけではない。近江、三河と上野国新田領で二万石を領した田中主殿頭吉富は、幕府の御小姓組番頭を勤めていたが、元和九年九月、組中の三宅藤五郎に罪があったのを咎められ改易を言い渡されている。

ことに元和五年、四十九万八千余石を領した安芸の城主福島左衛門大夫正則の減封は、幕府の意図がどのあたりにあるかを窺わせ、外様大名を震駭させたのであった。

「どうじゃ、加担せぬか」

図書は言った。穏やかな口調だが、図書の声は、いまは露骨に権力への欲望を隠していない。

――いずれが貉か、狸かというようなものじゃな。

と新左衛門は思う。図書には篠井右京に代わって、一挙に権勢を手に入れようという野望がある。それは平四郎の話を聞いたときに、新左衛門には読めている。図書は篠井の失政を、自分の勢力拡張の好機としているに過ぎないのだ。必要以上に用心深いのも、その腹があるからだ。

――図書は平四郎が言うように、人格清廉な人間ではない。

そう思ったとき、新左衛門の眼の奥に、幻のように、四十年近くにもなる昔の、異国の戦場が浮かんだ。その戦場で、同じ馬廻組にいた図書は新左衛門の手から、一人の少女をかすめ取り、光覚公に献じた。

「断る」

荒々しく新左衛門は言った。

「お主」

図書の顔に、憐愍とも、卑屈とも映る奇妙な微笑が浮かんだ。

「まだ、昔のあのことを怒っておるのか」

「おう。怒っておるとも、貴様に加担するなど真平よ」

新左衛門は昔の同僚に対する言葉遣いになって言った。図書の家は元来藩内屈指の名門だったが、その頃は没落して図書は馬廻りにいたのである。だが祖先以来の政治的に立ち廻る才覚が、図書の血の中に濃く流れていたらしい。図書は次第に立身して、光覚公が歿する直前には一千石の家老になっていた。百十石の御旗奉行とは大きな違いである。

「昔の誼だ。加担せい」

「いや、断る。篠井にとって代わろうという貴様の腹は読めているからな」

「相変わらず臍曲がりなことを言う」

図書は苦笑した。臍曲がりにしたのは誰だ、と言おうとしたが、新左衛門はやめた。言っても図書にわかる筈がないと思ったのである。

「さてと」

図書は立ち上がったが、部屋の出口で振り向いた。

「加担したも同じことよ、新左」

「…………？」

「儂がこの部屋に入ったのを、大勢がみておる。もはや貴様が儂に通じているのを疑う者はいまい」

「…………」

「まあ、そう仏頂面をするな。どちらに与するかだ、新左。儂の勢いも大きくなってな。藩を二分しておる。先方の失政の証拠はすべて握っている。断然儂が有利だ。いまのうちにこちらについた方が利口だぞ」

——胸糞の悪い男だ。

と、城門にいそぎながら新左衛門は、加藤図書の顔を浮かべて胸の中で罵った。

「小父さま」

不意に呼ばれた。

城門警備の灯が漸くとどく城壁の内側に、白い顔がのぞき、手招きしている。

新左衛門はぎょっとした。さっきは図書を貂か狸かなどと思ったが、城内に本物の狐狸が出たかと一瞬眼を疑ったのである。

「治部の小父さま、ここです」

手がまた新左衛門を招いた。新左衛門が近づくと、白い着物をまとった少女が蹲っていた。仄暗い闇に立ち上がった娘の顔をみて、新左衛門は胆を潰した。

「佐久ではないか。こんなところで何をしておる」

娘は隣家の佐久だった。この娘は時どき葭江を訪ねてきて、縫物などを習っているのでよく顔を知っている。

「小父さま、私をお城から出して下さいますか」

と言って、佐久は手を合わせた。

「無論だ。連れて参る。それにしても何じゃ、この恰好は。着ておるものは寝巻ではないか」

新左衛門は叱りつけるように言ったが、佐久が青ざめた顔で唇を嚙んでいるのをみると、不意に何事が起きたかが腑に落ちた。

——右京が何かやったのだ。

と思ったのである。

「さ、これを着よ」

羽織を脱いで佐久に着せると、新左衛門はここ何年も使っていない優しげな声を出して言った。

「案じることはないぞ、佐久」

本丸、二ノ丸の城門を通り過ぎた。奇妙な組み合わせの道行きをみて、番士たちは呆気にとられた顔をしたが、咎める者はいなかった。治部新左衛門の顔は、城内だけでなくこのあたりまで行きとどいている。番士たちは顔をそむけ、かかわり合いを避けるふうだった。

「さてと。寒くはないか」

二ノ丸を出たところで新左衛門は立ち止まって言った。

「ありがとうございました」

佐久は辞儀をしたが、不意に新左衛門の胸に取り縋ると、わっと泣き出した。その泣き声の激しさが、この娘がこらえていた恐怖の深さを示していた。

「武家の娘はそのように泣いてはいかん。さ、何事があったか話せ」

新左衛門は佐久の肩を叩いた。すると寝巻の下にある肉の薄さが胸を衝き、新左衛門は不意に篠井右京に対する怒気が膨れあがるのを感じた。

五

歩きながら、佐久が話した事情は、ほぼ新左衛門が推測したとおりであった。

昼過ぎ、佐久は本家筋にあたる三神八郎左衛門の家に行った。三神の家の娘の祝い事に招ばれたのである。祝い事が終り、馳走を頂いて夕方駕籠で送られた。三神家は、親戚ではあるが犬飼家とは比較にならない大身で、裕福な家である。駕籠に乗せられたのを、佐久は少しも不審に思わなかったが、降ろされたとき城内にいた。

茫然としている佐久を、二、三人の腰元風の女たちが湯船で洗い、化粧をほどこし、着換えさせたのであった。佐久が逃げる隙を摑んだのは、大膳亮信隆の寝所と思われる場所に閉じこめられた後である。

話しながら、佐久は時どき顔を覆ってすすり泣いた。星の光だけが漂う、仄暗い夜の中に、うなだれた佐久の白い首筋が浮かぶのをみながら、新左衛門はそばの佐久が四十年も昔に会った異国の女で、篠井右京があの時の加藤図書であるような錯覚に把えられていた。

文禄元年五月、治部新左衛門は釜山から小白山脈を越え、錦江のほとりにある小邑に到着すると、そこで駐屯した。二十歳であった。光覚公が所属する軍団は、さきに安骨浦に上陸し、金海城から昌原、景州を席捲して京城に進んだ黒田長政、大友義統の第三軍の後方を固める位置についたのである。初めは第三軍の後を追って京城に進む予定だったのだが、後方に義軍蜂起の動きが出たので分散して、警戒に当たったのであった。

邑は錦江の悠然とした流れを望む、東岸の丘の麓にあった。静かな邑だった。静か過ぎるのは、村人が逃げて無人だったからである。日暮れになると、遠い盧嶺山脈の山巓に日が傾き、錦江の水は白銀を播いたように眩しく光った。その上空を、長脚をそろえた鵲が声も立てずに飛び過ぎた。

凶器を手にした義軍は、まだこの邑には現われず、光覚公が率いる三百の兵は退屈していた。ある日、治部新左衛門は、土塀をめぐらし、門の外まで棗の木の枝が垂れている村端れの一軒の百姓家に入って行った。その家にも、先発の第三軍が残した荒廃の痕があった。壁は破られ、戸が投げ出された庭に、木から落ちた未熟な桃の実が、しなびて転っていた。

そこであの女を見つけたのである、女は戸が破れた納屋の隅に積んである、稲藁の中に隠れていた。女がなぜ家族と一緒に逃げなかったかは、すぐに解った。女は腿を負傷していたのである。傷は明らかに槍で突かれたもので、傷口は腐敗し、膿を持っていた。

女を見つけたとき、新左衛門の脳裏を走ったのは、この女を誰にも見られてはならないという考えだった。それは恐怖に似た感情だった。この村に到着した時、新左衛門は村人と思われる半ば腐敗した死骸を五体ほど見ている。それが京城に去った第三軍がしたことであることは、家々に残された破壊の跡を見れば明らかであった。そしていまこの無人の村に駐まって退屈している三百の兵も、何かのきっかけがあれば、たやすく狂気の虜になる筈だった。女を彼等の眼にさらしてはならない。

新左衛門は一たん納屋の外に出、人影がないのを確かめてから戻ると、女の傷を治療しにかかった。

女は飢餓状態の中にいた。手足は驚くほど痩せ、十歳ぐらいの少女に見える。新左衛門が青白い腿に口をつけて膿を吸い出し、庭隅の井戸から汲んできた水で傷口を洗い、携行していた膏薬を塗り込めて手当てするのを、女は虚ろな眼で見ていた。額に手をやると熱があった。だが熱はそう高くはない。

「心配するな。夜になったら飯を持ってきてやる」

新左衛門は笑いかけて言ったが、女は仰向けに寝たまま黙って新左衛門を眺めているだけで、身動きもしなかった。新左衛門は女をまた藁で隠した。

その夜新左衛門は、握り飯を持って納屋に行くと、女に喰わせた。口の中で柔らかく嚙み砕き、指に乗せてしゃぶらせたのである。初めの間女は、ひとつまみの飯粒を容易に飲み下せなかったが、やがて米飯の味を思い出したらしく、歯を嚙み鳴らして新左衛門の指をしゃぶり、しまいには指を嚙んだ。

こうして十日ほど経った頃、女の乾いた肌に艶が甦った。手足はまだ細かったが、頰には血の色が戻り、黒眸にきらめきが宿った。傷口は一日ごとに塞がって行った。女はまだ何も喋らなかったが、新左衛門をみると、微かな笑いをみせるようになった。

ある夜帰ろうとする新左衛門に、女が早口に何か言い、不意に半身を起こして腕を摑んだ。中腰でいた新左衛門は、思わず女の上にのめったが、すぐに火に触れたように立ち上がった。女の上に突いた手が、思いがけなく熟した胸の膨らみを摑んだのであった。

女は、まだ新左衛門の片腕を摑みながら、しきりに自分の横の藁を指さしている。柔らかな藁床に窓から豊饒な月の光が射し込んでいた。

新左衛門は首を振り、女の指を外して外に出た。身体の中を、まだ熱い血が駈けめぐっていた。

だが、その血は不意に凍った。月光を浴びて、庭に人が立っていたのである。近づくと、黒い人影は倭戸と呼ばれている朝鮮人の通事の一人だった。黄という三十年配の男である。

「見たか」

と新左衛門は言った。

「はい」

と、黄は答えた。月の光で、黄の顔は見えているが表情は定かでない。

「あの女は、傷ついて隠れていたのだ。手当てしたら漸く元気になってきた」

そう言ったが、新左衛門は女に対する正確な気持ちを、黄にわからせることは難しいと気づいた。黄は単純に、日本兵が村娘をかくまって慰んでいるとしか見ないだろう。その見方を変えさせるような言葉を、新左衛門は持ち合わせなかった。

「誰にも言うな」

と新左衛門は言った。

「ほかの者に気づかれたら、あの女は皆の慰みものにされるぞ」

「はい。解っております」

と黄は言った。黄の従順な返事から、新左衛門はふとあることを思いついた。

「聞いてみてくれんか。あの女の名前と、年を」

「はい」

と黄は答えて納屋に入って行った。女が驚いて藁の中に半身を起こすのが、外にいる新左衛門から見えた。

早口の激しい言葉のやりとりが、黄と女の間に交されているが、勿論新左衛門は彼等が何を喋っているのかは解らない。

やがて出てきた黄が言った。

「十四だそうです。名前はスウナです」

「スウナか」

新左衛門は、その名前を胸の中に畳み込んだ。

「ほかにお主は何を言ったのだ」

「べつに、何も」

と黄は答えた。

二日後、納屋に行った新左衛門は、藁の中にスウナの姿がないのを見た。傷はだいぶよくなってきていたが、まだ遠くまで歩ける筈はなかった。女は一人で出て行ったのではない。

——黄だ。

新左衛門は村の中を走った。倭戸のいる家を探すと、黄はいた。新左衛門は黄を外に呼び出した。

「女をどこへやった」

「殿さまのところに行きました」

「何だと！」

「加藤さまが、殿さまのために女を探しておりました。加藤さまと二人、毎日遠くの村まで女を探しに行きましたが見つかりません。仕方なくスウナのことを話しました」

衝き上げてくる憤怒のために、新左衛門はその声を最後まで聞かなかった。抜き打ちに黄を斬った。黄を斬り捨てた血刀を下げたまま、新左衛門はさらに光覚公の宿舎に走った。完全に逆上していて、寝所に斬り込み女を奪うつもりになっていた。だが、加藤図書に阻まれた。そのころ新左衛門は図書の敵ではなく、軽がると投げられ、手足を縛られて空家に閉じこめられたのであった。

慶長元年に、朝鮮から国へ帰ると、治部新左衛門は武芸修業の願いを出し、放浪の旅に出て四年領内の土を踏まなかった。そのわけを知っていたのは加藤図書ひとりだった。

——女衒めが！

と新左衛門は昔異国で加藤図書に投げつけた言葉を、いま胸の中で篠井右京に吐きかけた。主君の手から女を奪えなかった無念と悔恨が甦ってくるようだった。

前方から近づいてきた提灯が立ち止まると、

「佐久ではないか」

平四郎の声がした。佐久が駈け寄って、兄の懐に飛び込んだ。

「遅いぞ。いま頃までどこをうろついておったぞ」

と新左衛門はどなりつけた。

「は。三神が漸く妹の行方を喋りましたので、城へ行くつもりで、ここまで参ったところでござる」

「城へ？」

新左衛門は意地悪げに、提灯の光の中に金壺眼を突き出した。

「お上に談じ込むつもりだったか」

「はあ」

「まあいい。儂に提灯を貸せ。年寄りは灯りがないと歩き辛い」

言うと、新左衛門はくるりと背を向けた。

「いずれへ参られる」

「知れたこと。篠井の屋敷へ参る」

「それでは拙者も同道申し上げる」

「お主は佐久を連れて帰っておれ」

新左衛門はずんずん足を早めた。その背に平四郎が叫んだ。

「お気をつけあれ。篠井は兵法者を抱えており申すぞ」

篠井右京は、北城門前の濠端に宏大な屋敷を構えている。その玄関に新左衛門が姿を現わしたのは戌の下刻（午後九時）頃だった。案内を乞うでもなくそのまま玄関に上がり込み、奥へ進んだ。見咎めた家人が立ち騒いだが、新左衛門のひと睨みでその場所に立ち竦んでしまった。

右京は奥座敷に人を集めて、酒宴の最中だった。七、八人いる人数の中には、新左衛門も顔を見知っている、家中で高禄の者が二、三人混っている。突然踏み込んできた新左衛門をみて、座敷の中は一瞬静まり返った。

漸く床柱を背にしていた右京が喚いた。

「おのれ、何ごとだ新左。無礼にも程があるぞ」

酒の酔いに怒りが重なって、右京の顔は赤黒く膨らんでいる。いきなり手にしていた盃を新左衛門に投げつけた。

その盃を軽くかわすと、新左衛門は右京の前にぴたりと坐った。

「犬飼の娘佐久に対するなされよう、すべて承知致してござるぞ」

右京の顔に一瞬狼狽が走った。

「何のことだ。儂は知らんぞ」

「人非人の致し方だ。それに藩中人もなげなその面つきが、近ごろちと目ざわりでござる。お命頂くぞ」

「貴様、図書から廻されて来たな」

右京の肥満した身体が、一瞬のけぞるように後ろに伸びて、床の間の刀を摑み取ろうとした。その肩を、片膝を起こした姿勢から、新左衛門の刀が据え物を斬るように斬りおろしていた。凄まじい悲鳴を挙げて、右京の身体が仰向けに倒れた。驚くほど大量の血が、床の間の掛軸に走って、水をまいたような音を立てた。

総立ちになった人数の真中で、新左衛門はゆっくり立ち上がったが、呼吸も乱れていない声で言った。

「ごらんのとおり、いささか含むところあって討ち果たしたが、余人にはかかわりござらん。では帰らせて頂く」

新左衛門が動くと、取り囲むようにしていた数人が無言で路(みち)を開けた。

だが、部屋を出ようとした新左衛門の前に、一人の巨漢が立ちはだかっていた。手はすでに抜いた刀を握っている。

「そこを通して頂こうか」

新左衛門は注意深く相手をみながら、そう言ったが、男はにやりと笑っただけだった。

新左衛門が一歩近づくと、男はするすると次の間にしりぞいた。土を踏んでいるような軽い身ごなしだった。

だが新左衛門の足の運びもそれに劣らなかった。男が部屋の隅までしりぞいたとき、新左衛門はほとんど男と胸を接していた。カッ、カッと硬い金属の音が、二人の腹のあたりで鳴った。鍔と鍔を打ちあてるようなその音は、長く続いた。新左衛門を睨んだ男の額が、みるみる噴き出す汗に光るのが、見ている人たちの眼に異様に映った。

男が、遂に横に逃げた。その一瞬、一歩しりぞいた新左衛門の手もとから光芒が走った。男は身体を捩ってそれを受けとめたかに見えたが、やがてがくりと膝を折ると、そのまま身体は横転した。男の脇の下から、こんこんと血が噴き出して、畳に黒いしみをひろげて行く。

「いまのは石切りと申す太刀でな。久しぶりに遣った」

刀を鞘におさめ、襟もとを直しながら新左衛門は言った。低い声だったが、その言葉が含んでいる一種の無気味な響きが、人々の身動きを封じていた。

「逃げも隠れも致さん。家に戻って待ちうけるゆえ、無念と思われる方々があれば討ち込みをかけられよ。治部新左衛門十分にお相手致す」

ごめん蒙る、と新左衛門は背を向けたが、後を追う者は誰もいなかった。

六

「遅いのう」

と新左衛門は呟いた。門内に焚いている篝火の光で、家の前の路はよく見えるが、路上に立ち現われる人影はない。

「平四郎さまですか？」

と葭江が言った。

——奴のことではないわ。

と新左衛門は舌打ちしたくなった。さっきのことを思い出したのである。

新左衛門が戻るのを、平四郎は治部家にいて待っていた。それは当然だが態度がよくなかった。なにか戯れ言を言って葭江を喜ばしたらしく、新左衛門が家へ入ったとき、茶の間から二人の高い笑い声が聞こえたのである。

新左衛門をみて、二人はさすがにバツ悪げに居ずまいを正したが、新左衛門としてはいい顔は出来ない。少し大げさに言えば、命を張った働きをして来たのである。それも知らずに太平楽にいちゃついているとは何事だ、と言いたくなる。

むっつりした顔で、新左衛門は事情を話し、いまにこの家に篠井一族が押しかけてくるぞと脅かした。

葭江はさすがに顔が青ざめたが、平四郎は、

「それでは拙者も支度をして、こなたへ籠ることと致そう」

と言った。ひょこひょこ出て行って、それっきり何の音沙汰もない。隣家はしんと静まり返ったままである。

平四郎が出て行ったあと、新左衛門は大いそぎで防戦の支度をした。葭江と下僕の芳平にも

武器を持たせ、芳平に命じて庭に篝火を焚かせて、こうして待ちうけているのである。篠井一族が押しかけてくるかどうかはわからない。しかし一族の数は多いし、呼びかければそれに応じて駈けつける者も多い筈だった。みすみす眼の前で当主を討たれて、篠井の者たちが泣き寝入りするとは思われなかった。だがあまりに人数が多くなっては、私闘の枠をはみ出る。まだ押しかけて来ないのは、そのあたりの人選に手間どっているのではないかと新左衛門は思った。

葭江は甲斐がいしく襷、鉢巻で装い、小褄をからげ、皮足袋を履いて手槍を手にしている。下僕の芳平は門脇に立って、曲がった腰をのばしのばし、時どき路を眺めている。芳平も手槍を持っている。話を聞かせたとき、芳平は顔色を変えたが、長年治部家に奉公して、新左衛門に従って戦場にも出たことがある男だけに、弱音は吐かなかった。

——だが大勢押しかけたら、これでは足りんな。

と新左衛門は思った。五、六人なら一人で十分だという気持ちがある。だがそれ以上の人数が押しかけてきたら、修羅場になるだろうと思う。すると、葭江の勇ましい身支度が憐れになった。

「その何だ」

唐突に新左衛門は言った。

「隣の伜とえらく気が合っとるようだが……」

「え？」

葭江は怪訝そうな顔で父親をみた。

「何ぞ約束でもしておるのではあるまいな」

「約束ですって？」

葭江はまじまじと新左衛門をみたが、やがてぷっと噴き出した。

「何かのお考え違いでございましょ。何にもございませんわ」

「ああ、そうか」

と言ったが、新左衛門は拍子抜けした。葭江の言い方はけろけろとして何の陰影もない。

「お隣同士だから、仲よくしているだけでございますよ。それに何かあったらお父さまがお困りでしょ？　私は婿を迎えなければならない身。平四郎さまはお隣の跡取り。それぐらいは心得ておりますゆえ、ご心配なく」

「む、それが解っておればよろしい」

新左衛門はいかめしい口調で言ったが、何となく物足りない気がした。たったそれだけのつき合いか、と思い平四郎は二十五にもなって、一体何をしておるかとも思ったのである。

それに、考えてみれば葭江はもう十八である。葭江本人は簡単に婿をもらうつもりでいるが、情勢がそれほど甘くないことは、誰よりも新左衛門自身がよく承知している。臍曲がりの父親は、かなり徹底して敬遠されているのだ。

ただ一人、平四郎だけは平気で出入りしているが、これは隣家の跡取りで、どうにもならん。

「ずっと以前に……」

葭江が、手槍をもてあそびながら言った。

「平四郎さまが、犬飼家は佐久に継がせて、葭江どのの婿にでもなるか、などと冗談をおっしゃったことがございましたのよ」

「冗談だと？」

新左衛門はむっとして言った。

「けしからん。それでお前は黙っておったのか」

「何を怒っておいでですか。平四郎さまは冗談をおっしゃったのですよ」

――見ろ。きゃつやっぱり葭江に気があるのだ。それを真直ぐ言えもしないで、娘の気を引きおって。卑怯な男だ。

「責任をとらせろ、葭江。それは冗談で済む話ではないわ」

「どういうことですか。まあ、そのようにいきり立って」

「奴はお前を好いとるのだ」

「まあ、お父さま」

葭江は槍を離して手で顔を覆った。地面に転んだ槍がからからと鳴った。

「それを正面から言えもせぬ臆病者よ。そのくせ鼠か何かのように、ちょろちょろとこの家に入り込んで来よる」

「………」

「構うことはない。ビシッと責任を取らせろ。好きなら好きと、けじめをつけろと言ってやれ。

隣などまだ佐久もいるし、下に源之助もいるではないか」

「謙之助さんですよ」

弾んだ声で葭江が訂正した。

「それにしても平四郎は何をしておる」

新左衛門は舌打ちした。

「あいつ刀も振り廻せぬ臆病者で、布団をかぶって寝込んだか」

「失礼なことをおっしゃるのはおやめあそばせ」

葭江がきっとなって抗議した。

「平四郎さまは、谷本道場で師範代を勤めておいでですよ」

新左衛門は黙り込んだ。それは初耳だったのである。

「やあ、やあ遅くなり申した」

不意に門から平四郎が入ってきた。襷も鉢巻もない、出て行ったときのままの恰好である。

「何じゃ、その恰好は」

新左衛門は金壺眼を光らせた。

「いやもう、ご心配なく」

平四郎は手を振った。額に汗をかいているのは、走って来たらしかった。

「万事うまく納まり申した」

平四郎は治部家を出ると、真直ぐ加藤図書の屋敷に行って事情を話した。加藤の処置は、まるでこういうことがあるのを待っていたように迅速だったのである。大目付の半田作兵衛を呼んで、人が集まっている篠井右京の家を押さえさせる一方、長沼太郎左衛門、保科倫弥と同道して城に登り、寝所に入っていた大膳亮に会って連名の意見書を提出した。

いま城中から加藤の屋敷に使いがあって、篠井一族の追放、筆頭家老椎野彦兵衛、中老の山県滝蔵は閉門、組頭の赤松忠太は謹慎に決まったと報らせがあったのだ、と平四郎は言った。

「ふむ」

と新左衛門は言っただけだったが、ほっとした気分は否めなかった。

——この機転は、婿としてはどういうものか。

などとちらと考えたが、すでに平四郎を婿の位置に据えている自分に照れて大きな声で言った。

「芳平、門をしめて、篝火を消せ」

そう言えば、平四郎があわてて引き揚げるだろうと思ったのである。まだ甘い顔は見せないぞ、と振り返った眼に、平四郎に寄りそった葭江の姿が見えた。

平四郎が言っている。

「なかなか似合いでござるぞ。今宵の葭江どのは、一段ときれいにみえる」

——何を歯が浮くようなことを申しておる。親の前もはばからずに。

と新左衛門は舌打ちした。

「お疲れでござりましょう。お茶を一服して、それからお休みになってはいかがでございますか」

　と葭江が言っている。さっき焚きつけたせいか、声がいやに艶っぽい。

　二人はそのまま肩を並べて家へ入りかけたが、新左衛門が庭に残っているのにやっと気づいたらしく、葭江が、

「お父さまもいかがですか」

　と声をかけたが、新左衛門にはそれがほんのつけたりに聞こえた。

「儂はいらん。この時刻に茶など飲んでは、眠れなくなろう」

　新左衛門はここぞと皮肉を一発放ったが、二人には通じなかったらしかった。

　家の中で、二人の笑い声がするのを、新左衛門は芳平が篝火を始末している庭に立ったまま聞いた。その声を聞いていると、葭江の方も平四郎を好いているのがよく解った。そばに寄ってきた芳平が、皺面を綻ばせて言った。

「お似合いのお二人でございますな」

「む、む」

　と新左衛門は渋面を作った。しかし、芳平が薪の燃え残りの最後の一片に水を掛け、庭が闇に包まれると、不意に相好を崩してにやりと笑った。


（「オール讀物」昭和五十年四月号）

一顆の瓜

一

「女子も、三十を過ぎると手に負えんな」

肩をならべていた久坂甚内が言った。

またか、と半九郎は思った。甚内が、世間話のついでのように、こういうことを言い出す時は、大概久坂家で夫婦喧嘩が起きている。

あたかも世間一般の女子が、おしなべて三十を過ぎると手に負えなくなるように、甚内の口調は呪咀に満ちているが、そのじつ甚内の頭の中にはたった一人、喧嘩相手の妻女の顔が浮かんでいるに過ぎないのである。

久坂甚内の家内は悪妻である。顔を見たこともないが、甚内がたびたびこぼすのを聞いているうちに、半九郎の頭の中には確固として一人の悪妻の姿が刻みこまれてしまった。そしてその顔は、なんとなく自分の妻美佐に似ている。美佐も悪妻だからである。

だが半九郎は、そのことを甚内に打ち明けたことがない。甚内に、彼の妻女の悪妻ぶりをこぼされたとき、機先を制されたように打ち明けそびれ、以来もっぱら聞き役に廻されたままである。

「また、やっとるのか」

と半九郎はさりげなく言う。このあたりは聞き役として年季の入ったところで、軽く突きはなすような感じの中に、場合によっては聞いてやってもいいぞと匂わせるところがミソである。貴公が思うほどに、事は深刻なものでなく、ただの、ごく世間にありふれた夫婦喧嘩というものに過ぎんのだと慰めながら、しかし城下普門院町鳥井道場の同門として、また御普請組同役として、長年の友達づきあいの上から、悩みを聞くのは厭わないという姿勢を示すわけである。

だが甚内は、半九郎の態度に不満のようだった。ちらと半九郎の顔をみると、

「今日で、三日も口をきいておらんのだ」

と言った。

深刻な口調だったが、半九郎はこれも軽く突き放す。

「ほう」

「三日だぞ。そんな女が、この世の中におるか。じつに……」

甚内は、自分の言葉に憤懣を煽られて絶句している。だが半九郎は、甚内にそう言われてもべつに驚かなかった。そういう女など、掃いて捨てるほどいるのだ。現に、半九郎も妻の美佐と喧嘩していて、ここ二日ほど口をきいていない。

ひと月ほどすると、亡母の三年忌がある。このときに着る着物一枚を、買う買わないの話がこじれてこの始末である。半九郎が一喝し、美佐が黙りこんだ。夫婦喧嘩はそれで終ったのでなく、それから始まったのである。美佐は青白い顔をして、時どき蛇が物を窺うように、半九郎の顔を盗みみるだけで、ひと言も口をきこうとしない。娘の芙美まで母親に味方して、半九

郎を白い眼でみるので、家の中はすっかり陰気になっている。

「ちくと、一杯やらんか」

いつもはそこで別れる鉄砲町の角まで来たとき、半九郎は誘った。

「む、む」

甚内は立ち止って唸った。もったいぶって腕組みまでしているが、甚内の腹は透けてみえる。半九郎も酒好きだが、甚内も、この痩せた身体のどこに入るかと思うほどの酒豪である。一応考えこむふりをしたのは、酒の口実に夫婦喧嘩を持ち出したと思われたくない、といった思い入れだが、その渋面を裏切って、足の爪先は、もう飲み屋が軒を並べている三島町の小路の方に向いている。

半九郎は助け舟を出した。

「家へ戻って、内儀どのと睨み合ったところで面白くもあるまい。勘定は心配いらんぞ。金は持っておらんが、いもり屋にはつけがきく。こういうときは、一杯やるにかぎる」

「む、む。そうだ、こういうときは、一杯やるにかぎるか」

甚内は急に元気がよくなって、いそいそと先に立つと、狭い三島町の通りに入って行った。

城をさがる途中で、酒亭や茶屋に立ち寄るのは品が悪いということで、一時は上の方から厳しい達しがあったが、こういうことはいつの間にかうやむやになる。達しがあった当時でさえ、上の連中は藩費で料亭で飲んでいるではないか、自腹で飲んでなにが悪いと、藩内の飲み助が息まいたくらいで、近頃はまた、三島町界隈で一杯機嫌の藩士を見かけることが珍しくなくなった。二人もこのあたりの常連である。

二人はいもり屋に行った。いもり屋は、うなぎの寝床のように細長い飲み屋で、真中に通路があり、左に幾つにも仕切った上げ床の小座敷、右に土間の飯台、樽腰掛が置いてあるという作りになっている。小座敷といっても障子もなく土間から丸見えだが、そちらの方は武家の坐る場所、土間には百姓町人が坐ると昔からのしきたりで決まっている。

窓というものが一切なく、入口と奥の板場に明りとりがあるだけだから、中は昼の間も日暮れのように暗い。客が入ると行燈を出したり、柱の掛け行燈に灯を入れたりする。

酒が来ると、甚内はあさましいほど元気になって、おそめという顔馴染の女中に冗談を言い、

「こういうときは、一杯やるしかないのう」

と、さっきの科白を持ち出して、半九郎に盃を差してくる。半九郎はやや憮然とする思いだが、聞き役としては、ここは聞くだけ聞いて甚内の鬱懐をほぐしてやらなければならない。

「喧嘩のもとは何だ」

頃合いをみて半九郎は訊ねた。

「喧嘩のもと？」

甚内の酔いは早くて、五人いるいもり屋の女中の品定めを熱心に喋っていたのだが、半九郎の声にきょとんとした顔をした。

「内儀どのと、三日も口をきいておらんのだろうが……」

「おう、それ、それ」

甚内は、にわかに現実に立ち戻ったようにしゃっきりと胸を立てると、太い溜息(ためいき)をついた。

「息子のことで言い争った」

甚内は半九郎より四ツ年上の三十三。嫁を貰ったのは二十一の時だった。翌年に長男が生まれている。

甚内が妻女のことをこぼし始めたのは、五、六年前からだが、その後も三人も子供が生まれてその前に生まれた二人とあわせて、五人の子持ちである。仲が悪いにしては、子供の数が多すぎる感じだが、このあたりの機微は半九郎にも何となく理解できる。

始終喧嘩が絶えないから、余計に子供が出来るということも、事実あるのである。甚内の不幸は、そうして生まれた子供が、また喧嘩の種になるあたりで、果てのない悪循環のようなものだった。

今度の喧嘩は、七ツになる次男を、学問の稽古所に上げるか、それとも市中の剣術の道場にやるかで、真向から意見が対立したというのである。

「俺は言ったわけよ。学問遊芸は婦女子にまかせておけ、と。男の子は、すべからく剣ひと筋でないといかんと」

「その通りだ」

「そう言ったら、わが家の女房が、何と言ったと思う？　え？　島田」

「俺にはわからんよ。女房どのは何と言ったのだ？」

「いまは泰平の世の中、剣術では出世はおぼつきませんと、利いたふうなことを言いおった。

ここで俺は頭に来たが、これはまだ許せる。だが次の科白は許せん。断じて許せんぞ、島田」

「次に何と言ったな？」

「お前さまをみていれば、それがよくわかります。そう吐かしたのだ」

普門院町にある鳥井道場で、半九郎と甚内は二十年来同門の間柄である。二十を過ぎる頃から、二人に御徒組にいる友野善助を加えて、鳥井道場の三羽烏と呼ばれ、上士の子弟が通う黒目町の楯川道場との参考試合に、一度も後れを取ったことがない。

道場主の鳥井矢左衛門義信が老齢のため、いまは半九郎、甚内、善助が師範代格で交代に門弟に稽古をつけている。御普請組は小禄の下士が多く、半九郎は三十五石、甚内は十八石である。御徒組にいる友野善助は扶持米取りで、さらに薄給だった。

だが、半九郎は薄給のゆえに善助を軽くみたことは一度もない。友野の剣は、半九郎が会得した位というものに一歩譲るが、その鋭さは半九郎の剣をしばしば凌ぐものを秘めている。

この剣に対する情熱のために、半九郎は家禄の少ないことを嘆いたことは一度もない。それは甚内にしても、善助にしても同様の筈だった。三人が道場で顔を合わせることはめったにないが、顔が合えば深夜まで汗を流した。善助の突きに対する甚内の受けに納得が得られず、立ち会った半九郎も帰らずに、ついに夜明けを迎えたこともある。

甚内の憤懣が半九郎にはわかる。甚内の受けは絶品だった。どのように鋭い打ち込みも、受けに受けて最後に切れ味のいい一撃で仕止める。ただ半九郎との手合わせで歩がないのは、半九郎の剣が攻守兼備しているのにくらべ、受けに執し過ぎるからである。甚内の受けの太刀に対して、半九郎は攻守の変化を秘めたまま、位で押す。押されて辛抱している間に、甚内の剣に一呼吸の乱れがのぞくことがある。そう思ったとき、半九郎の打ち込みが決まっているという経過になるのだった。

だが半九郎に一歩を譲るものの、甚内は絶妙の受けに誇りを持っている。藩中広しといえども、という気持ちがある。だが甚内の妻女はそれを一顧もしなかったというわけだ。のみならず、剣の修業など出世の役には立たないとくさしたのである。

「なるほど。貴公が腹を立てる気持ちはわかるな」

と半九郎は言った。

「解るか、島田。それがわが女房ともいうべきものの言い草だ。じつに……」

甚内は不意に声をつまらせ、じっと半九郎を見つめると、ぽろぽろと涙をこぼした。甚内は泣き上戸(じょうご)である。泣きながら、手はまめに動いて盃を一気にあけた。

「じつに情けない。そうではないか、島田」

「まあ、飲め。ぐいとやれ」

半九郎は酒を注いでやった。

「貴公ならわかってくれるだろうな。俺のこの苦しい胸のうちを」

鼻をつまらせて、甚内は若い娘が恋を打ち明けるようなことを言っている。甚内は、眼はぎょろりとして頰骨が出、頰はくぼんでまばらに無精髭(ひげ)をはやしている。胸元から浮き出ている鎖骨がのぞいていて、どことなく貧相だった。無精髭に涙の玉がひっかかっている。

「わかる、わかる」

半九郎は慰めた。だがそろそろ引き上げ時だと思った。甚内の酒は、泣きが入る頃から急に量がふえて、話はとりとめがなくなるのである。これ以上飲ませても酒代がかさむばかりだった。

「女というものはな、久坂」

と半九郎は言った。

「男の苦労などというものは、何もわからんのだ」

「そうだ、そのとおりだぞ、島田」

甚内は盃を飲み干すと、手酌で酒を注ぎながら啜り上げた。半九郎はなおも言ってやる。

「女は男の甲斐性というものを銭金で計ろうとする。そしてだ。ついに男の真の値打ちというものを覚ることが出来ん。あわれな連中なのだ」

「そうだ、よく言ってくれた、島田」

甚内は啜り上げながら、冷や奴を箸でつまもうと苦労している。

二

鉄砲町の角で、泣き上戸の久坂甚内と別れると、半九郎は左に曲がって寒川町の家にむかって歩いた。ぼんやりした月明りが道を照らしている。見上げると月は二重の暈を持っていて、小さい暈は虹のような光を帯びている。

少し酔ったが、足もとがふらつくほどではない。いい気分だった。甚内の女房を肴にして、女どもを罵倒している間に、妻の美佐のこともあまり気にならなくなっていた。

——要するに貧しいからだ。

と思う。甚内の女房にしても、美佐にしても、気持ちの底には常にその不満がある。ふだんそう深刻な気持ちで暮らしているわけでなくとも、法事だ、祝言だと親族が寄り集まるようなときに、日頃は隠れている不満が顔を出してくる。一族の中には、四百八十石で組頭を勤める斎田という家もあって、その家を真似るわけにはいかないが、せめて人なみに飾りたいという美佐の気持ちはうなずけないわけではない。しかも美佐は、さすがに足軽長屋の女房たちのように、あからさまに亭主を罵るということも出来ないから、あのように蛇のような気味悪い眼で亭主を眺め、暗闇の牛が家の中にいるように、態度もふてぶてしく口を利こうともしない。

——だが、ない袖は振れぬ。

半九郎はそう思い、それにしても甚内は子供が多いから大変だろう、と千鳥足で帰って行った僚友を案じた。酔って帰って、またひと悶着あるのではないか、と思ったのである。

長い塀が続いている。中老の本多相模の屋敷だった。御普請組は組頭の細田七兵衛が束ねているが、さらに御小姓組、御持筒組と一緒に中老の支配に入っている。半九郎や甚内からみれば、本多相模は支配頭だが、半九郎はそういう眼で中老を見たことはない。年に一度、城中で年始の挨拶があるとき、主君にお目見得ということもない半九郎たちは、中老に挨拶する。そのとき、品のいい顔をし、真白な髪で小柄な中老の顔をみるだけである。

本多相模は、国家老の三坂左太夫、江戸家老の菅半之丞と並んで、藩政を牛耳っている権力者だった。半九郎からみれば、雲の上の人間である。

いまも、長い塀脇を歩いていながら、ここが本多の屋敷と思っていたわけではない。だが不意に聞こえてきた、刃物が打ち合うような音に、ふとここは中老の屋敷かと気づいたのであった。

物音は塀を曲がった陰から聞こえている。半九郎は小走りに塀に沿って走った。曲がれば本多屋敷の裏手の小路になる。

道の中ほどで人影が二つ争っている。一人は女のように見えた。刀が鈍く光って、女の身体が、突きとばされたように、地面に転がった。

——ぬ！　夫婦喧嘩か。

久坂甚内と、夫婦仲のむつかしさをあげつらったことが尾を引いていて、とっさに半九郎はそう思ったが、頭を振ってその馬鹿な考えを捨てた。刃物を持ち出して、往来で斬り合いを演ずる夫婦喧嘩などある筈がない。

「待て」

半九郎が声をかけると、しゃがみこんで女の懐を探ろうとしていた男が、ぎょっとしたように顔を上げ、敏捷に立ち上がった。倒れた女を後ろに隠すようにして立ちはだかり、無言で半九郎を迎えた。左手に抜身の刀を下げたままである。二十五、六の若い武士だったが、月に照らされたその顔に、半九郎は見覚えがなかった。

男の身構えを、半九郎はじっくりと観察した。無言でいるが、男には逃げる意志は毛頭ないようだった。仕止めた獲物を、ほかの仲間に奪われまいとしている獰猛な獣のように気負っている。

「物盗りか」

「それとも怨恨か」

順序として、半九郎はそう訊いた。

「貴公」

不意に、男が思いがけない横柄な口調で言った。

「よけいなことに首を突っこまん方がいいのではないか」

半九郎はむっとした。女の強情も癪にさわるが、こういう頭ごなしの物言いも嫌いである。

「そういう言い方をされると、余計首を突っこみたくなるたちでな」

と半九郎は言った。

「そうですかとこの場を見捨てて行くわけにはいかんな」

「邪魔するつもりか」

「さっき懐に手を突っこもうとしたようだな。答えがないが、見たところは物盗りのようだ。邪魔するしかないな」

「後悔するぞ」

「そうかね」

男の身体がすばやく動いた。一歩しりぞいて刀を構えると、間を置かずに斬りかかってきたのである。身体を傾けて躱すと、半九郎は早い引き足で後ろに退がり、刀を抜いた。

半九郎の構えをみて、追ってきた男の足が止った。ひと呼吸入れて体勢を構え直したところをみると、かなり剣の心得がある男のようだった。

――楯川道場か。

男の構えをみて、半九郎はそう思った。青眼の構えの、剣先が高い。それが黒目町の楯川道場の癖だった。男の、どことなく横柄な口のきき方がそれでわかった。男は上士の子弟なのだろう。

激しい気合いを乗せて、男が斬り込んできた。鋭い打ち込みだったが、足の送りに無理がある。半九郎は波に浮かぶように柔らかく身体を屈伸させて、剣先を受け流すと、反撃に転じた。半九郎の打ち込みは腕を狙っている。相手を斬り殺すつもりはなかった。

頭の隅に、倒れた女の懐を探ろうとした男の姿が焼きついている。上士の子弟と思われる男が、なんのために夜盗じみた真似をするのか、確かめる気持ちになっていた。

男が上段から斬り込んできた。が、このとき半九郎の鋭い剣先が伸びて、一瞬早く男の右腕を斬った。そのまま二人は擦れ違ったが、男は振り向いて刀を構えたものの、斬り込んでくる様子はなかった。

左手で、右の二の腕を押さえたのは、半九郎の一撃が戦意をそいだもののようだった。

「まだやるか」

半九郎は声をかけた。

「いや」

男は首を振った。それから不意に言った。

「貴公はかなり遣うな。何者だ？」

「名乗るほどの者じゃない」

「ふん」

男は鼻を鳴らして、腕を押さえたまま後ろにさがった。

「余計なことをしたものだ。忠告しておくが、その女に構うとろくなことにならんぞ」

「それはこちらで考える」

男はなおもじっと半九郎を見つめたが、不意に背を向けると、足早に遠ざかって行った。

半九郎は倒れている女に駈け寄った。旅支度をした若い女だった。女は俯せに倒れ、横顔をみせて眼をつぶっていたが、半九郎の足音を聞くと、眼を開いて起き上がろうとした。悲痛な呻き声が女の口から洩れた。女は左腕の肱で身体を起こそうともがき、右手に握りしめた懐剣を構えなおそうとしている。

「味方だ」

とりあえず半九郎はそう言った。

「案じることはないぞ。助けて進ぜる」

女の身体から、みるみる力が抜けるのがわかった。女はまた地面に顔を落とした。呻き声だけが続いている。

半九郎は女を抱え起こすと、すばやく傷を調べた。袖が裂けて、左腕が二ヵ所斬られている。だが女を倒したのは、右肩に斬り込んだ一撃のようだった。かなり重い傷である。血は肩から胸まで広がっている。

半九郎は眉をひそめた。傷の様子からみて、この武家娘は、あの男を相手にかなり手強い働きをしたようだった。そして男も容赦のない剣を揮ったようである。

「いますぐ手当てをしてやるぞ」

しゃがみ込むと、半九郎は軽々と娘を背負った。女の身体は手応えなく柔らかい。その重みが、得体の知れない厄介なことを背負い込んだ予感を伝えた。後悔するぞ、と言った男の声が思い出された。

しかし、半九郎がぎょっとして立ち止まったのはそのためではない。手傷を負った娘などを背負い込んだら、そうでなくとも喧嘩最中の美佐が、何というかと思ったのである。さっきは酔って帰った甚内を案じたが、今度はこっちの心配をする番のようだった。

半九郎は重い足を運んだ。肩の上では、娘の呻き声が続いている。

三

朝の続きの仏頂面を突き出した美佐に、半九郎はいきなり高圧的な声を浴びせた。

「怪我人だ。床をのべろ」

美佐はぎょっとしたように眼を瞠ったが、血の匂い、娘の呻き声にただ事でないと直感したらしく、慌しく奥に引っ込んだ。

かわりに部屋を追い出された娘の芙美が茶の間に出てきたが、異様な様子の父親をみて、これも呆然と立ち竦んでいる。

「何をぼんやりしておるか。台所ですぐに湯を沸かせ」

半九郎が一喝すると、十の芙美はすっ飛ぶように台所に駈け込んで行った。途みち考えてきた押しの一手は成功して、親娘は半九郎を白い眼でみるひまなどなかったようだ。

美佐に手伝わせて、布団の上に寝かせると、娘は顔を歪めて呻いた。

「どうなさったのですか、あなた」

娘の足から、慌しく草鞋、はばきを取りながら、美佐が囁いた。さすがに夫婦喧嘩をしている場合ではないと思ったらしい。

「よくわからん」

半九郎は娘の袖をまくって腕の傷を確かめ、さらに帯をゆるめながら言った。

「斬られて、何かを奪われようとしていた。だが物盗りとは思えんのが不思議だ」

半九郎は娘の襟をくつろげて、肩の傷をのぞいた。鎖骨に届いたかと思われる深傷だが、指で探ってみると、骨は切れていないようだった。

「先ず血を止めなくちゃならん。すぐに医者を呼ぼう」

美佐が用意した晒を傷口にあて、押さえているように言いつけてから、立とうとした半九郎は、ふと娘の胸元を見た。襟を引きはだけられて、白い胸がのぞいているが、眼を惹かれたのは、肌の白さではない。油紙のようなものがそこに見えたのである。

蹲ると、半九郎は油紙を引き出そうとした。すると娘が眼を開けた。呻くのをやめ、荒い呼吸をしながら、手を伸ばして半九郎の手を摑もうとする。凄愴な表情になっていた。

「あなた、あなた」

美佐が娘の眼をのぞき込みながら、強い語調で囁きかけた。

「ご心配いりませんよ。ここは御普請組島田半九郎の家です。あなたを助けて、ここへ連れてきたのですよ。いま傷のお手当てもしてさしあげます。何も心配はありません。島田は剣術の名人ですよ。まかせておけば大丈夫ですよ」

名人というのはどうかな、と半九郎はこそばゆい感じだが、美佐の説得がきいたのか、それともそれだけの動作に疲れたのか、娘は手をだらりと落とし、また眼をつぶって呻き始めた。

——奴が奪おうとしたのは、これだったのだ。

娘がぴったり肌につけていた油紙の包みを取り出すと、半九郎はさっきの光景が納得がいった気がした。薄い油紙の包みは、何かの書付けのようだった。

油紙は汗に濡れている。半九郎は油紙を開くと、中から出て来た書付けを、行燈の下で開いてみた。

凝然と、半九郎はそこに書かれている文字を読んだ。それからうやうやしく額まで書付けを押し上げて一礼すると、丁寧に畳んでまた油紙に包んだ。

「何ごとでございますか」

美佐が顔を挙げて囁いた。

「恐れ多いことだ。その……」

半九郎は口ごもった。

「御親書だ。殿のお手紙だ」

「ま」

美佐の顔はみるみる蒼(あお)ざめた。内容はわからないながら、江戸にいる藩主左馬頭利綱(さまのかみとしつな)の密書を運んできた者が斬られ、それが奪われようとしたことの重大さに思い当たったようだった。

「この病人をかくまっていることが外に洩れてはならん。良庵先生をお連れするつもりだったが、考えが変わった。先生はお喋りだからな。少し遠いが、義道先生を連れてくる」

「はい」

「戻ってくる間に、誰かが訪ねて参っても家に入れてはならんぞ。よいか。無理に入ろうとしたら防げ」

「わかりました。ご心配いりませぬ」

蒼ざめた顔だったが、美佐はきっぱりと言った。美佐は十人並みの容貌で、平凡な顔立ちである。親族の女たちは、縁組がととのった当時、露骨な言葉で、美男子の半九郎の嫁としては見劣りするなどと評判したものである。だが半九郎はいまの美佐の顔を美しいと思った。

半九郎が外に出ると、慌しく娘の芙美を呼びつける妻の声が聞こえた。

夜の町を、半九郎は疾駆した。義道はもう寝ていたが、半九郎の頼みを聞きとるとすぐに支度して一緒に出た。本道の方もいい腕だが、義道は骨つぎもやり傷の手当ても達者な医者である。鳥井道場では何かあるとこの医者に駆け込む。素姓は番頭をしている黒坂助之丞の弟で、大柄な中年男だった。

「島田」

途中まで来て、義道は不審そうな声を出した。

「道が違うぞ」

「いえ、先生にはこの道を行ってもらいます。この先を左に曲がれば、寒川町に出るのはご存じでしょう。それがしの家はわかりますか」

「一度娘の腹を診たことがある。わしは一度行ったところは忘れん」

「それでは恐れいりますが、お先に行って頂けますか。それがしは少し寄り道をしますので。なに、すぐ追いつきます」

半九郎は鉄砲町の隣の弥生町の角で義道と別れた。義道が寒川町に行く近道を遠ざかるのを見送ってから、半九郎は鉄砲町に出、右に曲がって本多相模の屋敷に近づいた。薬箱を持った義道に、このあたりをうろうろされては都合が悪いのである。

忍び足に門前に近づいたが、人の気配はなかった。さらに塀に沿って横手に曲がる。長い塀だった。角まで行くと、足をとめて裏通りをのぞいた。

すっと半九郎は首をひいた。通りはしんかんと月が照らしているだけである。だが本多屋敷の裏門の前あたり、道の反対側の家中屋敷の塀ぎわに、貼りつくように潜んでいる者がいる。そこは濃い陰になっていて、人数は確かではなかったが、十人を越える人間がそこに息を殺している気配がした。

「どうだ。まだ現われないか」

不意に後ろから声を掛けられて、半九郎は飛び上がるほど驚いた。その男がどこから現われたのか解らなかった。

「いや、まだだ」

振り向かずに、半九郎は漸く囁き返した。

「どうも大窪の話は辻つまが合わんところがある。そうは思わないか」

後ろにいる男は舌打ちした。

「江戸から来たのは女だという。それが第一おかしいとは思わんか。大事な使いだ。敵方が女を使いに出すとは思えん」

——敵方だと?

半九郎はぞっとした。藩中に、半九郎のような軽輩には知らされていない葛藤があったのだ。藩侯から中老の本多相模にあてた、半九郎には意味不明のあの密書は、よほど重要なものだろうと見当がついた。思いがけない成行きから、葛藤の渦中に巻きこまれてしまったようだった。

「誰か助勢が現われて、女を討ち洩らしたといったが、その女に逃げられたのかも知れんな。その助勢の男が、ここにまたやってくるなどと言うが、信じられるか？」

「いや、そうは思えんな」

半九郎は振り向いた。

「引き揚げて寝た方がよさそうだぞ」

「や、や」

半九郎の顔をみた男が、驚愕（きょうがく）の声を喉（のど）につまらせた。

「お主は誰……」

だが男は言い終らない中に、塀に背をこすりつけるようにして地面に崩れ落ちていた。半九郎の強烈な当身を喰ったのである。

――今夜届けるのは無理だ。

人気の絶えた町を走り抜けながら、半九郎は思った。恐らく中老は、親書がとどくのを首を長くして待っているのだと思われた。だが今頃は、当身で落としたあの男を発見して、あの何者とも知れない連中の警戒は一層厳しくなっているはずだった。明日にするしかない、と思うと少し気が楽になって、半九郎は足をゆるめた。

――だが、殿からの手紙が、なぜ密書でなければならないのだ？

と思った。藩中に、いまよほどむつかしい事件が進んでいるのが感じられた。それが何なのかわかるまでは、うかつに動けない気がする。そして、何が起きているのかは、あの娘に聞かないとわからない、と思った。

四

娘が昏睡(こんすい)から眼覚めたのは、翌朝の六ツ（午前六時）ごろだった。

登城するか、それとも勤めの方は暇をもらって娘の様子をみるかと迷っていた半九郎は、芙美の慌しい声に呼ばれた。行ってみると、昨夜の娘が眼覚めていたのである。

高い熱のために、頬は紅潮し、眼は潤んでいる。眼尻が上がって、気性の激しそうなところが見えるが、美貌の娘だった。

昨夜義道は、怪我人をみても顔色も変えず黙々と処置した。それをみながら、半九郎は、やはり義道を連れてきてよかったと思った。近くに住む町医者の良庵も腕は確かだが、好奇心が強くお喋りな老人である。刀傷の怪我人をみれば、どうした、どうしたとうるさく訊かれたであろう。

処置を終った義道は、高い熱が出るが、命にさわりはないと言い、それから声をひそめて、

「筋が断たれているから、なおっても右腕が上がらなくなろう」と言った。十八か十九に見えるその娘は、それで不具になるわけだった。

半九郎と美佐は暗然とした眼を見交わしたが、義道は少し乱暴な口調で、

「命が助かっただけ、めっけものというものだ」

と言ったのだった。帰ろうとする義道に、半九郎は、帰り道は中老屋敷を避けて、さっき来た別の道を帰るように、また今夜のことは一切他言しないようにと頼んだ。そう頼んだとき、半九郎は何かわからない藩内の紛争の中に、深く踏みこんでしまったのを感じたのだった。

踏みこんでしまったのは、半九郎だけでないかも知れない。美佐は明け方まで一睡もしないで娘の額を冷やす手拭を替え続け、明け方芙美を起こして代わると、泥のように眠りこんでしまって、まだ眼覚める気配はない。

「気分はいかがかな」

娘のわきに坐り込むと、半九郎は出来るだけ優しい口調で言った。

「ありがとうございます」

娘はか細い声で言ったが、言葉を出したことで軽く咳込み、眼をつぶって強く顔をしかめた。傷口が痛んだようだった。

「あの、ここはどちらさまでしょうか」

娘は昨夜美佐が言って聞かせたことは覚えていないらしかった。ただ、昨夜中老屋敷のそばで男と争い、傷ついてここに運ばれたことは察しがついている口ぶりだった。娘の眼には強い不安のいろがある。

「御普請組島田半九郎と申す。ここは寒川町だが、昨夜そなたを運んできて手当てした。医者が申すには、命にかかわるような傷ではないそうだ。心配も気兼ねも無用。ゆっくり養生されるとよろしい」

だが娘の眼は依然として、半九郎の顔に喰い入るように注がれている。その眼に、半九郎は疑惑を読んだ。

「手紙のことを心配しておられるな？」

半九郎は、娘の気分を柔らげるように微笑した。

「昨夜の男は、あれをそなたから奪おうとしたらしいのう。恐れ多いことだが、中味は拝見した」

「その手紙は？」

「無論それがしが預かっておる。本多様にとどける手紙のようじゃから、そなたに代わって、これからとどけたものかと思案していたところだ」

「明るい間は無理でございます。あのお屋敷は、ずいぶん前から、昼の間は出入りを見張られている筈でございます。お文が本多様に渡ったと、人に覚られてはならないのです」

娘は感情が昂ってきたらしく、大きく呼吸を乱した。

「それがわかると、本多様のお命が危のうございます」

「しかし、夜も見張られているようだぞ」

そう言ってみたが、娘の言っていることは解った。手紙がそういうものだとすると、昨夜向こう側の人間と斬り合った半九郎が、公然と中老屋敷を訪ねることは出来ないようであった。ひそかにということになれば、機会はやはり夜しかない。だからこそ、この娘も、昨夜あの時刻に本多の屋敷に近づいたのであろう。

「わかり申した。それでは夜になってから持参することにいたそう」

「お願い申しまする。くれぐれもお気をつけて」

娘は眼の光を消し、ほっとしたように言った。それから疲れたように眼をつぶった。

「傷は痛むか」

「はい」

「そなた、名は何と申されるな？」

「織江と申しまする」

織江は江戸藩邸にいる左馬頭の奥方付きの腰元で、父親はやはり江戸詰めで納戸方に勤めていると言った。家は普門院町の隣の屏風(びょうぶ)町にあって、母親と弟妹がそこにいる。

「さようか。会いたいだろうが、しばらく辛抱なされ。折をみてそれがしから知らせて進ぜる」

いつの間にか、それだけの用心をする気持ちになっていた。

答えがないので、みると織江は軽い寝息を立てている。高い熱と疲労に、若い身体が打ちのめされているのだった。赤らんだ頬のあたりに、まだ稚(おさな)げな影がある。

足音を忍ばせて入ってきた芙美に、額の手拭を替えるように言って、半九郎は立ち上がった。少し時刻に遅れたが、これから登城するつもりだった。

その日、半九郎は城中にいて落ちつかなかった。いつもは一緒にいる久坂甚内が、街道口に組長屋を建てる計画があって、その縄張りのために二度も城を出て行って、顔を見合わせるひまもなかったためでもある。

日暮れも、下城の太鼓が鳴ると、早々に城を下がった。すると、いつの間にか城に戻っていたらしい甚内が、息せき切って城門を出たところで追いついてきた。

「どうだ？　女房どのの雲行きは」

と半九郎は訊ねた。

「いかん、いかん」

甚内は顔をしかめて言った。

「ゆうべはあのとおり酔って帰ったら、きゃつ早くもそれと覚ったらしくてな。中から心張棒をかいよった」

「ほほう。それでどうしたな？」

「なに、戸をはずして入ったよ。まったく女子というものは、児戯にひとしいことを考え出すものだのう」

半九郎は笑った。昨日は深刻に聞こえた甚内の夫婦喧嘩が、甚内の口調が真面目なだけに、奇妙におかしかった。夫婦喧嘩に精出していられるというのは、家の中が平穏無事な証拠だという気がした。こちらは織江という怪我人を背負い込んだばかりでなく、今夜また危ない橋を渡らなければならない羽目になってみると、夫婦の間のいざこざなどというものは、どこかに置き忘れられてしまったようである。

「どうだ？　寄って行かんか」

鉄砲町の角までくると、甚内は三島町の小路に顎をしゃくった。

「いや、今日はいそぐ」

半九郎はあっさり言った。それから言葉を継いだ。

「このへんで優しい言葉のひとつもかけてやってはどうかな。ご内儀も意地を張っているものの、そろそろそんな言葉が欲しいころ合いだと思うがの。あとは喧嘩でなく相談に持ちこむのよ、相談にな」

あっけにとられている甚内を残して、半九郎は角を曲がった。

中老屋敷の脇を通るとき、ちらとみると、なるほど織江が言ったように、塀の端に武士が二人いて立ち話をしている。半九郎を見かけると、くるりと背を向けたが、そこから動く様子はなかった。

中老屋敷は見張られていた。

五

空は午過ぎから雲が出て、そのまま薄曇りの夜になった。それだけ中老屋敷に近づくのは有利になったようだった。

ゆっくり足を運びながら、半九郎は、ああして見張っている連中は誰に回されてきているのか、と思った。夕方織江にもそれを訊いたのだが、言わなかった。私の口からは言えませせぬ、と言っただけである。

藩政を切り回している重臣の名は、半九郎にもおおよそは解っている。国家老の三坂左太夫、中老の本多相模、また農政に明るいという郡代の熊谷平助、江戸家老の菅半之丞、側用人の大関佐兵衛などである。その重臣間に対立や軋轢があるという話は聞いたことがない。だが事実は、半九郎や甚内が夫婦喧嘩に明け暮れている間に、よほどのことがあったに違いないと思われた。

寒川町から鉄砲町の中老屋敷に行く道は、なだらかな上りになっている。寒川町は下級武士の屋敷と町家が混在するが、鉄砲町は武家屋敷だけで、町境に火除けの空地がある。いまは菊が伸び過ぎて、子供しか入りこまないが、春先には町家の大人がそこに入り込んで草を摘んでいる姿を、半九郎はたびたび見ている。

ゆるい坂道の途中から、半九郎はその草地に入りこんだ。予想したように、空地の中には小道がついていた。左右から草が茂り合って、夜露に袴が濡れたが、構わずに奥に入った。

途中から道がなくなったが、半九郎はそのまま草地を横切って、武家屋敷の裏手の方に出た。低い崖になっているところをよじ登ると武家屋敷の間の、露地のように狭い道に出た。四ツ(午後十時)を回ってから家を出てきたので、あたりは寝静まって、何の物音もしない。

ひと足ずつ、確かめるようにして、半九郎は露地を進んだ。やがて正面に、見当をつけたとおりに本多家の裏門が見えてきた。

——門を乗り越えるしかないな。

と半九郎は思った。表門にくらべて、裏門は塀より一段低くなっている。手がかかれば、乗り越えることは何とか出来そうだった。

武家屋敷が切れるところで、半九郎は塀脇から通りをのぞいた。薄曇りだが、道はぼんやりと端から端まで見えた。人影は見えなかった。

——だが、いないはずはないな。

半九郎は腕組みをした。織江の話を聞くと、いま懐にある手紙は、反対派からみて決して本多中老に渡してはならないもののようだった。彼らは、それがまだ中老にとどいていないことを知っている。警戒をゆるめる筈はなかった。

もう一度道を覗こうと首をのばしかけたとき、塀の右脇で、不意にくしゃみの音がした。あたりに響く高いくしゃみだった。見張りは塀を出ればすぐ手が届く場所にひそんでいたようだった。また二度続けざまにくしゃみの音がした。今度は口を手で覆ったらしく、音が籠って聞こえた。

その間に、半九郎は塀を曲がって男の前に立っていた。

「風邪をひいたか」

と半九郎は言った。

「う？」

塀の下に横着に腰をおろした男が、そう言われて立ち上がったところを、鳩尾に突き刺すような当身を入れた。ぐっと呻いてもたれかかってきた男を、音がしないようにそっと塀の下に横たえると、半九郎は一気に道を横切って裏門に走った。

門扉の上に手がかかると、半九郎はじりじりと這い上がった。そのとき駈け寄ってくる足音を聞いた。ひそんでいた見張りの男たちが、裏門に走る半九郎を見咎めたのである。死力をつくして半九郎は腕を曲げて行った。漸く右肱が門の上部に乗った。そこで力が尽きるかと思ったとき、足先が門扉に打ちつけてある金具にかかった。ひと蹴りして半九郎は肱を立てると、門扉に上半身を乗せていた。殺到してきた足音が、そこでとまり、飛び上がるように斬りつけてきたが、半九郎は次の瞬間転げ落ちるように門の内に飛びおりていた。

斬りかかった刀が、門扉に当たってがちと音を立てたのを、半九郎は飛び降りた姿勢のまま、地面に膝をついて聞いた。それから林のように広大な、植込みの中の道を、黒々としずまり返っている建物の方に歩いた。

四半刻後、本多家の奥座敷で、半九郎は漸く相模と会っていた。意外に刻が経ったのは、本多家の家士が、深夜の客を怪しんで、なかなか戸を開けてくれなかったためである。座敷に通されてからも、相模が出てくるまで少し間があった。

小柄、白髪だが、相模は艶のいい顔をしている。

「江戸からの使いと申したな」

相模は細いが鋭く光る眼で半九郎をみた。

「いえ」

半九郎はいそいで言った。

「実はなかなかお屋敷に入れてもらえませんので、そのように申し上げましたが、江戸から使いで参りましたのは、それがしではなく、織江どのと申す女子でございます」

「織江？」

相模は首をかしげたが、すぐにうなずいた。

「庄司の娘だ。なるほど」

「………」

「すると、その方は何者だ」

「御普請組にいる島田半九郎にございます」

「島田半九郎と？」

相模は天井を向いた。

「織江の婿か」

「めっそうもない」

半九郎は赤面し、あわてて訂正した。

「それがしはすでに子持ち。一家の主でござる」

「そうだろうな。織江の婿にしては少し薹が立っておる。あの娘は、確か十五、六のはずじゃ」

中老の認識には少しずれがあるようだった。織江は十八か九になっている。

「すると、その子持ちの島田が、こうしてわしに会いに来たわけを聞かねばならん」

「申しあげます」

半九郎は三島町の帰りに、偶然織江の危難を救ったいきさつを話した。

「そういうわけで、織江どのはただいまそれがしの家で傷を養っており申す。つきましては……」

半九郎は懐から油紙包みを出して、相模の前に押しやった。

「これが、織江どのが江戸から持参した密書でござります」

「来たか」

相模は手を拍った。

「それを早く出さんか、島田」

相模は慌しく油紙をひろげると、行燈の灯に手紙を近づけて読んだ。

「ふむ。さすがに殿。決断されたか」

相模は呟いた。その顔に、みるみる感動のいろが浮かぶのが見えたが、相模の感動は半九郎にはかかわりがない。これでひと仕事終ったとほっとしただけである。

「それでは、それがしこれにてご免こうむります」

立とうとしたとき、相模が待て、と言った。

「は？」

「この手紙を読んだか」

「は」

咎められたと思った。殿から中老にあてた手紙を、軽輩の身分で途中でみてしまったのは、事情はどうあれ僭越のそしりをまぬがれない。

「申しわけございませぬ」

「読んで中味が解ったか」

「いえ、一向に」

親書は脈絡がなく、人名を書き連ねたようなものだったのだ。

「そうか。わからんだろうな」

相模は鼻をうごめかし、急に話し好きの老人の顔になって、まあ聞け、こういうことだ、と言った。

藩主の左馬頭利綱は江戸の藩邸で倒れてから二年、病床についたままであった。当然家督は長男の倫之助義益が継ぐものと思われていたが、江戸家老の菅あたりから、左馬頭にそれとなく意向をただしていた。万一の場合を考えて、早めに藩主の意志を確かめて置く必要があると考えられたからである。ところが、そうした家臣の心配を知ってか知らないでか、左馬頭はなかなかはっきりしたことを言おうとしない。

本多相模が、左馬頭の意志は別にあるのではないかと気づいたのは、半年前である。左馬頭には、倫之助のほかに、与五郎俊保、新之助光隆という弟がいる。二人とも妾腹で、二ノ丸の別邸に住んでいる。

あるいはこの二人が、左馬頭の念頭にあるのではないかと、相模は疑ってみたものの、その見方には全く自信がなかった。というのは、長男の倫之助は文武にすぐれ、父譲りの激しい気性で、英邁の君主になるだろうと期待されているのに対し、弟二人は温和が取り柄で、全く目立つところがない凡庸の質とみられていたからである。今年二十になる与五郎は学問好きと言われているが、それも格別の資質があるということではなかった。

しかしその積りで眺めてみると、英邁の資質と言われる倫之助にも問題がないわけではなかった。倫之助は鷹野が好きで、小人数でよく鷹狩りに出るが、獲物に執する性質で、藩士を苛酷に扱うので、家中の間に鷹野に供をするのを厭がる風潮があるということを聞いた。獲物に執するというのが、どういうことか相模にはわからなかったが、倫之助に仕えている家士が一人、無断で逐電をはかり、討手に殺された事件は、鷹野で倫之助に激しく叱責されたのが原因だと聞いていた。道を横切った百姓を無礼討ちにしたというのも、鷹野の途中のことである。

領国北部の広沢郷五カ村を貫通する作兵衛堰の着工について、左馬頭と倫之助の間に激論があったのは十年も前のことである。当時広沢郷の代官だった和賀作兵衛が献策した新堰工事を、藩主は不可とした。これに当時二十一で、藩政に興味を持ち始めていた倫之助が反対し、家老の三坂左太夫も倫之助を支持したので、左馬頭はしぶしぶ許可を与えたが、山を切り割る工事は難航し、百姓二百七十人余りが病気、怪我で倒れ、五十六人が死亡した。

いま堰は完成して、領国の北端を流れる大梨川の水を引き入れ、荒地にすでに百四十町歩の新田が開かれている。

こうしたことが、倫之助を英邁の資質と言わせているのであるが、あるいは左馬頭は百町歩の美田よりも五十名の百姓の命を重いとしたのかも知れないと相模は思うようになっていた。

だがひそかに藩主の真意をただそうとする相模のもくろみは、すぐに強力な壁に突き当たった。筆頭家老三坂左太夫の手はあらゆるところに伸びていて、ひそかに藩主の意向を聞きとるなどということは予想外に難かしいことを知らされたのだった。

作兵衛堰の開鑿を機会に、急速に倫之助に近づいた三坂は、その後たびたび倫之助を自分の邸に招き、やがて三女の修子を倫之助の内室に納めることに成功した。こうしたことから、三坂は家督を継ぐのは倫之助以外にあり得ないという立場に立っている。それに反対するどのような動きも許さない手配りが、国元、江戸藩邸を問わず三坂の手で張りめぐらされていた。

本多相模が、藩主の真意のありどころを確かめることに、本腰を入れる気になったのは、三坂左太夫のその強烈な意志に触れてからであった。

倫之助義益が家督を継ぐことに、相模は格別の反対意見を持っているわけではなかった。藩主がそう考えているならば、当然それに従うつもりでいる。だが左馬頭の考えが別にあるとすれば、それに従うべきだと思った。是が非でも倫之助を、という三坂のやり方は肌に合わなかった。そこには私党の匂いがする。

いずれにせよ、左馬頭に本当の気持ちをうかがうべきだと決意すると、相模はひそかに工作をほどこした。出府を控えている藩士の中から数人の信用できる人間を説得して味方につけたのである。織江の父庄司新左衛門もその一人だった。

三坂は早くも相模の動きに気づいて接触してきたが、江戸に行った誰が相模の命令を受けたかは察知できなかった模様である。

「その返事を、織江が持ってきたわけだ」

相模は左馬頭からの密書を、半九郎の顔の前に突き出して、指でつついた。

「ここまで話せばわかるだろう。与五郎善シというのは、俊保殿が家督を継ぐべしということだ。三ト談合、聞カレネバ討ツというのは、家老と話してみて、承知しないようだったら刺せということだ」

「………」

「これが殿の真意だ。英邁ではなく、凡庸の方を殿は選ばれた。面白いではないか田島」

相模は興奮しているが、半九郎は別に面白くなかった。

「田島ではござりません。島田半九郎にござります」

「うむ、これは悪かった。恐らく殿は倫之助殿の気性に危険なものを見ておられるのだろうな。泰平の世には、むしろ温和しい与五郎君がふさわしいと判断されたか」

「………」

「さて、これが殿のお気持ちだとすると、次に三坂と談合せねばならんが、ちと厄介だな」

「それでは、夜も更けますれば、これにて」

半九郎は一礼して腰を浮かせた。話は面白いが、所詮雲の上の駈引きのようで、実感が薄い。二千五百石の筆頭家老三坂左太夫、千三百石の中老本多相模にとっては、次の藩主が誰になるかは気になるところだろうが、三十五石の軽輩の家では、藩主がどう替ろうと、大きな変化があるとは思われなかった。祖父の代からの三十五石である。これ以上年寄りの長談議につき合ってはいられない、という気がした。

「まあ、待たんか田島半九郎」

「島田でございます」

「うむ。待て、いま茶を一杯進ぜる」

相模が手を打つと、半九郎の背後の襖がすぐに開いて、中年の家士が入ってきた。半九郎は驚いて相模の顔を見た。油断ならない老人だという気がした。恐らく相模は、半九郎を警戒して、これまでそこに家士を伏せておいたのだと思われた。

茶を命じると、相模はさらに打ちとけた顔になって言った。

「織江を助けたというが、半九郎は剣術は達者か」

「は。鳥井道場で師範代を勤めております」

半九郎は胸を張って答えた。上の者に剣術の腕前を訊ねられるなどということは、めったにあるものでない。剣は半九郎にとって唯一の売物である。

「ほう」

相模は眼を細めて、じろじろと半九郎を眺めたが、唐突に言った。

「どうだ、わしに味方せんか」

「味方とおっしゃると」

「わしは徒党を組むのが嫌いでな。味方というものがおらん。その点三坂はまめなものだ。郡代の熊谷平助、江戸の家老菅、側用人の大関、みんな味方につけよった」

「次席家老の中尾内蔵介さまはどちらのお味方ですか」

「中尾は病弱で城に出て来られぬほどだから、誰も相手にせんのだ。もともと彼の人は意気地なしでな」

中老はかなり口が悪かった。

「それはともかく、これから三坂と一戦をかわさねばならんが、三坂はどっさり人数を抱えておるが、わしにはそういう人間がおらんわけで、いささか心細い」

「しかし、お家のご家来衆がおられましょう」

「それが、いずれも剣術は空っ下手ときておる」

老人は歯の抜けた口を開いて、嬉しそうに笑った。

——笑っている場合ではあるまいに。

と半九郎は人ごとながら気になる。密書がどのようなものであれ、それを相模に握られているのはまずいと三坂側では考えているようだった。従って密書が相模の手に渡ったとわかれば、場合によっては相模を消しにかかることが考えられる。三坂にはそれだけの実力と倫之助擁立にかける執念がある。

だから織江は、ひそかに渡せと言ったのだ。止むを得なかったとはいえ、中老屋敷に飛び込むところを見られたのは、やはりまずかったのだ。

「これからどのようになさるおつもりですか」

「まず城中で三坂と会う段取りをつける。殿のこの手紙を突きつけて倫之助の擁立を断念させるわけだが、恐らく三坂は聞くまい」

「…………」

「そうなれば、そこで刃物三昧になるが、じつを申すと、わしも自信がないのだ。昔はこれでも少々遣ったものだが」

「お味方ということは、私に刺せと仰せある？」

「初めから刺せとは言わん。初太刀はわしがつける。危ないとみたら助けてもらいたい」

「…………」

「いやか」

「…………」

「いやとは言わせんぞ。貴様も藩の禄を喰らう身だ。味方しろ。正義がどちらの側にあるかは既に説いたはずだ」

中老は脅迫的な言い方をした。半九郎は、このときになって、剣術が達者だなどと言ってしまったことを悔んだが、後の祭りだった。

「そのあとは、どうなされます」

「なに、あとはわけはない」

相模はにこにこして言った。

「家中の者を大広間に集めて、これを読み上げ、そのあとわしが一席ぶつ」

六

「相談とは何だ」

いもり屋の暗い部屋に落ちつくと、甚内は催促した。

「まあ落ちつけ。酒を飲みながらゆっくり話そう」

早い時刻で、土間の方には誰もいない。座敷の方にも、まだ客は来ていなかった。

女中が酒を運んできて、行燈に灯を入れようとしたが、半九郎はそれをとめた。こうしておけば、誰かきて飲みはじめればすぐにわかる。灯がなくとも入口から射し込む明りで、手もとが見えないほど暗くはない。外は日没前の六月の光が、眩しく町を照らしている。

「近いうちに、組頭から賜暇願を出すように命令がある。そのときは黙って願いを差し出してもらいたい」

「賜暇願だと？」

甚内は眼をむいた。

「それは困る。日頃女房と仲が悪いのに、わけもなしに暇をとってごろごろしとっては、何を言われるかわからん」

「わけはある」

半九郎は声をひそめた。

「暇をとっても、家の中で寝ているわけではない。我われは中老付きになる」

「どういうことだ。ちっともわからんな」

半九郎はいきさつを話した。甚内はところどころに唸り声をはさみながら、黙って聞いた。その間に手は休みなく盃にのびて、話していて飲むひまもない半九郎は、次第に自分の眼が険悪な光を帯びてくる気がした。

「それから、どうしたな？」

「待て。俺にもひと息入れさせろ」

半九郎はたまりかねて、二、三杯口に運んだ。

「中老の頭の中は政治向きのことで一杯で自分のことに考えがおよばん。つまり構えで言えば、胴はがら空きになっておる。ご家老派は、出来れば殿からきた手紙を奪いたいところだが、それがむつかしいとなれば、中老を抹殺するしかない」

「そうだろうな」

「まさか屋敷に押しこむことは考えられんが、城の中、登城、下城の道筋。ひとつも油断ならんわけだ」

「なるほど」

「待て。それは俺の干物だぞ。しかし中老も多少は身の危険を感じるとみえて、俺に味方しろと申した。行きがかり上断るわけにいかんので承知したわけだ」

「それはごくろうなことだな」

「いや、それでだ。そのおり貴公も推薦した」

「なんと」

甚内は左手の盃と、右手に持った箸を同時に盆の上に置いた。

「俺が中老のお味方に加わるのか」

「そういうことになる。多年のつき合いだ。同意しろ」

「ふうむ」

甚内は腕を組んだ。

「お味方とはいうものの、つまり用心棒といった格だな」

「そこがちょっと違うのだな」

「どこが違う」

「俺も初めはそう考えたが、中老には真実味方がおらん。相手方は藩内をしっかりと固めて、二十人、三十人の人数は指ひとつで動かせる。つまり徒党だ。それに対して中老は徒手空拳で立ちむかうつもりだ。いさぎよいとは思わんか」

「うむ、いさぎよいな」

甚内は心細いような声を出した。

「その中老がだ。我われ二人に力を貸せという。つまり中老は初めて味方を求められた。これは断るわけにいかんぞ、甚内」

「しかし我われ二人というのは、考えると心細いな。友野はどうだ。手を回して善助も味方に入れたらどうかな」

「善助か」

不意に半九郎は重苦しい顔になった。昨夜のことを思い出したのである。

昨夜本多の屋敷を出たのは、九ツ（午前零時）過ぎだった。もう屋敷の外をうろつく者もいないだろうと思い、本多家の家士に見送られて表門の潜戸（くぐりど）から道に出た。

ところが数歩行ったところで、闇の中から突然四、五人の男が襲いかかってきたのである。近づく者をすべて排除して、中老を孤立させ、屋敷の中に封じこめようとする、反対派の執念深い意志が感じられた。

男たちは見馴れない覆面で顔を包んでいて、顔もわからなかったが、斬りこんでくる太刀筋は一様に鋭く、半九郎は受け身に回った。中でも鋭い突きを入れてくる小柄な男がいて、半九郎はその突きを躱すのに必死になった。逃げられたのは、その手強い敵の手首を斬ったあと、相手がややひるんだのを見てからだった。

半九郎も腕に傷を負った。

「これだ」

半九郎は左腕を肩まで出すと、巻いていた白布を解いて甚内に見せた。

「どう思う？」

「ふむ。突いた痕（あと）だな」

甚内は顔を曇らせて言った。

「その男が善助とわかったわけではあるまい」

「そう、はっきりしたわけではない。だが、なりは小柄で、あれだけの腕を持つ男は、そう沢山はいないぞ」

「ふうむ。面白くない話だ」

半九郎は手を叩いて女中を呼び、酒を頼んだ。土間に灯がともったので、みると職人風の男が三人飲みはじめていた。

酒を運んできた女中が、こちらも灯を入れましょうかと言ったが、半九郎はまだいい、と言った。店の中はすっかり薄暗くなっていたが、土間から、飲むには十分な光がとどいている。

「どうだ、決心がついたか」

「む、む」

「女房どのに、甲斐性のある亭主だと認めさせるいいおりだぞ」

「そういうものかな」

「俺のところなど、俺がそうして働き出してから、見る眼が違ってきたな。傷の手当てなど、いそいそとやってくれる」

「ほう」

「ここは男を挙げるときだぞ、甚内」

「うむ。止むを得まいな。用心棒をひき受けるか」

甚内は漸く言ったが、いつもの泣きが出るまではだいぶ間がありそうな、醒めた表情だった。

その顔をみて、半九郎はもうひとつ煽った。

「うまくいけば、加増があるかも知れんぞ」

七

本多相模が、三坂左太夫との対立に、一気にけりをつけたのは、それからひと月後の暑い日だった。

風濤(ふうとう)の間と呼ばれる城内の一室に、机を前にして相模が坐ると、半九郎と甚内は隣の部屋に隠れた。相模のいる部屋は、襖を開け放して涼しい風を入れたが、二人が入った部屋は閉め切っているので、蒸されるように暑苦しい。半九郎はたちまち全身から汗が滴り落ちるのを感じた。みると、甚内も肱を上げて額の汗を拭っている。あたりはしんとしたまま、時が経った。

不意に遠くで声がした。と思うと、その声は足音と一緒に近づいてきた。一人ではなかった。

「わしを嘲弄(ちょうろう)する気か、本多」

いきなり怒声がした。

「菊の間におるというから、行ってみれば今度はこちらだという。大体わしを呼びつけて何の談合だ」

「お静かに」

落ちついた相模の声が聞こえた。

「まずお坐りあれ。無論とくと談合いたしたいことがござって、おいで頂いた」

石高は三坂の方が上だが、本多の家系は主家の血筋を引いている。家格はむしろ上で、そう言っている相模の声には威厳のようなものがあった。

急に声が小さくなって、何も聞きとれなくなった。半九郎は横に坐っている甚内をみた。甚内は蒼白な顔をして、舌で唇を湿している。長い刻が経った。

突然三坂の太い声がした。

「それは認められん」

「しかし、これは殿のご意志だ」

「企んだな、相模」

「そうとるのはそちらの勝手だが、ここに書かれてあることは否定出来んぞ」

「認めん。それは偽物だ」

「不謹慎だぞ、三坂」

激しい言葉がやりとりされ、不意に何かが倒れる音がした。

「上意!」

相模の声がした。半九郎はすばやく甚内に眼くばせすると、襖を開いて風濤の間に飛びこんだ。部屋の中で三坂左太夫と相模が刀を抜いて向き合っている。そして廊下から、三坂に付いてきたらしい二人の男が駈けこんでくるのが眼に入った。

一瞬の間に、修羅場が現われた。半九郎は真直ぐ三坂に向かい、甚内は二人の男に駈け寄った。三坂は半九郎をみると、相模を捨てて斬りかかってきた。大柄で肥えている三坂がふるう刀は、風を巻いて半九郎を襲ったが、半九郎は巧みにはずし、懐に飛び込むと小刀を抜いて胸を刺した。刺しながら、半九郎は「上意」と囁いた。眼をみひらいて、信じ難いものをみるように、三坂は半九郎をみたが、不意に身体が揺れて、半九郎が支える間もなく腰から畳に崩れ落ちた。大きな音がした。

甚内が近寄ってきた。

「一人は逃げた」

と甚内は言った。刀から血が滴っている。

「うまく行ったぞ」

相模が刀を鞘（さや）に納めながら言った。相模の肩衣（かたぎぬ）が無残に斬られて、胸にぶら下がっている。

「鈴の間に大目付の寺内八郎兵衛がいる。呼んできてくれ」

と相模は言った。

「心配はいらん。手は打ってある。八郎兵衛は塩鮭（しおざけ）が好物でな。先日屋敷に呼んで酒を飲ませ、塩鮭半尾を贈った。彼は味方だ」

何となく吝（しわ）い話のようで、半九郎と甚内は顔を見合わせたが、相模は確信あり気な表情だった。

しかし相模が言ったとおりだった。塩鮭半尾で味方した大目付の寺内八郎兵衛は、すぐに風濤の間に駈けつけると、てきぱきと始末をつけた。その間に相模は次席家老の中尾を家から呼び、密談したあと三坂派の郡代熊谷平助、組頭の松坂主水、進藤治太夫を呼んで説諭した。三坂がいなくなってみると、本多相模は藩中ただ一人の実力者だった。藩主の親書を突きつけられては、反対の声は出ない。三坂派の領袖たちは簡単に折れた。

しかし下の者はそうではなかった。後始末が終って、相模が城を出たのは六ツ半（午後七時）過ぎである。相模の家の家士二人、中間、それに半九郎と甚内が付きそって、濠ぎわの馬場の横まできたとき、馬場の土堤の陰から十人ほどの人間が現われて、相模に襲いかかってきたのである。

「甚内、善助を頼む」

半九郎は叫んだ。斬りかかってきた人数の中に友野善助がいた。血相が変わっている。

激しい混戦になった。相模も家来も抜き合わせて必死に斬りむすんでいる。甚内が善助を渦の外に引き離すのを見ながら、半九郎は相模の前に立ちふさがり、ひとりまたひとりと倒した。二人ほど手強い相手がいて、ゆとりがなく手傷を負わせたが、ほかは峰打ちで倒した。

最後に残った三人が、急に刀を引いて馬場の中に逃げ込んだのを見送って振りかえると、甚内が、善助の突きを見事にはね上げて、脇腹に一撃を入れたのが見えた。善助は弾かれたように後ろにのけぞり、片手で脇腹を摑むようにしたあと、上体をねじ曲げて倒れた。

半九郎が近づくと、甚内はぼんやりした声で言った。

「逃げれば、追いかけもせんのを」

日はとっくに落ちて、空は急速に赤味を失って、水のような秋めいたいろがひろがりはじめていた。薄い闇が這い寄る地面に、友野善助は少し身体を曲げて横たわったまま、ぴくりとも動かなかった。

北国の城下町に、秋が訪れていた。

半九郎と甚内は、肩をならべて城を下がってきた。日射しはもう暑くはない。

「何の音沙汰もないものだな」

甚内が感心したように言った。

「うむ」

半九郎は憂鬱そうにうなずいた。半九郎も同じことを考えていたのである。世子交代という騒動の中で、大きな働きしたという気分が二人にはある。だが、それに見合う褒賞(ほうしょう)をまだ受け取っていなかった。

八月の、まだ暑熱が残っている頃に、江戸にいる左馬頭利綱が病死し、与五郎俊保が家督を継いだ。本多相模の工作は危ないところで間に合ったのである。その前に相模は江戸家老菅半之丞を国元に呼び返し、次席家老の中尾内蔵介と合議の形で、倫之助義益を新たに八千石の分家を興して藩から切り離し、三坂左太夫は病死と発表して長男の彦次郎にそのまま家督を継がせる措置をとっている。藩主の親書の中味は広く家中に知らされたので、相模の措置は概(おおむ)ね好感をもって迎えられたのであった。

一段落したら、加増の沙汰でもあるのでないかと、半九郎と甚内は首を長くしていたのである。だが新藩主が江戸に上り、一段落も二段落もしたのに、相模から二人に対して何の呼び出しもなかった。

「じつは女房と言い合いをしてな。昨夜から口をきいておらん」

甚内が憮然とした口ぶりで言った。

「こういうときに、その、ぱっと加増の沙汰でもあると、大いに助かるのだが」

「まったくだ」

と半九郎は言った。半九郎の家も似たようなものだった。かつぎ込んだ織江が家にいる間は、美佐は人が変わったように柔順で、よく気がつく妻だったのである。まめまめしく病人の世話をやき、半九郎の世話も、かゆいところに手がとどくような扱いだった。笑顔を絶やさず、亭主自慢までして織江をうらやましがらせたりしていた。

それが騒動が終って、もう歩けるようになっていた織江が、屛風町の家に帰ってしまうと、ものの十日も経たないうちに、また口煩（くちうるさ）く、すぐに膨れて物も言わなくなる悪妻に逆戻りしてしまった。近頃はまたちょいちょい小競合（こぜりあ）いがあり、そのたびに娘の芙美は母親の味方をして、二人で半九郎を白い眼でみる。

「まさか……」

不意に甚内が立ちどまった。撃たれたような表情になっている。

「まさか、あれがご褒美というわけではあるまいな」

「まさか」

半九郎も言った。二人は道の途中に立ち止まったまま、じっと顔を見合わせた。

騒動が終ったあと、二人の家に相模から真桑瓜がとどいた。藁苞に包んであったが、中味は一個だった。暑い時分だったので、半九郎の家では半日ほど井戸の底に吊して置いて食べた。そのときはうまいと思って食べたはずだが、もう味の記憶も薄れた。だいぶ前の話である。

「いや、あれは違うだろう」

半九郎は重々しく否定した。

二人はまた肩をならべて歩き出した。

「加増の話を家でしたのか」

しばらくして半九郎は小声で訊いた。

「うむ。ひょっとしたらと注釈はつけたがな」

「俺もそうだ」

二人は黙々と歩いた。

鉄砲町の別れ道に来たが、二人はまたそこで立ち止まった。それからうなずき合って三島町の小路に入った。顔を見合わせたとき、甚内の眼に狂暴な光が走ったように、半九郎には見えた。

——今夜は、たっぷり泣かれるな。

半九郎は憂鬱な顔をうつむけて、甚内の後について歩いた。

（「別冊小説新潮」昭和五十年夏季号）

十四人目の男

一

道場から帰ると、茶の間には母親の信江だけがいて、男物の綿入れをひろげていた。

「ただいま戻りました」

神保小一郎は挨拶すると、稽古道具を提げてすぐに立とうとしたが、ふと気がついて聞いた。

「父上は釣りですか」

父の斎助は百六十石で納戸奉行を勤めているが、今日は非番のはずだった。釣りが好きで、非番の日はよく川釣りに出かける。川は城下町の東を流れる無量寺川で、清冽な水を、秋は鮎の群れが溯る。

「いますよ。いま佐知さんと話しています」

「珍しいな」

と小一郎は言った。佐知は小一郎の祖父神保宗左衛門の末子で、二歳の時に祖母が、八ツの時に祖父が死歿したあと、長兄である小一郎の父斎助に育てられた。小一郎よりひとつ年上の二十である。

「縁談ですよ」

俯いたまま信江が言った。

「またですか」

「小橋の鷹次郎どのが、話を持って来られたのです」

鷹次郎というのは、婿入りして小橋家の人になっている叔父である。舅が亡くなって、いまは小橋家の当主だった。祖母の満尾は、二十前後で多一郎、鷹次郎を生み、その後女子ひとりを生んだが、女の子は育たなかった。それで子供は生まれないものと思っていたら、四十の年に佐知を身籠ったのであった。満尾はそれを恥じ、生まれたのが欲しがった女の子だったにもかかわらず楽しまなかったという。二年後に満尾は死んだ。小一郎は、この祖母の記憶が勿論ない。

信江が顔を挙げた。咎めている視線だった。

「また、という言い方はありません。口を慎みなさい」

苦笑して小一郎が立ち上がろうとしたとき、足音がして父親が戻ってきた。斎助は息子の挨拶を軽く受けると、妻女に向かって、

「考えさせてくれと言っているな」

と言った。口調に、少し気落ちした響きがある。

「それでよろしいではございませんか」

信江は、ひろげていた着物を片寄せて、夫に身体をむけた。

「すぐにご返事というわけには参りませんよ。お相手がいくら藤堂さまでも」

「しかし先方はいそいでいる。鷹次郎は、明日にでも返事が欲しいような口ぶりだった」

「私からも気持ちを匡してみましょう」

「佐知も出戻りだ。この際考えることはあるまい」

「でも、あなた」

額を寄せるようにして話し合っている二人を残して、小一郎は自分の部屋に行った。

――藤堂帯刀さまか。悪い相手ではないな。

着替えながら、そう思った。藤堂は二百五十石で組頭を勤めている。六万三千石の粟野藩では上士に入る。人物も沈着、温厚で部下の信頼が厚いと聞いていた。この春に妻女を病気で失っていた。

小一郎は玄関に出ようとして、ふと思いついて佐知の部屋に行った。友人の八木沢兵馬を訪ねる約束をしているが、その前に佐知をのぞいてみる気になったのである。佐知は神保の家の一番奥の座敷を、自分の部屋にしていた。

「小一郎でござる。入ってよろしいか」

部屋の外で、小一郎は立ったまま声をかけた。

答える声を待って杉戸を開くと、小窓の下から佐知がふり向いた。針箱を出し、佐知は縫物をしている。小窓の障子が、秋の午後の日に明らんで、晒したような白い光が、部屋の中に流れ込んでいる。佐知は模様の細かい、紺地の地味な着物を着ていて、色白の顔がよけいに白く見えた。

佐知は二度この家から嫁し、二度不縁になって戻ってきた。それは佐知の罪ではない。だが、二度目に戻ってくると、佐知は兄に望んで一番奥まったこの部屋をもらい、みずからをそこに幽閉したように閉じ籠りがちになった。戻ってきてから二年近く経つが、佐知が外に出たのは、盂蘭盆の墓参りの時ぐらいである。

佐知は俯いて縫糸を噛み切ると、眼を挙げた。

「お稽古は済みましたか」

「さよう。今日は早く終りました」

小一郎は、無雑作に佐知の前に胡坐をかくと、叔母の顔を眺めた。

「はて、あまり嬉しそうでもありませんな」

「何がですか」

佐知はそっけない口調で言った。

「藤堂さまから縁談があったと、いま聞いたところですよ」

「だから私が喜んでいると思ったのですか」

「いや、そうは思いません」

小一郎は、棒を千切ったような佐知の応対に、苦笑して言った。

「ま、そう喧嘩調子にならずに、お聞き下さい。そうは思わんから、こうしてのぞいてみたわけで」

「………」

「叔母上の気持ちは解っているつもりです。二度嫁に行って、二度この家に戻られた。三度目の嫁入り話など聞きたくもないと。そうおっしゃりたい気持ちは解る。だが今度は先方が藤堂さま、もう大丈夫でござるぞ」

「何が大丈夫ですか。安請け合いして」

佐知は初めて表情を柔らげて小一郎を見た。

「あなたに私の気持ちが解る筈がありません」

「…………」

「先さまは五ツになるお子がおられるそうですが、お舅さまもおられない。私にはもったいないお話だと思いました。でも、こわいのですよ」

佐知は縫物の手を休めたまま、不意に怯えたような顔で小一郎をみた。その表情に、小一郎は久しぶりに、ひどく臆病だった子供の頃の佐知の顔をみた気がした。

この叔母を、小一郎は長い間ひとつ違いの姉と思っていた時期がある。佐知は小柄で、たびたび病気をして寝込むひ弱な娘だった。外に出ても、犬に吠えられたといっては泣き、門の外を異風な姿をした山伏が通り過ぎただけで、顔色を変えて家の中に駈け込んだ。ひとつ年下の小一郎の方が体格もはるかに勝れ、気性も活発で、たびたび佐知をいじめて泣かせた。

あるとき家の中で祝い事があった。

それは佐知の祝い事であったらしく、きれいに着飾った佐知の前に連れて行かれた小一郎は、母の信江に、

「叔母さまに、おめでとうございますとご挨拶しなさい」

と言われて、あっけにとられた。だがそのとき、佐知を叔母だと認識したわけではない。穴のあくほど佐知の顔を見つめたが、薄く化粧までして取り澄ましている佐知の顔に、やがていたずらっぽい笑いが浮かぶのを見て、「なんだ」と思っただけである。

佐知に叔母という感じを持ったのは、佐知が家中の畑五郎左衛門に嫁ぎ、一年半ばかりして不縁になり戻ってきたときである。

五郎左衛門は、佐知を娶った一年後に、江戸詰めを命じられ、江戸藩邸に勤めたが、ある日些細なことから同僚と口論し、その場で相手を斬り殺して自分も腹を切った。畑家は断絶し、子供もなかったために、佐知は神保家に戻された。

一年半ばかりの時の経過が、佐知を別人のように変えていた。十七の佐知は、ほっそりした体つきながら﨟たけて、白い皮膚の下に血のいろを沈めたひとりの女だった。物言いも静かで大人っぽく、小一郎を見ても、気軽に冗談を言ったり、眼玉をくるりと廻しておどけたりすることはなかった。

気圧されるような感じを受けながら、小一郎はそのとき、初めて叔母上という言葉を使った。佐知が五ツも六ツも年上のように感じられたのである。

間もなく佐知は、小野木林助に嫁入った。畑五郎左衛門は馬廻り役で百十石の家柄だったが、小野木の家は四十五石で林助は作事方に勤めていた。その差に、小一郎は単純に不満を感じたが、佐知も、小一郎の父母もそのことについて何も言わなかった。

しかし佐知は運のない女というしかない。一年ほど過ぎて、小野木林助は急死した。国境にある粟野藩の支城鷹取城の改築に加わっていた林助は、雨の中で持場の作事を指揮した後で高熱を発して倒れ、城下まで運ばれる途中死んだ。佐知は再び神保家に戻った。小野木家は林助の弟六蔵が継いだが、六蔵はまだ十歳で、親族の後見を条件に家督相続を許されたという事情で、佐知が止まる座はなかったからである。

十八の寡婦は、以後神保家の奥座敷に籠り、めったに外に出ることもなくなった。

「藤堂帯刀さまを、一度お見かけしたことがあります」

と小一郎は、佐知の怯えには取りあわずに言った。

「八木沢と一緒に、大手門前を歩いていたときに、下城する藤堂さまにお会いしました。年は三十三、四だそうですが、組頭らしい風格のある人でした。藩中の評判もよろしい」

小一郎は、手を差しのべて佐知を暗い穴から引き上げるように、慎重に言葉を探った。佐知はまだ穴の中に蹲ったままだった。

「こわいことはありません」

小一郎は微笑した。

「嫁入った先々で不幸があった。今度もそうかも知れないと心配なさる気持ちはよく解ります。叔母上は、ご自分がそういう不運を運んで行ったのではないかと、懼れ、かつご自分を責めて来られたようだ」

「あたりまえです。行く先々で夫が死ぬなどということは、唯ごととも思えません」

「さあ、それは思い過ごしでしょう。畑どのは性来の短気でござった。小野木どのは、もともと身体がお弱かった。先方に運がなかったので、叔母上のせいではござるまい」

「………」

「気になさらんことです。ほかの誰が嫁入っても、同じことだったと考えられた方がいい。それに藤堂さまのところでは、すでにひとつの不幸が終ってござる。叔母上は助太刀に行かれるわけで」

「助太刀？　私が？」

「さよう、先方ではぜひにと言っているそうだ。だいぶ困っておられるご様子だ」

小一郎は少し誇張して言った。佐知は考え込むように俯いている。

「いい機会でござるぞ。叔母上にしても、一生このまま後家で通すつもりはござるまい。まだ若いし、美人だ」

佐知は顔を挙げた。その頬に薄く血のいろが動くのを小一郎は見た。おだてが利いたようだと思った。

「先さまは……」

佐知は、念を押すように言った。

「私のことを万事ご存じで、そうおっしゃっているのですか」

「無論です」

小一郎は励ますように言った。穴の中からさしのべた佐知の手を握ったと思った。あとは引っぱり上げるだけである。小さいときにも、こんなふうに臆病な佐知をだましだまし力づけたことがあったように思う。

「万事承知で、叔母上でなければならんと申されておる」

二

兵馬との打ち合わせが済むと、小一郎は初めて部屋の中の暗さに気づいた。

「や、これは長居した。俺は帰るぞ」

打ち合わせは、青年組の訓練の手配りである。世の中が騒がしくなっていた。遠い京都で禁門の変が起こった、今年の七月である。八月には幕府は諸藩に長州征討を触れていた。粟野藩にはその命令は来ていない。しかし、江戸屋敷から国元には別の通達が届いていた。

隣藩の荘内藩と連繫（れんけい）して、北方秋田藩の動きを監視すべきこと、軍事調練を積み、異変にそなえるべきこと、などである。粟野藩は寛永の昔、この地に封じられて以来、通達にある北方への備えを国是としてきた徳川譜代の藩であった。

城下の北に六方ヶ原と呼ぶ原野がある。ここが藩草創以来軍事訓練の場所であった。このため、幾度か六方ヶ原の開墾が議せられながら残されたのはこのためである。

江戸表から通達があってから、藩は藩士を少年組、青年組、壮年組に分けて、幾度か操兵調練を行なっている。今度行なわれる青年組の調練は、大量のゲベール銃を使うことになっていた。訓練の総指揮は大目付の木原重兵衛が行なうが、実際の指導は江戸でも名を知られた藩の兵学者で、鉄砲隊総裁の塚原蘭斎があたっている。

小一郎と兵馬は、剣の道場は違っているが、塚原に鉄砲も習っていた。青年組の調練では、それぞれ一隊を率いて塚原の指揮下に働く。

「まあ待て。飯を喰って行かんか」

兵馬は言い、部屋の隅に行くと、自分で行燈(あんどん)に灯を入れた。

「俺はいいが、貴公は勤めがある。そう晩(おそ)くまで邪魔は出来ん」

「なに、すぐ出来る。飯といっても、別に馳走が出るわけではない」

兵馬は言うと襖(ふすま)を開いて姉上と呼んだ。

八木沢兵馬は父の市左衛門が五年前中風で倒れたあと、七十石の家督を継いで小姓組に出仕している。母は早く死んで、病父と姉の多美の三人暮らしだった。小一郎より二ツ年上の二十一である。

多美の答える声がして、兵馬は廊下に出て行ったが、すぐに戻ってきた。

「叔母に、また縁談があってな」

と小一郎は言った。兵馬の姉多美の美しさから引き出された連想のようだった。多美は病父の看病に明け暮れているうちに婚期を逸していた。

「ほう、またあったか」

「母にそう申したら叱られた。叔母に対して失礼だというわけだろうが、何しろ三度目だからな」

二人は顔を見合わせて低く笑った。兵馬も佐知をよく知っている。小さい時は一緒に遊んだし、二度不縁になったいきさつも知っている。

「相変わらずきれいか、佐知どのは」

「うむ。傷々しい感じでな。ま、今度は大丈夫だろう。気が進まないようだったから、今日焚きつけてきた」

「相手は誰だ」

「藤堂帯刀さまだ」

「そうか、あれはいい」

と兵馬は言った。

「あれは人物だぜ、神保。いま我が藩に必要なのは人物だが、藤堂さまは悪くない」

「俺もそう思う」

「ところで、戸田弥平次がまた江戸表から帰っているらしいな」

「ああ、俺も聞いている」

「また石黒、貝坂などの家老連中と会っているらしいが、今日妙なことを聞いたぞ」

「どういうことだ」

「戸田が帰っているのは、江戸表の指図らしいのだな」

戸田弥平次は藩の探索方として、ここ数年江戸と京の間を頻繁に往来している人物だった。

戸田は東北の山国である粟野藩が、騒然としている京坂の土地に突き出している触角であるとも言えた。戸田を動かしているのは、江戸家老の朝田孫太夫だという噂があった。

戸田は、今年になってから三回も国元へ帰ってきている。そしてそのつど、密かに藩上層部と会っている。戸田の動きをめぐって、ひとつの噂が藩の中を流れていた。戸田弥平次は、藩上層部に勤王思想を吹き込んでいるというのである。この噂が本当で、しかも兵馬が聞いた話も本当だとすれば、江戸表にいる朝田孫太夫が、国元の考え方をあるひとつの方向に統一しようとしていることになる。

「しかし江戸からは、北方備えの調練の命令がきている。戸田が上層部に妙な考えを吹き込んでいるというのは、すると間違った噂なのではないか」

「さあ、何とも言えんな」

兵馬は腕組みした。

「上の方のことは解らんが、近頃いやな予感がするのだ。西の方は天下がひっくり返りそうな騒ぎが続いているそうだが、いずれはこの山国にも何か起こりそうだな。そうは思わんか」

「さあ、まだ俺にはそういう気持ちはないが、ま、せいぜい調練に励むとするか。それが役に立つ日が来るかも知れない」

ごめん下さいませ、という声が廊下でした。澄んで、どこか愁いを含んだような声音は多美だった。小一郎は居住いを正した。身体が固くなるのが自分で解る。

「食事を」

多美は障子を開いて、小一郎に向かうと、改めていらっしゃいませ、と辞儀をした。

「ご厄介になります」

小一郎は、ぎごちなく挨拶を返した。

「何もございませんのよ」

多美は黒々と光る眼を真直ぐ小一郎にあてて、僅かに口もとを綻ばせた。

「兵馬どのが、もう少し早く言ってくれれば、支度の仕様もございましたものを」

「は、いや。お手数をかけます」

小一郎は膝を鷲摑みにして頭を下げた。友人の姉の美貌が苦手だった。小一郎の身体を息苦しさが駈けめぐる。

ごゆっくり、と言って多美が部屋を出て行くと、二人は無言で飯を喰った。

「どうも苦手だな」

お代わりを所望しながら小一郎は言った。兵馬の家は下男が一人いるが、女中は置いていない。兵馬が主人役で飯をよそってくれた。

「何がだ」

「貴公の姉君だ。美しすぎる」

「はた目にはそう見えるらしいな。なに、あれで結構家の中ではうるさいのだ。売れ残りだからな」

「売れ残りは可哀想だろう。好きでそうなったわけじゃあるまい。ひと頃は縁談が降るようだったのではないか」

「いや、待てよ」

兵馬は首をひねった。

「いや、そうでもないのだ、神保。姉はもともと男縁が薄いというか。それはひとつ、二つの縁談がなかったわけではないが」

兵馬はもう一度首をひねった。

「それも気に入るような話ではなくて、こちらから断ったように記憶しているぞ」

「本当か」

「いい話があれば、教えてくれ。無理しても嫁に出す。あとは女中でも雇ってなんとかするさ」

小一郎が兵馬の家を出たのは五ツ半（午後九時）頃だった。兵馬が玄関まで送って出た。多美が見送らないのは、何かの用をしているらしかったが、小一郎は何となく物足りない気がした。

その多美に、小一郎は加賀町の角で出会った。小一郎は、兵馬に借りた提灯を提げていたが、多美は素手だった。

「そこまで買物に行って参りましたのよ」

多美は突き当たりそうになった人間が小一郎だと解ると、胸に抱いた袖を解いたが、眼を瞠っている小一郎にそう言った。

「遅くまで、ご雑作になりました」

「お気をつけて、お帰りなさいませ」

買物だといった多美が、手に何も持っていなかったことに気づいたのは、加賀町の暗い武家町の通りを暫く歩いてからである。

——あの人には、男がいるのではないか。

角でぶつかりそうになったとき、驚きのためか、急いできたためか、大きく胸を喘がせていた多美の姿が思い出された。それはひどくなまめかしい印象を小一郎の胸に残したのである。まるで男に会ってきた後のようだった、と小一郎は思う。短い立ち話の間に、濃い化粧の香が匂ったようだった。

——叔母は二度も嫁入ったが、あの人にくらべると稚い。

それは多美が大柄で、派手な美貌のせいなのかも知れない、と思った。

小一郎は振り返った。だが多美と擦れ違ったあたりは闇だった。

三

粟野藩を揺がした事件が起きたのは、三年後の慶応三年である。

次席家老貝坂備中以下十三名およびその家族が突如斬罪の処分を受けたのである。罪名は反逆罪とだけ告げられ、なぜか内容は固く秘匿された。大目付木原重兵衛が率いる一隊が一夜貝坂以下の屋敷を襲い、ある者は抵抗してその場で腹を斬り、ある者は路上まで逃げて捕えられた。腹を斬って自裁した者の中に、組頭藤堂帯刀の名があった。

その後、七夜にわたって無量寺川の岸にある鬼ヶ窪の刑場で処刑が行なわれた。鬼ヶ窪は無量寺川が六方ヶ原の隅をかすめて走る場所にあって、ふだんは人も近づくことがない荒れ地である。周囲を黒松と杉の暗い密林が取り囲み、その中に踏み込めば首の高さまで生い茂る雑草が地表を覆っている。雑草の中を細い小径が河原まで降りていた。

だが、その小径を辿った人達の数は多くはない。罪人と刑執行の役人、小者などである。城下の人々は、河原がそこだけ一草も生えず、露き出しの石が砂地の上を覆っているという噂を聞き、なんとなく賽ノ河原を連想するだけである。鬼ヶ窪の森は、城下町の北東半里の場所に、いつも不吉に黝く蹲っていた。

七日目の夜、神保小一郎は刑場の対岸の黒松の林の中にひそんだ。小一郎が通っている一刀流の片瀬道場に、町奉行所から新藤という同心が稽古にきている。新藤から手を廻した結果、漸く佐知が今夜斬られることを聞き出したのである。佐知と帯刀の先妻の子市蔵、佐知が帯刀に嫁いで生んだ二歳の女児まで斬られるという。

反逆罪の刑は打首である。しかも闇討と称え、月のない深夜を選んでひそかに行なわれる。

蹲っている足もとから、堆積した落葉の湿った腐臭と、嫩草の香が混淆して鼻を衝いてくる。四月の初めの、生まぬるい夜気が森を包んでいた。闇に蹲る獣のように、小一郎は狂暴な気分になっている。斜面を駈け降りて川を渉り、佐知を奪い取る想像が血を騒がせる。臆病な佐知が、どのような怯えでこの時を過しているかを考えると、哀れみに胸が痛んだ。

だが事件の唯ならない重さを示して、警戒は厳重を極めている。対岸の刑場は、隅に篝火が一基燃え続けているだけで、人影も確かに見えない。だが眼をこらすと、警備の者らしい人影が、黙々と川岸を往復しているのが見えた。警備の人数は、小一郎がひそんでいるこちらの岸にも配られているようだった。森に入り込み、斜面を降りかけたとき、小一郎は斜面の下で、小声の話し声を聞いている。

不意に小一郎は立ち上がり、松の幹に手をかけて対岸をのぞき込んだ。子供の泣き声がしている。赤児の声ではなく少年の声だった。細く鋭い声がそれをたしなめたようだった。「市蔵」と呼んだように聞こえたが、空耳のようでもあった。小一郎は耳に手をあてがい、声を聞きとろうとしたが、佐知の声らしいものはもう聞こえなかった。

少年の泣き声が途絶えたと思ったとき、不意に鋭い掛け声が水面に響いた。しばらくしてもう一度掛け声がひびき、やがて篝火が消えた。

黒松の粗い樹皮に額を押しつけながら、小一郎は、斜面の下の方で人の気配が動き、「終ったな」という、かなりハッキリした声を聞いた。

森を出て、六方ヶ原に出ると、小一郎は空を仰いだ。星が大きく潤んだ光を天空にまき散らしている。

胸苦しくなるような、後悔の思いがあった。あのとき、無理に縁談を奨めるのではなかった、と喚き出したい思いが胸の内にある。佐知を、単に運のない女だと思うことは出来なかった。

——俺ばかりでない。家の者みんなで叔母を殺した。

夜露に足もとがじっとりと濡れるのを感じながら、小一郎は憤りをこめて足を運んだ。

家に帰ると、妻の梢が迎えに出た。小一郎は、昨年の秋に梢を娶っている。梢は二、三度しか佐知に会っていないが、今度の事件は、まだ十七の新妻にはこたえているようだった。

「いかがでございました？」

小さな声で訊ねた。頬が少し瘦せたように見える。

「終った」

小一郎は短く答えた。妻の怯えを顧みるゆとりを失っている。梢の若さ、新妻らしいなまめかしさが、不遜なもののように眼に映る。

「………」

夫の不機嫌を覚って、梢ははっと口を噤んだが、歩き出した小一郎の後に従いながら、声をかけた。

「小橋の叔父さまがお見えです」

すでに九ツ（午後十二時）というのに、神保家の茶の間は赤々と灯をともしている。その灯の下にいた三人の人間が顔を挙げて小一郎を見た。

「さきほど、終りました」

小一郎が坐って言うと、斎助と鷹次郎は黙ってうなずき、信江はついと灯に背を向けて顔を掌で覆った。

梢が入ってきて戸を閉めると、うなだれた。斎助が言った。

「見苦しい有様はなかったか」

「は。暗くて、しかとは見えませんでしたが、何の騒ぎもなく、穏やかに斬られたように見えました」

小一郎は言ったが、不意に激しい口調で口走った。

「闇討とは、よく申されたものだ。何も見えず、何も聞こえ申さん。あの気の小さな叔母が、むごい仕置きをうけたものでござる」

「お上のなされたことだ。口を慎め」

斎助は息子を叱ったが、鷹次郎に向かって言った。

「で、結局まだ何も解らんわけだ」

「氏家に、それとなくあたっているのだが、一向に埒あかん。恐ろしく口が堅いのですよ」

鷹次郎は、むっつりした表情で答えた。氏家というのは藩の目付で、今度の事件では大目付の木原に従って、終始事件の処理にあたっている。鷹次郎とは日頃親交がある。

「ひょっとしたら、氏家にも本当のことは知らされていない気もしてきた」

小一郎は眼を瞠って叔父を見た。鷹次郎は三十三になるが、祖父に似たといわれるいい男ぶりで、まだ三十前に見える。ふだんは陽気な人間だが、小一郎を見返してうなずいた顔は、これまでみたことがない厳しい表情を浮かべていた。

「ごく一部の、上の者しか知らんという事件のようだ」

「しかし……」

と小一郎は言った。

「あれだけの人間が処分されて、何のことか一向に解らないということがありますか。叔母上は、一体何で死なねばならなかったのでござるか」

「およその見当はつく」

鷹次郎は声を落とし、ためらうような口調で言った。

「さっきも本家と話したのだが……」

鷹次郎は、斎助のことをいつもそう呼んでいる。

「上の方の意見が、去年あたりから急に勤王にかたまってきたことは、みんなが知っていることだ。今度のこともそれにかかわりがありそうだとは推察がつく」

幕府が二回目の長州征伐を諸侯に触れ、それに失敗したのは去年のことである。この陣中で薨じた家茂の後を継いだ将軍慶喜は、幕府の威信回復に必死に働いていたが、諸藩の動揺は大きく、変化する時勢の動きを探り、それにどう対応するかは、粟野藩のような小藩でもひそかに続けられている動きだった。

その動きの中で、粟野藩江戸藩邸の考え方は、東北諸藩が会津、荘内が佐幕、秋田、天童などが反幕勤王、他は形勢を観望するという大勢の中で、次第に反幕的な色を明確にしてきていた。探索方の戸田弥平次、島原半三郎らの意見が強く働いているという噂があった。

「それにしても……」

鷹次郎は、自分が言ったことを疑うように眉を寄せた。

「そうかと言って、貝坂どの、藤堂どのなどが、それに異を唱えたということは聞いておらん。このあたりが不思議だ。大目付に反抗して腹を切った、というのは、よほどはっきりしたことがある筈だが、そのあたりがどうもはっきりしないのだ」

四

八木沢兵馬が、事件の起こった日の日暮れ、田所幾之丞と斬り合いをしたことを聞いたのは、全く偶然のことからだった。

事件から半年ほど経った晩秋のその日。小一郎は叔母の墓参りをした。藤堂家の菩提寺(ぼだいじ)である龍善寺は、麦屋町の端(はず)れにある。寺の裏側がすぐ田圃(たんぼ)で、墓地に立つと、半ば稲を刈り取ったあとの地面が、午後の日射しを受けて黄金いろに輝いている稲の間に、黒い地肌を現わしているのが見えた。仕置きを終った屍(しかばね)は、それぞれ親族の者に渡されて、叔母は藤堂家の墓の下に眠っていた。

母が持たせた線香と花をそなえ、小一郎は長い間その前に佇(たたず)んだ。墓地を出ると、年寄った寺男が庭の落葉を掃き集めていた。小一郎は墓にまだ線香が燻(くすぶ)っていることを老人に告げ、後で見廻ってくれるように頼んだ。

兵馬が、田所と境内で斬り合ったということは、その老人と藤堂帯刀のことを話していて、話の中に不意に出てきたのである。小一郎は、半年の間にたびたび墓を訪れていて、老人とは顔見知りになっていた。

「田所をどうして知っている？」

小一郎は訊いた。田所幾之丞は、やはり今度の事件で捕えられ、母親と一緒に斬られている。

「ここの集まりに、よく顔を見せましたから」

「集まり？」

「はい。皆さま全部のお名前は存じ上げませんが、藤堂さまも、八木沢さまもご一緒でした」

「八木沢兵馬もいたと？」

不意に胸が轟くのを小一郎は感じた。貝坂備中以下の処断は、藩上層から何かの文書が公に出されるということもなく、闇の中に封じ込められたまま、時が経過するかと思われた。いま、その闇に何かが動いた気配を把えた気がしたのである。

「ほかに誰がいた？」

「さあて」

老人は首をかしげた。

「お名前を存じ上げない方のほうが多かったものですから。八木沢さまも田所さまも、ここの檀家なものでお名前を存じていますが」

そうか、ここは八木沢の家の墓があるのか、と思った。

「そう、そう。日野さまという方がおられました。ほかにお名前は存じませんが、六十ぐらいでご家老と呼ばれる方もきておられました」

貝坂備中だ、と小一郎は思った。日野滝蔵は馬廻り役で、今度の事件で死んでいる。

「八木沢と田所が斬り合ったというのは、やはりその日集まりがあったのだな」

「いいえ、違います旦那さま」

と老人は言った。

その日の夕方、八木沢兵馬と田所幾之丞は連れ立って龍善寺の境内に入ってきた。だが庫裡(くり)にも本堂にも向かわずに、山門を入るとすぐ右手にある地蔵堂の前で立ち話を始めた。話は長く、二人が庫裡に来たら声を掛けようと思って見ていた老人が、痺(しび)れを切らして軒に入ろうとしたとき、背後にいきなり刃音を聞いたのである。

薄闇の中だったが、五間程の距離を置いて向かい合った二人の姿と、鈍く光る刀が見えた。突然のことで、老人が茫然と立って見ていると、二人は不意に刀を引き、鞘(さや)に戻すとそそくさと山門を出て行った。入れ替わりに、弓師町の仏具商で梵字屋(ぼんじや)という店の番頭が、背に風呂敷包みを背負って門を入ってきた。

「清兵衛さんが来なかったら、大変なことになるところでした」

「そのことを誰かに話したか」

「いいえ、その晩は和尚さまが土樋(どひ)村のお寺に行っていまして、帰ってきたら話すつもりでしたが、次の日があの騒ぎで、へい。すっかり忘れておりました」

「今日は和尚はいるか」

半刻後、小一郎は俯いて町の中を歩いていた。麦屋町から市場町に入ると、道は人が混んで、道の両側に軒をならべる店から、威勢のいい声が聞こえたが、その声は小一郎の耳を素通りしている。

龍善寺の和尚慈元は、小一郎が聞いたことに、初め容易に答えようとしなかったが、やがて集まりは昔から年に一度で、三年前から月一度に変わったこと、人数は十四人だったことを洩らした。慈元が挙げた十四人の名前は、小一郎の胸を凍らせた。八木沢兵馬をのぞいて、ほかの十三名はこの前の事件で家族もろとも死に絶えている。

「どういう集まりかは、全く存じません。昔からのしきたりでしてな。皆さんお集まりになっても静かに酒を飲むだけでした。寺としては代々その世話をするだけで、何のために集まるかなどと聞かないことになっておりました」

龍善寺の和尚が話したことは、老人の寺男から兵馬の名前を聞いたとき、不意に胸をかすめた疑惑を動かないものにしている。

貝坂備中以下十四名は、というより貝坂家ほか十三家は、恐らく何代かにわたって、粟野藩の中で特殊な糸で繫がれてきた。そのことが露われ、それが藩にとって為にならないことであって断罪された。

ただし断罪されたのは十三家で、八木沢家は生き残った。ここで兵馬に捺す刻印はひとつしかない。兵馬は、「密告者」なのだ。その功で生き残った。兵馬と田所幾之丞が龍善寺の境内で斬り合ったのは、兵馬の裏切りの意志に気づいた田所が、それを詰った結果だろう。そしてそのことが貝坂以下に洩れることを恐れた兵馬が、藩上層に龍善寺の密会をひそかに訴え出た。

どう考え直しても、その結論は動きそうになかった。小一郎は唇を嚙んで眼を挙げた。叔母を殺したのは兵馬だということになる、と思ったのである。

暮れかけた日射しが斜めに町並みを照らしている。そこはいろは町と俗称される茶屋町の細い通りで、左右に料理屋、玄関の奥まった茶屋、赤提灯をさげた一杯飲屋などが並んでいる。擦れ違う男たちの中には、早くも酒の香をまとっている者がいる。懐手をし、赤い顔をしてぶらついている武士もいた。家中の者に違いなかったが、見知らぬ顔だった。

ふと小一郎は立ち止った。五、六間先の茶屋の門から、ついと人混みに紛れ込んだ女がいた。一瞬見た横顔が、兵馬の姉多美のようだったからである。青い羽織の背を見せた武家の妻女風のその女の姿は、すぐに見えなくなった。

五

風がある。風は絶えず周囲の草を鳴らし、強い風が来ると、銀色に光る芒（すすき）が一斉になびいた。六方ヶ原の奥の方に潮騒（しおさい）のような音がしているのは、そこにひろがる雑木林に風が鳴っているのだった。

「こんなところに呼び出して、何か他聞を憚（はばか）る話か」

向かい合うと兵馬が言った。頰がこけた精悍（せいかん）な顔が笑っている。

小一郎は三間ほど距離を置いて足を停めると、鋭い眼で兵馬を見返した。

「むろん内密の話だ」

「何を怒っている？」

兵馬は笑いを引っ込めると、訝るように聞いた。

「俺が気に障ることでもしたか」

「貴様が叔母を殺した」

小一郎はずばりと言った。すると押さえていた怒りが衝き上げてきて、小一郎の声は鋭くなった。

「そうだ。貴様が何も知らぬ叔母や子供たちまで殺したのだ。八木沢、ここで俺と勝負しろ。貴様がしたことは解っているが、俺はお上に密告などせん。尋常に勝負してやる」

兵馬は黙って小一郎を見つめたが、やがて首を振って横を向いた。

「何のことか、俺にはさっぱりわからん」

「とぼけるな」

小一郎は怒鳴った。

「麦屋町の龍善寺で、藩の仕置きを受けた十三人が時どき集まっていた。だが、実際は十三人ではない。もう一人いた。それが貴様だ。貴様が十三人を売ったことは明白だ。どうだ、申し開きが出来るか」

「………」

「貴様が裏切った証拠は、もうひとつある。あの事件が起こった夕方、竜善寺の境内で貴様は田所幾之丞と斬り合いをした。俺の推測では、田所が裏切りに気づいて、貴様を斬ろうとしたのだ。生き残ったのが貴様だということがその証拠だ」

兵馬は黙って聞いていたが、やがて振り向くと小さく声を立てて笑った。

「下手な目明しの言い方だな、神保。何でそういう妙なことを考えついたか、よくわからんが、だいぶ見当違いをしている。田所と斬り合いになったのは、そんなことじゃない」

「…………」

「姉だ。あいつはれっきとした妻子持ちのくせに、姉に手を出していた。姉も軽率だが、そうかと言って田所を許すことは出来ん。それで問いつめたら向こうが刀を抜いたのだ」

「しかし貴様が集まりの十四人の中で、ただひとり生き残ったのは事実だ。何か言い訳があるか」

「推測でものを言ってはいかん」

兵馬は微笑した。

「あの集まりが、何か。貴様中味を知って言っているのか」

「いや、そこまでは知らん」

「ただの風流な集まりなのだ。集まりがよければ連歌を興行したり、人数が少なければ軍書を読んだりな。俺は田所に誘われて行っただけだ」

「…………」

「今度のことは俺も驚いたが、俺が十四人目というのは思い過ごしだ。ほかの人間のことは知らん」

「苦しい言い訳だな」

冷たい視線をあてたまま、小一郎は言った。

「ではこちらから聞こう」

兵馬はふとひややかな表情になって言った。こちらを向いた身体が、足を踏みかえるのを小一郎は見た。

——返答次第では刀を抜くつもりだな。

と小一郎は思った。

「では聞くが、俺が密告したと、誰か言ったか」

「いや、そこまでは確かめていない。そこまで突きとめていれば、貴様を問い詰めたりはしない。すぐに斬る」

「それ見ろ」

兵馬は勝ち誇るように言った。

「貴様の思い過ごしだ。今度の事件は、われわれのような下の者とは関わりないところで起っている。俺を疑うのは見当違いも甚だしいぞ」

「よし。今日のところは貴様の言いわけを聞いたことにしよう」

小一郎は言った。

「だが、思い違いするなよ。これで貴様を信じたわけではない。むしろ気分から言えば疑いが濃くなったが、証拠がないだけだ」

「………」

「いずれ証拠を見つける。そのときはまたここで会おう」

「しつこい男だ」

兵馬は苦笑した。それから不意にそっけない態度で、

「先に行くぞ」

というと、大股に去って行った。細い道の左右から枯れ色の草が茂り合い、風に揺れて、腰から上だけ見える兵馬の姿が、みるみる遠ざかるのを小一郎は見送った。

——兵馬の密告は動かない。

と思った。

一応の言い訳を兵馬はした。だが姉の多美のことはともかく、兵馬を加えた十四人が、発句だ、付句だと風流な遊びのために集まっていたというのは拙劣な言い訳だった。長いつき合いの中で、兵馬が句を嗜むということを、一度も耳にしたことがない。その上兵馬の態度そのものが、言い訳を裏切っていた、と思う。兵馬には、思いがけない疑いを持たれた者の、驚きも憤りもなかった。終始もの事を隠蔽しようとする姿勢が感じられただけである。密告したと言った者があるか、と聞いたときも、冷静にこちらの返答を確かめようとする気配だったのだ。

「………」

小一郎は、ふとあることに気づいてぎょっとした。兵馬自身、さっきの言い訳の拙劣さに気づいたのではないかと思ったのである。兵馬が言ったように、発句をひねったりする集まりなら、必ず寺に硯、筆墨を借りた筈である。これは確かめればわかる。そういうことがなく、龍

善寺の和尚がこの前言ったように、ただ酒を飲むだけの集まりに終始していたとすれば、兵馬は嘘を言ったことになる。そのことに気付いた兵馬が、何かの行動を起こしはしないか、と思ったのである。

――和尚が危ない。

そこまで小一郎は考えた。しかし過ぎた事件の暗さ、重苦しさを考えると、その考えが大袈裟だとも思えない気がした。小一郎は風の中を走り出した。

龍善寺に着いて、庫裡の戸を叩き、慈元和尚が顔を出したとき、小一郎はがっくりと気落ちした。杞憂だったと思ったのである。

「八木沢兵馬が来なかったか」

「いいえ」

と慈元は言った。息を切らしている小一郎を不思議そうに見た。

「聞きたいことがある」

「はい」

「この前、確か和尚は、ここで連中が酒を飲むだけだと申したな」

「連中と申されますと？」

「八木沢を含めた十四人だ」

「ああ、あの集まりでございますか。さよう、酒を飲みましたが、それだけではありませんで、たまには発句の会なども致しました」

「…………」

小一郎は眼を瞠った。兵馬が来たのだ。和尚は嘘をついていた。

「もうひとつ聞きたいことがある」

恐らく無駄だろうと思いながら、小一郎は訊ねた。

「集まりは、何代かにわたって続いている。八木沢の父も、病気になる前には来ていたのだな」

「…………」

慈元は答えなかった。黙って小一郎を見返しているだけである。

「答えられないのだな、まあよかろう」

と小一郎は言った。

広い境内を横切る間も、風は葉の落ちた木々の梢を鳴らし、杉や松をざわめかせた。

——八木沢が、ほかの十三名と固い絆で結ばれていたことは間違いない。田所に誘われたというのは嘘だ。

と思った。どういう絆かは解らない。それを知っているのは、八木沢兵馬と兵馬の父と、密告を受けた者ぐらいだろうと思った。八木沢の姉多美が知っている可能性は少なかった。ほかの十三名との繋がりは、兵馬の父が病気で倒れたとき、ひそかに息子に伝えられたのだ。何代かにわたって、という龍善寺の和尚の言葉は、そういうことを想像させる。

——叔母は、やはり不運な女だった。

と思った。藤堂帯刀は頑健な身体と、男らしい気性に恵まれた武士だったが、露われれば反逆罪として処刑される密盟の家系だったのである。その密盟がどういうものであるかは、小一郎には想像もつかない。恐らく藩の死命にかかわるようなものだったろうと思うだけである。

だが、そのために密告者を赦すことは出来なかった。生まれた子供を抱いて、小一郎の家に来たときの、佐知の姿が眼に残っている。それは初めて倖せらしい倖せを摑んだ喜びが、身ごなしひとつにも表われずにいない人妻の姿だった。叔母の声は弾んでいた。

――やはり密告の証拠を摑むことが出来れば、一番いいのだ。

と思った。密告を受けた者が誰か。恐らく首席家老の石黒権十郎か、大目付の木原重兵衛だろうというのが小一郎の見当だった。小一郎は叔父の鷹次郎に、その調べを頼んでいる。密告者が兵馬なら、その夜石黒家か、あるいは木原家の奉公人が、その姿を見かけている可能性があった。鷹次郎は気さくな気性で、目付の氏家孫六の家に出入りするたびに、氏家家の小者とも口をきき、顔見知りになっている。氏家家の下僕で与助という男に探らせてみようと鷹次郎は言ったが、その返事はまだ聞いていない。

――叔父の家に寄ってみよう。

不意にそう思い立った。

鷹次郎は不在だった。

「まだお城ですか」

「ふだんは下る時刻ですが……」

玄関に出てきた叔母が言った。

「今日は帰りに、日枝町の肝煎で作兵衛という人と茶屋で会うから遅くなると申しました」

「茶屋の名は解りませんか」

「ひさご屋というところをよく使っているようですが、今日はどことははっきりは聞いておりません」

礼を言って小一郎は外へ出た。日が落ちようとしているところで、北の空に浮いている細かい雲が赤く染まっている。地上を走る風はだいぶ穏やかになっていたが、上空にはまた鋭い風の音がした。小一郎はなんとなく深い息を吐いた。

——小橋の叔母は相変わらず窮屈なひとだ。

と思った。鷹次郎の妻記乃は病身だった。いつも青白く痩せている。病身は止むを得ないが、文句が理詰めで困ると、鷹次郎が小一郎の母にこぼしていたことがある。いまも、小一郎が叔父を訪ねてきたと解ると、上がれとも言わなかった。

——肝煎かどうか解ったものでない。

と小一郎は思った。鷹次郎は勘定方に勤めていて、時どき町方の人間と交渉がある。だが、そればかりでなく、茶屋で息抜きしたい気持ちもあるだろうと、ふと思ったのである。

いろは町のひさご屋に着いて、鷹次郎の名を言うと、茶屋の者はすぐに、

「いらっしゃいますよ」

と言った。鷹次郎は、ここではかなり顔が通っているようだった。

「その日枝町の肝煎という人とまだ用談しているのか」

「はい？　いえ」

案内に立った女中は妙な顔をした。

「違ったようだな。相手はコレか」

小一郎は小指を出した。とっさにさっきの予感が頭をかすめたのである。

「いやだ、旦那さま」

女中は小一郎に身体をぶつけると、小指を曲げさせた。

だが、部屋に一歩入った小一郎は、茫然と立ち竦んだ。

「こういうことになっているのか」

漸く呟いて坐った。

六

鷹次郎と向かい合って、盃を持っているのは、八木沢兵馬の姉多美だった。そのときになって初めて、小一郎は、この間龍善寺の帰りに多美らしい女を見かけたのが、このひさご屋の前だったことを思い出していた。

「田所幾之丞が多美どのと通じていた、と貴様は言った。多美どのに男がいる気配を感じ取って言い訳に使ったのだろうが、相手が悪かったな」

「…………」

「男というのが、俺の叔父だった。昨日今日の間柄ではない。叔父は二十八で婿入りしたが、その頃多美どのを知っていた。部屋住みだから婿入りしたが、出来れば多美どのを嫁にしたかったらしい」

横を向いたまま、兵馬が苦笑したのが見えた。

「それから、昨日あれから早速龍善寺に行ったようだな。和尚の言うことが、前と違っていた。だが貴様が発句をひねるなどということは、聞いたこともないし、信じもせん」

「………」

「大概このぐらいでいい筈だぞ、八木沢」

「しかし……」

兵馬は腕組みをしたまま身体を向け、正面から小一郎を見た。

「証拠は、まだ握っていないのだろう」

「………」

「と、言いたいのだが、これ以上貴様を困らせることもなかろう。いいぞ、話す」

小一郎は疑わしげに兵馬を見た。

「そんな眼で俺をみるな。昨日は貴様を欺いたが、ま、できれば欺かれてもらいたかったわけだ。それが無理だとなれば、話すしかない。どうせ、いつかは貴様にだけ話しておこうと思っていたことだ」

「やはり、密告したのは貴様か」

「そうだ」

「……………」

「待て。いま貴様と斬り合うわけにはいかんのだ。密告はしたが、これには訳がある」

「訳なんぞ聞きたくはないぞ、八木沢」

「いや」

兵馬は強い口調で言った。

「聞け。俺は独断で密告したわけではない。貝坂さま、藤堂さまと相談の上だ」

「なんだと」

小一郎は茫然とした。貝坂備中も藤堂帯刀も、大目付支配下の人数が屋敷に踏み込むと同時に腹を切っている。

感状組というのだ、と兵馬は言った。

元和元年五月七日、いわゆる大坂夏の陣の激戦の中で、徳川家康は文字どおり九死に一生を得た。この日家康の本陣を目ざして、西軍の真田隊三千五百が襲いかかった。一本の鋭い楔(くさび)を打ち込むような、苛烈な戦いぶりだった。その猛攻の前に東軍は、みるみる崩されて、家康麾(き)下(か)の軍は、命からがら三里も逃げのび、家康自身もついに馬印を隠して逃げ惑ったのである。このとき家康はほとんど死を覚悟したと言われる。

この戦いの後で、下総(しもうさ)で二万五千石の大名であった粟野主計頭(かずえのかみ)行辰の家中十四名に、家康からじきじきの感状が下された。真田の猛攻に、旗本まで崩れ立ったとき、駈けつけた粟野隊が真田勢の前に立ち塞がり立ち塞がり、家康が逃げのびる刻を稼いだのである。感状は、中でも目ざましく戦った十四名に送られたが、そのうち半数の七名は、このとき討死していた。

粟野主計頭が、遠江守と名が変わり、六万三千石に加増されて羽前に封じられたのは、寛永二年である。封地に入部して五年後に、遠江守行辰は痼疾の喘息から重病を併発して死んだが、死ぬ前に、大坂陣で家康から感状をうけた十四家を枕頭に呼んだ。

「儂がこの地に移されたのは、神君の遺命に依ったものだ」

と遠江守は言った。

粟野藩は、関ヶ原戦後の慶長七年、常陸八十万石から秋田二十万石に移され、黙々と北方に去った佐竹藩に対する備えの一環として配置された。粟野藩の存在は、徳川家のこの厚い信頼の上に成り立っている、と遠江守は説明したあと、

「徳川家を裏切るな。どのようなことがあってもだ。この方針に背く者があれば、藩主といえども誅してよい。それをお前達に頼む」

と言った。

遠江守は、粟野藩を徳川家とともに栄え、徳川家とともに亡ぶ藩として、その方針の中枢に藩主よりも、家康から感状を授けられた粟野の家臣十四家を置いたのである。その席に次代の藩主であるべき遠江守の子息又五郎辰興さえ呼ばれていないことに気づき、集められた十四名は粛然とした。

しかし藩祖遠江守が心配したようなことは何も起こらず、何代か経た。感状組は、年に一度

集まり、新しく家督を継いだ者を正式に組に加える儀式を行ない、先祖が元和元年に家康から拝領した感状を廻し読みするしきたりを続けてきただけである。

だが事態が急変した。粟野藩は、徳川譜代の藩という枠（わく）を越えて、時代の動きにあわせて藩が生き伸びる方向を摑もうとしていた。感状組の会合も慌しくなった。藩が勤王か佐幕かの旗色を明確に打ち出そうとする時を把えて、石黒家老以下の重臣を襲い、場合によっては藩主遠江守光辰を幽閉する手順まで決めたのである。

「貴様は、俺の裏切りを田所が嗅（か）ぎつけたとみたようだが、事実は逆だ。密告しようとしていたのは田所の方なのだ」

と八木沢兵馬は言った。

しかも事態は急を要した。田所は、兵馬を裏切りに誘ったばかりでなく、ほかに組中に数人の同意者がいることをほのめかしたのである。兵馬は藤堂帯刀に会い、さらに組の統率者貝坂備中に会った。

「こちらから密告するしかない。それには組の中で石高が一番低いおぬしが適任だ」

貝坂備中は冷静に言った。それは藤堂帯刀が述べた意見と同じものだった。帯刀は、誰が裏切り者か判別しにくいとなれば、ひとまとめに自ら密告するしかない、と言ったのである。

「こうして俺が生き残ることになった。そのために、感状組の本当の狙いは、藩でもまだ摑んでいない。俺は単純に時勢に不満な者が集まって、石黒さま以下の藩上層部を襲う計画があるとしか言っていない。藩ではそれを信用して、俺を赦した。仮に異心を抱いても、一人では何も出来ないと思っている」

兵馬は枯草の葉を千切って空中に投げながら、苦笑した。二人は乾いた草の上に足を投げ出して坐っている。小一郎は何かの物語を聞いたような気持ちで、兵馬のいうことを聞いていた。昨日とは違い、風のない暖かい日射しが、身体に降りそそいでいる。

「どうだ？　この話を信じるか」

「信じる」

と小一郎は言った。兵馬が、小一郎を言いくるめるために、元和元年の感状に始まる物語をつくり出したとは思われなかった。

「感状組は、この大事な時に潰滅するところだった。だが、俺が生き残ったことで潰滅を免れた形だな」

と兵馬は言った。

「何をやるつもりだ」

「それはまだ言えん」

兵馬は立ち上がると、少し傲然とした口調で言った。

「そのときが来たら、貴様に話す。貴様が俺を佐知どのの仇と思うなら、それもその時に結着がつく筈だ。無論それまでは他言を慎んでくれ」

「わかった」

小一郎の方が、先に歩き出した。

「佐知どののことだが……」

その背を兵馬の声が追いかけた。

「覚悟の上だと思うぞ。あの人は藤堂さまに惚れていた。俺は何度もあの邸に行ったから、見て知っている」

そうかも知れない、と小一郎は思った。だが叔母の哀れさは、やはり変わらない、という気がした。

慶応四年春。奥羽の諸藩は、会津、荘内の二藩に圧力を強めつつある官軍と、その動きに抵抗して会・荘二藩を庇って結束しようとする仙台、米沢の二藩を中心にする動きの中に動揺していた。粟野藩にも、仙台にいる奥羽鎮撫総督九条道孝の密使と、仙台、米沢、会津の諸藩からの使者が、交互に出入りしていた。

「明日、九条総督から使者が来る。お上が城門前までお出迎えなさることになった」

小一郎を訪ねてきた兵馬が言った。小一郎は、佐知が使っていた奥座敷を自分の部屋にしている。茶の間に話が洩れる気遣いはない。行燈の光に、兵馬の頬が一層くぼみ、眼が鋭く光るのを小一郎は見た。その情報を手に入れるために、兵馬はかなり苦労したようだった。

「これまで藩は、どっちつかずの態度で切り抜けてきた。だが上層部の腹は決まっているのだ。明日官軍方と密約を結ぶということらしい」

「総督府は孤立しているという話ではないか。逆に米沢、仙台が結んで、奥羽諸藩を反官軍にまとめようとしていると聞いたぞ。こういうときに官軍の使者を迎えていいのか」

「だから密約なのだ、神保。石黒さまは智恵者だ。さきを読んで、官軍に恩を売っておく絶好の機会と見たわけだろう」

「………」

「だが俺にとっても、いまが時機としては絶好だ。とくに明日がそうだ。聞いてくれ、神保」

兵馬は膝をのり出し、囁く声になった。

「明日俺は官軍の使者を斬る。そのとき、そばにいてくれ。俺が使いを斬ったら、脇目もふらず俺を斬ってくれ」

小一郎は息を飲んだ。

「それでいいのだ、神保」

「しかし、そんなことをしてわが藩はどうなる？」

「否応なしに官軍と手を切らざるを得ない。あとがどうなるかは、俺の知らんことだが、組の生き残りとしては、そうするしか手がない」

「時勢が変わって、官軍の世の中になるかも知れないということは考えないのか。お前がしたことのために、藩が亡ぶということもないことではあるまい」

「その時は狂人の仕業とでも言いくるめればよかろう。だが、本当のことを言えばな、藩祖泰賢公は、亡ぶも徳川とともに亡ぶと言い遺された。俺は遺訓に従うだけだ」

総督府からの使者が着いたのは、翌日の八ツ（午後二時）過ぎだった。空は隙間ない薄雲に覆われ、季節はずれの肌寒い感じさえする日だった。

四十過ぎの使いの武士と、三人の供侍が馬をおりるのを見ると、遠江守光辰が床几から立ち上がった。介添えするように、首席家老の石黒権十郎がその脇に寄り添ったとき、異変が起きた。

城門前に、左右に列を作っていた家臣の中から、ついと前に出た若い武士が、列の中にゆっくり歩み入ってきた使者の一行に、いきなり斬りかかったのである。

若い武士は、よほど胆の坐った、しかも剣の遣い手とみえて、先頭を歩いてきた四十過ぎの使者は、一太刀に肩先を斬り下げられ、抜き合わせるひまもなく前に倒れた。

一瞬の沈黙があった。そして次の瞬間、わッという叫びが、見ている人々の間から挙がった。

小一郎は走り寄っていた。刀を抜く前に僅かにためらいがあった。

「たのむ」

兵馬が刀を構えたまま、凄惨な声で言った。小一郎が斬りつけた刀を、兵馬は一度受けとめたが、その刃をはずして、体を開くと思い切って斜めに斬り下げた剣の下に、兵馬は身を投げ出すように入ってきて倒れた。

わっと駈け寄ってきた家臣の間で、小一郎は叫んだ。

「八木沢兵馬が乱心したぞ。兵馬が気が狂った」

叫びながら、小一郎は眼の裏が熱くなるのを感じた。叔母も哀れだが、兵馬も哀れだという考えに胸を衝かれたのである。

遠江守光辰を囲んで立った石黒権十郎、長井庄左衛門らの重臣は、総督府から来た使者の供侍が、死骸を見捨てて馬でいっさんに逃げ去るのを凝然と見送っていた。

五月三日仙台で調印された奥羽列藩同盟に、粟野藩は首席家老石黒権十郎を送り、正式に加盟した。

（「別冊小説新潮」昭和五十年冬季号）

冤罪

一

いつものように、坂の上に出て下を見降ろした堀源次郎は、拍子抜けした顔になった。お目当ての娘の姿が見当たらなかった。

坂は、ゆっくりした勾配で、下の雀町の屋並みに消えている。崖下に屋根を連ねているこのあたりの屋敷は、家中の中でも十石止まりの小禄の家が集まっていて、町端れの足軽町の長屋と、規模において大差はない。ただ足軽長屋と違って、庭だけはゆったりしていて、そこに畑を作っている家が多かった。

その娘も、坂を下りるとすぐ右手の家の庭で、よく菜畑に出ていた。父親らしい男と二人で鍬を使っているのを見たこともある。母親や弟妹の姿を見たことがないのは、父親と二人暮らしだろうか、と源次郎は想像を逞しくする。娘一人なら、いずれ婿を迎えるわけだ、と考えはやはりそこまで行ってしまう。どんな奴が婿に来るだろう、とは考えない。自分がそうなり、畑のだだっ広さにくらべて構えの古びたその家に納まって、娘と一緒に鍬をふるっている姿を想像する。源次郎も家にいて、時々畑仕事にかり出されている。

源次郎の頭の中に、そういう想像が跋扈するのは、二十一にもなって、手許不如意のまま、これまでついぞ女遊びをしたこともないということもあるが、じつはもっと差し迫った理由がある。

源次郎は、両親はとうに死んで、兄に養なわれている。兄の三郎右衛門は今年四十二の厄年、嫂(あによめ)の徳江が三十七で、源次郎からみると、親のような年配(としまわ)りだが、だからといって、いつまでものうのうと飯を喰わせてもらっているわけにはいかない。堀家は貧しい上に、兄夫婦には十六の竜江を頭に、五人も子供がいる。兄たちは何も言わず、子供たちも「叔父さま」などと慕ってくれるものの、近頃源次郎は、何となく下の方から尻を押し上げられている居心地悪さを感じる。

時どき次兄の作之助がうらやましくなる。作之助は、自分でさっさと婿入り口を見つけ、しかもどうわたりをつけたものか、百五十石で御徒(おかち)目付を勤める角田家という歴(れっき)とした役付きの家に縁づいて、もう六年ぐらいたつ。近頃は貧乏な実家などに寄りつきもしない。

源次郎も心掛けてはいる。藩中で目立つには、学問所で頭角を現わすか、市中の道場に通って剣の腕を磨くかするしかない。源次郎は、子曰(のたまわ)クには早々に見切りをつけ、性に合った道場通いをせっせと続けている。昨年秋の八幡神社の奉納試合では、獅子奮迅(ししふんじん)の働きで三位を占めたが、それでどこかから婿の口でもかかるかと期待したが、何の音沙汰もなかった。

この焦りがあるから、散歩の途中見つけた坂下の家の娘にも、決して無関心ではいられない。勿論(もちろん)それだけが理由ではなく、源次郎の関心を惹(ひ)くだけの、魅力を娘は具(そな)えている。いくら婿入りが希望だといっても、相手が人三化七のような面相では、源次郎も考えこまざるを得ないが、その娘は十人並み以上の容貌で、やや小柄ながら要所要所の膨らみが眩(まぶ)しく、釣り合いがとれた身体(からだ)つきをしていた。

菜園を耕したり、洗い物を干したり、よく働くせいか、顔は小麦色に日焼けしていたが、少し尻上がり気味の眉の下の黒眸(くろめ)が大きく、きりっと緊(しま)った口をしているのが、美少年をみるような印象を与えた。年は姪(めい)の竜江よりひとつ二つ上に見えた。

一度源次郎は、道に迷ったふりをして、方角を訊(たず)ねたことがある。娘は恐らく父親と二人暮らしで、若い男と話すことなどないのだろう。緊張した表情で道を教えたが、ちらとのぞいた歯の白さが記憶に残った。

散歩のたびに、源次郎は娘の家の横を通るようになった。もっといえば、娘を見たいために、朝の散歩の道順を変えたのである。雀町は、堀家が住む鎧(よろい)町からは遠く方角違いである。坂下の家は、ある日偶然に見つけたのであった。

娘とは、時どき顔を合わせた。近頃は、源次郎が頭を下げるのに、娘も無言で挨拶を返すようになっていた。もっとも娘は、そういうとき慌てたようにすぐ家の中に隠れる。娘のそういう人馴れない様子も、源次郎を惹きつけている。

つまり、うまくいっていたのである。そのうち娘の名を訊き出したいものだ、と源次郎は思っていた。

その娘の姿が、こんなによく晴れた日に外に見えないことに、源次郎は少し気落ちしていた。大概時刻を測ってきているので、今日も姿を見られるだろうと、胸を躍らせながらきたのである。

源次郎はゆっくり坂を降りた。屋敷の隅に、高く枝を張った李の樹があって、白い小さな花が枝を覆っている。家の前の菜園には、よく手入れされた菜畑があって、菜の葉が溜めている朝露に、日の光が弾けているのが見えた。

家の前まできたとき、源次郎はその家に異変があったことを感じた。門というほどのものはなく、生垣の間に押せば開く板戸がはさまっているだけだったが、その戸は、斜め十文字に、材木で釘づけされている。押したがびくとも動かなかった。

源次郎は生垣の上から家の方をのぞいた。玄関も縁側の雨戸もことごとく閉まっている。そして驚いたことに玄関の戸も雨戸も、門扉と同様に外から材木で押さえられていた。荒々しい何かの力が、外からこの家に加えられたように見えた。人の気配はまったくなかった。

――この二日の間に、何かがあったのだ。

と源次郎は茫然と思った。

昨日と、一昨日と、二日続いて雨が降った。大雨ではなく、時どきやんでその間に静寂がひろがるような降り様だった。四月の雨は不快ではない。雨をうけてしきりに萌え出、あるいは伸びて行く木の芽、草の葉の気配が清すがしく感じられ、土はほどよく湿める。

この二日源次郎は、午過ぎになってから矢部町の一刀流指南柄沢道場に行っただけで、あとは家の中にごろごろして過ごした。その間に、この家に何か異変があったのだと思われた。父娘がちょっと出かけたというのでは勿論なく、また旅に出たのとも違う感じがした。

青菜はよく伸び、李の花は枝が撓むばかりに咲いていたが、それがかえって父娘の不在を物語っているようだった。

失望とも疑惑ともつかない、落ちつかない気分を抱いて、源次郎は早々に鎧町の家に戻った。戻ると、庭先の井戸端で、嫂が洗濯をしていた。高二十七石で、その上財政に詰まっている藩に十石も貸している薄給の家では、女中を置くなどということは思いもよらない。掃除、洗濯から食事の支度まで、すべて嫂の徳江がきりきり働いて済ます。子供たちが着るものも丹念に継ぎをあて、喰べものも、庭の隅に作った畑で夏の間の青物などはほとんど間に合わせる。畑は嫂を手伝って、源次郎も鍬を使う。坂下の家の娘に親近感を抱くのは、そういう似たような薄給暮らしも手伝っているようである。

「おや、お帰り」

と徳江は洗い物の手を休めないで言った。洗いものはもう二竿干してあって、徳江のそばには、まだ山のような汚れものが積んである。みると干してあるものの中には、源次郎の寝巻やら肌着やらが混っている。源次郎は何となく申しわけないような気分になってくる。

「よく倦きずに散歩すること」

徳江は屈託なく言った。徳江は、丈夫なたちで、これまで病気で寝込んだなどというのを見たことがない。寝込むのはお産をするときぐらいである。体格もよく、並より少し小柄に入る夫の三郎右衛門と並ぶと、ほとんど遜色ない身体をしている。貧しい堀家にはうってつけの嫁だったといえる。

源次郎がもの心ついた頃には、徳江はもう堀家の人間だったのだが、子供の頃源次郎は徳江を美しい人だと思った。体ももっとほっそりしていたように記憶している。長い世帯の苦労の間に、徳江は頑丈な身体つきになり、顔も小皺がふえた。

井戸から水を汲んでやりながら、源次郎は言った。

「散歩も身体を鍛えるためですよ。いずれ婿になる身。婿は身体が元手ですからな」

「それはそうね」

徳江は言ったが、不意に水に濡れて赤くなった手を口にあてて笑った。源次郎は、畑に出て鍬を使っていた、坂下の家の娘のことを考えながら言ったのだが、徳江は何か誤解したようだった。そういえば婿には、鍬を使うだけでなく、入った先の家系を残すという仕事がある。女も四十近くなると、ろくなことを考えない。

「嫂上」

源次郎は聞いた。

「坂下の雀町のあたりをご存じか」

「雀町？」

徳江は手を休めたが、すぐに首を振った。

「あのあたりは行ったこともありませんよ」

「………」

「どうしました」

徳江は洗濯に戻りながら、揶揄するように言った。

「雀町に、婿にきてくれという家でもありましたか」

二

その日の中に、意外なことが解った。

坂下の家の主、つまりあの娘の父親は相良彦兵衛という名前で、藩金を横領したことが露見して城中で切腹させられたのだ、という。

「藩金横領というと、勘定方にでも勤めていたのかな」

源次郎は驚いて言った。勘定方なら、兄の三郎右衛門が勤めている。灯台もと暗しであった。

「そう。勘定方で十五石を頂いていた」

源次郎にその話をした道場仲間の重藤年弥が言った。重藤は、源次郎と似たりよったりの下級藩士の家の次男である。とくに昵懇という仲でもないが、稽古が終って、道場で五、六人が雑談しているときに、源次郎が坂下の家のことを話し、誰かくわしいことを知らんかと言ったのに、重藤が答えたのである。

重藤はひとつ下の二十だが、妙に世情に通じたところがあって、大人びた話し方をした。

「あそこに娘がいただろう」

と重藤は言った。

「ああ、二、三度見かけたな」

と源次郎は言ったが、何となく胸騒ぎがした。

「明乃という名前でな。なかなか別嬪だった。じつは白状するとな」

重藤は頭を掻いた。

「表町で買い物をしているところを見かけて、あの家まで跟けて行ったことがある。あわよくば婿に入りこもうと思ってな」

みんなどっと笑った。いずれも部屋住みの身分で、そういう話には切実な関心がある。重藤の気持ちも難なく理解できるのである。

「しかし調べてみると十五石だ。五石を藩に貸してあるとすると十石の身代だ。そこで俺は諦めたよ」

またみんなが笑った。源次郎も一緒に笑ったが、油断ならないものだと思った。散歩の途中、眼を見かわして黙礼するなどという生まぬるいやり方では、遅れを取りかねない。

「その娘のことだが……」

と源次郎は思い切って言った。多少重藤に煽られた気味がある。

「その後どこへ行ったか知らんか」

「おや」

重藤がからかうような眼になった。

「貴公もあの娘に眼をつけていたのか」

「いや、そういうわけではないが……」

源次郎は少し赤くなった。性分で重藤のようにはあけすけに話せない。それに娘と黙礼をかわしたいばっかりに、雨の日、風の日をのぞいて半年もあのあたりをうろついたとはとても言えたものでない。

「何となく哀れな話だからな」

「俺も娘のその後までは知らん。いまのところ、別の方角に眼をつけているのでな」

道場を出ると、源次郎はやがて別れて雀町の方に向かった。

花見川の川岸に出て、そこから八幡神社がある小さな丘にのぼり、丘を横断して雀町に降りるのが近道である。

坂の上に立つと、明乃という名前だという娘の家が見えた。丘の上から斜めに射し込む日が古びた家と、菜畑の青さが目立つ庭を照らしているが、汚辱の屋敷はひっそりしている。重藤の話によれば、相良の家は、即日改易になったという。あの優しい雨が降った二日の間に、屋敷の当主は切腹を命じられ、娘はどこかに行ってしまったのである。

源次郎は坂を下って、相良の家の前に立った。今朝見たときのままだった。入口はすべて固く鎖(とざ)され、菜畑だけが青々としているのが異様な感じを与えた。ここまで来る間に、ひょっとしたら屋敷に娘が戻っているかも知れないという気がしたのは、はかない妄想(もうそう)に過ぎなかったようである。

――だが、なぜ金など横領したのだ？

と源次郎は思った。

横領した藩金というのが、どれほどの額なのかは重藤年弥も知らなかった。だがたとえ僅かな金にしろ、公金を横領するというのは、この家にも、また時々見かけた相良という男にもそぐわない気がした。そして明乃というあの娘にはもっともそぐわない気がする。

相良彦兵衛が、娘を相手に菜畑の手入れをしていたのを時々見た。源次郎は、そういうときは娘と眼を見かわすどころでなく、怱々に家の前を通り過ぎたから、十分に記憶しているわけではないが、娘に似げないいかつい風貌の親爺だと思った印象が残っている。髭面で、眉尻が上がったところが娘に似ていたようだ。年は兄の三郎右衛門より二つ三つ上のように見えた。

母親らしい人の姿を見かけたことがなく、子供も他にいないようだったから、恐らく父娘二人の暮らしだったのだろう。貧しいとはいえ、父娘二人だけの暮らしに、藩の金を使い込むほどの金が要るものだろうか。

短い草が生えているが、それはこの家を悲劇が襲って去った後のものだろう。庭はきちんと片づいて、生垣も手入れされており、清潔な構えの屋敷だった。主が公金を使い込むような家ではない、という気がした。

——兄に確かめる必要がある。

と源次郎は思った。

荒々しく材木で釘づけされた家をみると、その家が何か不当な迫害を受けているような異和感があった。

夜の食事が終って、やがて子供たちが寝るために寝部屋に引っ込むと、堀家の茶の間は漸く静かになった。いつもなら源次郎も自分の部屋に引きあげる時刻だったが、その夜は茶の間に残った。

「何か用か」

と三郎右衛門が言った。三郎右衛門は城中の仕事の残りらしい帳簿を取り出して開きかけたが、源次郎が動かないのに気づいたようだった。

嫂の徳江は台所に立っている。

「実は少々訊ねたいことがあります」

源次郎は相良の家のことを話した。道場で噂を聞き、勘定方に勤める人間だと訊いて驚いた、と言った。三郎右衛門は、帳簿に眼を落としたまま黙って聞いている。

三郎右衛門は昔から無口な男で、二十で家督を継いでから、小心翼々とただ律儀に二十年余、城と家の間を往復してきた人間である。こんなに無口で、よく五人も子供をつくれたものだと、源次郎は感心することがある。

「相良殿が藩金を使い込んだというのは、事実ですか」

と源次郎は訊いた。

「事実だ」

三郎右衛門はぼつりと答えたが、それだけではさすがに答えにならないと思ったらしく、

「帳簿を改竄したのが露われたのだ」

と付け加えた。

「いつのことですか」

「三日だ」

果して、それは雨が降った二日前のことであった。

——しかし、それにしても処分が早過ぎる。

と源次郎は思った。

「それで腹切らされたわけですか」

「いや、明らかになると、その場で自分で腹を切った」

「相良殿は、娘御と二人だけのように見えましたが」

「そう」

「娘御が、それでどうなったか知りませんか、兄上」

「知らん」

「………」

「相良とは、別につき合いはなかったのでな」

三郎右衛門は言い訳するように言った。

「じつは、妙なことでそれがし相良殿と面識がございました」

源次郎は嘘を言った。だが三郎右衛門は無表情に帳簿に眼を落としているだけだった。

「見たところ、そのような悪事を働くような人間には見えませんでしたが、勘定方の評判は、日頃どのようなことでございました?」

「別に」

三郎右衛門はぽつんと言った。

「変わったこともなかったがの。今度のことはみんな驚いた」

初めて三郎右衛門は顔を挙げて、じっと源次郎を見た。

「源次郎」

「はあ」

「相良殿のことは、お上から処分が下ったことだ。妙なことを聞いて回らん方がいいぞ」

「わかりました」

源次郎は答えたが、本当にそう思ったわけではなかった。相良一家と藩金横領という罪がしっくりしない感じは依然として残っている。兄に訊ねて、何かが解ったという気はしなかった。かえって疑惑が濃くなった感じがした。相良は普通の勤めぶりだったという。

「使い込んだ金は、いかほどでした？」

「ざっと五百両だった」

「五百両？」

源次郎は驚いた。

――相良はその金をどうしたのだろうか。

「で、その金は見つかりましたか」

「いや、相良殿の屋敷では見つからなかったそうだ」

「すると使ったものですかな？」

源次郎はひとり言のように言った。

「何に使ったと、兄上は思われますか」

「さあ、わからんな。見当もつかん」

「女がいたのかも知れませんな」

源次郎は言ってみた。しかし相良のあの風貌からして、それは一番当たっていない見方のように思われた。疑惑がさらに深まるのを、源次郎は感じた。

——そして、明乃はどこに行ったのだろうか。

三

禅念寺の和尚に会ったのは、十日ほど経ってからだった。芳西という六十近い僧はすぐに会ってくれた。

「いかにも、相良家は檀家でございますから、当寺で葬いました」

と芳西は言った。

同役の兄に訊いて、あの程度のことしか解らないとなると、相良彦兵衛のことも明乃の消息も、これ以上誰に訊ねようもないと源次郎は一度は諦めかけたのである。相良家は藩中に親戚もなく、遠い縁続きのものが他藩にいるだけだった。だが重藤のように、明乃のことを思い切って、別の方角をあたるというようなことは出来そうもなかった。いなくなってみて、初めて源次郎は明乃が自分の胸の奥深くまで入り込んでいたのに気づいたようだった。

また雀町に出かけて、相良の北隣りの家を訪ねてみた。何か手掛りはないかと考えたのだが、予想したように、その家では藩の科人である相良家に係わり合うのを恐れるように、初めのうち何も話したがらなかった。

ただ三日の夜、相良の家が騒がしい感じで、人が出入りしているのが解った。不審に思っていると翌朝、僧一人と寺男らしい人間が二人、荷車を引いてやってきて、明らかに人を包んだと思われる菰包みを運び出し、車に乗せて去った。明乃が一緒だった。

雨の中を去って行く車を、隣家の妻女は、台所の格子窓から見送ったのである。昼過ぎになると、人足を四、五人伴った武士が現われて、またたく間に相良家の出入口を釘づけして去った。相良彦兵衛が、罪を得て城中で切腹させられた、ということは、その夜、城から下がってきた夫に聞いたのであった。

「娘御がどこに行かれたか、などということは、すると解りませんな」

源次郎は念のために聞いた。

「存じません。あの朝家を出るところを見ただけですから」

と妻女は固い口調で言った。源次郎の眼に、父親の骸を運ぶ車と一緒に、雨の中を去って行く明乃の姿が浮かんだ。突然訪れた不幸を、あの娘はどのような気持ちで迎えたのだろうか、と思った。

妻女の眼が源次郎を見つめている。どこか怯えたいろを含んでいる眼だった。

「あなたさまは、お調べの係のお方ですか」

源次郎のかなりしつこい問い訊し様から、妻女は藩の大目付配下か、町奉行所の者かと思っている様子だった。

「これは失礼」

源次郎は姓名を名乗った。自分は、相良家の娘との間に縁談があったもので、話がこれからという矢先に、相良家は断絶、娘は行方知れずという有様で、当惑していると言った。

「まあ、それはお気の毒に」

妻女の眼にたちまち同情が浮かんだ。妻女は見たところ嫂の徳江と似た年恰好だった。この年頃の女が、この種の話題を嫌いでないことを、源次郎は嫂をみて知っている。何家の何某と誰それが恋仲だが親が許さないそうだとか、何家の誰は、あれだけの器量を持ちながら、嫁ぎ先の家風に合わず、半年で不縁になって戻ったとかいうたぐいの話である。中でも彼女たちは悲劇を好む。

誰某がいい家に嫁いでしあわせだそうだ、などと噂が伝わると、「お家にいらした時分は、口のききようも知らない無作法な娘でしたのにね」などとアラを言い立てるくせに、なにがしの娘が、子を生むと間もなく、若い身空で死んだなどという話には、惜しみなく紅涙を絞るのである。

「あの……」

嫂の徳江なども、どこからかそういう噂を仕込んできては、あの忙がしい暮らしのさ中に、源次郎や娘の竜江をつかまえてはそんな話を聞かせ、しまいには自分で話したことに自分で感動して涙ぐんだりする始末である。

その家の妻女は、まして嫂のように忙がしそうには見えなかった。怯えた表情などはとっくに消えて、まのあたりに見る悲劇の主人公を、傷ましげな眼で見つめ、

「お気の毒なこと。お気持ちはお察し申します」

と言った。図に乗って源次郎も調子を合わせた。

「話がまとまれば、明乃どのはわが妻になる筈でござった。行方が知れないからと申して、このまま打ち捨てておくことは参らんといった気持ちです」

「あなた、あなた」

妻女はいたたまれないように言った。

「よいことがございます。ちょっとお待ちなさいまし。ここを動かないで、いて下さい」

妻女は源次郎を三和土（たたき）に残して、慌しく下駄をつっかけて外に出て行った。間もなく妻女は下駄の音をひびかせて帰ってきたが、玄関を入ると勝ち誇ったように声を張った。

「お寺さまが解りましたよ」

相良家の菩提所は、城下から半里ほど西にある清水村の禅念寺で、遺骸はそこで引き取った筈だと言った。近所で確かめてきたらしかった。

「禅念寺さんに聞けば、明乃さまの行方もきっと知れますよ」

源次郎は礼を言った。どこかの墓地に相良彦兵衛を葬ったはずだと思い、このあたりで何の手掛りも摑めなければ、三十幾つもある城下の寺院を片っ端からあたってみるしかないと思っていたのである。

それがこんなに早く知れたのは幸運だった。まして相良家の寺が、郊外の村にあるとは考えていなかったのである。

「いえ、あなた」

妻女は、いまはすっかり好意の籠った眼で源次郎をみながら言った。

「早く探して上げて下さいまし。明乃さまもあなたさまがいらっしゃるのを、きっと待っておいでですよ」

薬が利きすぎたかと、源次郎は少々気がひけたが、気持ちから言えば、まるっきり嘘を言ったわけではないと思った。奇妙なことに、妻女にそう励まされたとき、源次郎は、明乃がどこかで自分を待っているに違いないような気がしたのであった。

だが、禅念寺の和尚は、雀町の妻女のようにはいかなかった。

「なぜ、そのようなことを訊ねられる?」

源次郎が明乃の行方を聞いたのに対して、芳西はそう問い返した。芳西は微笑していたが、その眼は意図を探るように、じっと源次郎の顔に注がれている。娘との間に縁談があった、などという法螺ばなしを、ここでも持ち出すわけにはいかなかった。

源次郎は正直に言った。散歩の途中、いつも親娘を見かけ、きちんとした暮らしぶりをみている。

親娘の印象から言って相良彦兵衛が、藩の公金を横領したという話は信じかねる。顔見知りの娘も、哀れに思うので、その話を確かめる手掛りを得たくて、ここまで来たと言った。

「それだけですかな」

と芳西が言った。芳西の表情に、揶揄するようないろがある。いやな爺さんだ、と源次郎は思った。

「その娘御に、心惹かれていなさったようですな」

「いや、そこまでは」

源次郎は赤くなって抗弁した。

「きれいな人ではござったが、そこまではっきりした気持ちはござらん。何しろ先方は何も知らん話で」

芳西は笑ったが、残念ながら娘の行方は知らないと言った。

「遺骸を運んで経を読んでさし上げた。相良さまは時どき寺に見えて、わたしとも碁を打ったりする仲でしてな。科人とは言え、自裁なさった人を粗末には扱えません。丁寧に葬ってさし上げた」

「それで明乃どのは？」

「一晩寺に泊めてさし上げた。気持ちが落ちつくまで、ここにいなされと言ったが、次の日出て行かれたな。行くあてがあると申された」

源次郎は芳西から眼をそらして、窓の外を見た。庫裡(くり)のその窓から、庭と遠い三門がみえる。庭には植え込んだつつじの花が盛りで、夥(おびただ)しい赤い花が日に映えている。その花の間を斜めに、白い道が横切り、道は三門を潜って外の田園に消えている。

その道を、罪名を着て死んだ父の子として、明乃は去って行ったのだと思った。哀れだったが、それよりも明乃が不当に不幸な目にあわされたような気が強くした。

「御坊はどう思われますか」

源次郎は不意に、きっと芳西を振り向いて言った。

「相良殿は、よくここに見えられたというお話ですが、そのような悪事を働くような人に思われましたか」

「とんでもないことです」

芳西は、眼を瞬(また)いてゆっくり言った。

「わたしが相良さまから、日頃感じていた印象は、まったく逆ですな。あの方ほど、悪事に縁遠い人はない。そういうお人柄にお見うけした」

「公金を横領して、女に使うなどということは、すると考えられませんな」

「そんなお方ではありません」

芳西はきっぱり否定した。

「横領という事が事実なら、魔がさしたとしか考えられません。だがそれも不思議な話でしてな。何に使う金が欲しかったか、さっぱり見当もつきません。娘御にも訊ねてみたが、全く心当たりがないと申しておりました」

「それがしが不審を持ったのも、そのあたりでござる」

「あなたさまばかりでありませんぞ。市川さまも、そう言っておられた」

「市川と申すと？」

源次郎は眼を光らせた。

「やはりご家中で、相良さまと同じく勘定方に勤めておられる方でな。かの方もこの寺の檀家でござって、お見えになる」

「市川はどう言いました？」

「納得できかねると申しておられましたな」

市川という男の見方は、同じ勘定方に勤めながら、兄の三郎右衛門とは異っているようだった。

「ここだけの話にして頂きたいが……」

芳西は不意に声を落とした。

「相良さまは、上役の方と仲悪しゅうござったようですな」

「ほう」

源次郎は、胸の中で何かがことりと音がしたように感じた。

「わたしも相良さまから一、二度聞いたことがありますが、市川さまもそれを申されました」

「上役というのは誰ですか」

「黒瀬さまというそうですな。御勘定組頭を勤めるお方だそうです」

一刻ほどいて、源次郎は礼を言って立ち上がった。これから会うべき二人の人間の名前が胸に畳みこまれている。初めに市川六之丞という兄の同僚に会うべきだろうと思った。

「明乃どのは、どこへ行ったと思われますか」

「さあて」

芳西は首をかしげた。

「あの娘御は、どこへ行くとも申されなかったのでな」

「隣国に縁辺の者がいるという話ですが、そちらに行ったとは考えられませんか」

芳西は、無言で首をひねっただけだった。

四

「どう考えても、くさいのだ」

と市川は言った。

「なにかあるという気がしてならん」

市川は細い身体をし、喉仏が異様なほど飛び出して、鳥のような風貌をしている。しかし源次郎を部屋に通してから、話を聞き終るまで、にこりともしないで源次郎を見つめていた。三十過ぎで、気性の激しい男のようだった。

「なにかあると申しますと？」

「何があったかは解らん。だが裏がある気がするのだ」

「しかし」

と源次郎は言った。

「市川殿も始終を見ておられたわけでしょう」

「それがしは見ておらん」

市川は驚くべきことを言った。

「見ておられない？　しかし兄は、みんながいたと申しましたが」

「いや、それがしはあの日、三日だったな？　あの日は風邪をひき込んでいて、下城の太鼓が鳴ると早々に帰ってきたのだ。加納と仙崎が一緒だった。事件はその後で起こった」

「市川殿がおられたうちは、そういう話はまだ出ていなかったわけですか」

「さよう。だから、後に組頭と相良、貴公の兄三郎右衛門殿、ほかに野瀬一馬、早川惣助など九人が残っていた。そこで帳簿云々（うんぬん）の話が出たというわけだな」

「兄はそう申しておりました」

「三郎右衛門殿は律儀なお人だ。嘘言を構えるような人柄ではない。野瀬にしろ、早川にしろ、あるいは泉田徳蔵にしろ、何かを隠しておるとは思えん」

「それでも納得しかねる？」

「貴公、相良殿に会ったことがあるか」

「顔を合わせたことはありますが、話したことはありません」

「顔を知っているだけで十分だ。あれが藩金を使い込む顔に見えるかな？　しかも五百両という大金だ」

「思いません」

「相良が五百両を懐にして、盗人かなにかのように城から持ち出したなどということが考えられるか、馬鹿な！」

「………」

「俺に言わせれば、勘定方に勤めていて、もしも不正を働きそうな人間がいるとすれば、組頭をおいて外にない」

　市川は激しい口調で言ったが、さすがに言い過ぎたと思ったらしく、はっとした顔になって口を噤んだ。

　源次郎がその言葉に喰い下がろうとしたとき、襖が開いて、市川の妻女が茶を運んで入ってきた。

「いつも堀さまにはお世話になっております」

　妻女は丁寧に挨拶をした。痩せて干し魚のように筋張っている市川にくらべて、妻女はまるまると肥って、お茶をさし出した指なども赤ん坊のようにくびれている。

「奥さまはお変わりございませんか」

と妻女は嫂のことを言った。その顔をみて、源次郎は、この妻女が風呂敷包みなどを持って、時候の挨拶にきていたことを思い出した。あの頃、市川は家督を継いで間もなく、勘定方では古参株の兄に挨拶に来たのだろうと思った。妻女と源次郎が話している間、市川六之丞はむっつりと腕を組んでいる。市川はこの家の婿なのかも知れない、と源次郎は思った。

妻女が去ると、源次郎は早速言った。

「組頭が不正を働いた形跡でもあると、そうおっしゃるのですか？」

「いや、そうは言っておらん」

市川は、さっきの勢いに似げないひるんだような口調で言った。

「勘定方にいて算盤(そろばん)をはじいているような人間は、大概善人が多くてな。金を費い込むなどということは考えられん。ただ組頭は、勘定方とは言え、少々毛色が違うと言っただけだ。あの人は暮らしの派手な方だ」

「相良殿は……」

ふと閃(ひらめ)いた大胆な考えを、源次郎は口にした。

「組頭の不正を見つけてそれを責め、城中で斬られた、とは考えられませんか」

「そんなことは、俺は知らん。俺に解っているのは、相良彦兵衛は悪事を働くような人間ではないということと……」

不意に顔を真赤にして市川は言った。

「組頭が無能かつ横暴なために、みんな頭を痛めておるということだけだ。相良もそのことに腹を立てていた。そうなのだ。あの人は無能な、ただの遊び人に過ぎん」

頭を下げて源次郎は立ち上がった。

市川の屋敷を出ると、源次郎は立ち止まって思案した。日は城下町の西に連なる波切山の、なだらかな丘陵に落ちかかっている。だが清水村は僅か半里弱の道のりである。

――もう一度、禅念寺の和尚に会って来よう。

決心すると、源次郎は足早やに歩き出した。黒瀬隼人という組頭に対する疑惑が、頭の中に膨れ上がっている。

さっき市川六之丞に、思いつきのように言った言葉は、考え直してみるとあり得ることのように思われてくる。その方が、相良彦兵衛という、気難しげな髭面の明乃の父が公金を横領したと考えるよりは、よほど自然に腑に落ちてくる。そういうことがあって、兄たちその場に居合わせた者たちは、黒瀬に恫されてあのように口裏を合わせているのではないか。

しかしそれを兄に問いつめても、期待したような返事を得るのは無理だ、と源次郎は思った。五人の子供に、弟の源次郎まで養うために、兄は二十年余、雨の日も風の日も城に通い続けてきた。その間二十七石の家禄は、米一俵もふえることがなかったが、その禄を守るために、小心翼々と勤めて今日まで来たのである。仮りに黒瀬に恫されたら、ひとたまりもなく同意したろうし、源次郎が問いつめても恐らく貝のように口を鎖すだけだろう。

もしまた、源次郎の問いに、追いつめられた兄が無器用に嘘をつかねばならないとしたら、そんな兄の姿は見たくないとも思った。芳西和尚は、昨日の今日また現われた源次郎をみて驚いたようだったが、上がれと言った。

「いや、もう遅うござるゆえ、今日はこのまま立ち帰ります」

ただ少々聞き匡したいことがあってきた、と源次郎は言った。芳西は黙って源次郎の顔をみている。

「昨日、御坊は相良殿の口から、上役つまり黒瀬殿と仲が悪いということを聞いたと申されましたな」

「さよう」

「そのとき相良殿が話されたことを、お聞きしたい」

「…………」

「黒瀬殿について、いろいろと話があったと思うのだが……」

「何しろ古い話で……」

芳西は首を傾げた。

「そういう話が出たのは、今年の正月の話じゃから」

「憶えておることだけで、結構でござる」

「人物を言っておられましたな。仕事の中身を知らぬくせに威張るとか、苦労知らずの二代目で遊びが過ぎるとか。黒瀬さまという方は、中老の黒瀬忠左衛門さまの御曹子だそうですな」

ほう、と源次郎は思った。黒瀬忠左衛門は、顔は見たこともないが、名前は知っている。藩政を担当している実力者だった。

「そうそう」

芳西は額に上げていた手をおろして、早口に言った。

「一度帳簿を調べる、と申されたことがありました」

「それは？」

源次郎は不意に身体が引きしまるのを感じた。

「やはり正月のことでござるか」

「いやいや、それは近い話で、この春の彼岸の墓参に来たときの話でございましたな」

「そのことで、もっと何か言っておられなかったか」

「いえ、それだけの話でした。何のことかと私も訊ねたのですが、黙って笑っておられましたな」

お邪魔したと、源次郎は詫びを言った。黒瀬に対する疑惑が、さらに膨れ上がるのを感じていた。帳簿を調べたのは、黒瀬ではなく、相良彦兵衛の方なのだ。恐らく何か不審なものを感じて、相良は帳簿を調べ、それが改竄されているのを発見したのだ。そして口論になって殺された。

兄たちはそれを見過ごし、黒瀬の言のままに死者に罪を転じることに同意した。市川六之丞がその場にいたら、そうは運ばなかったかも知れない。この推測は、ほとんど間違いないと思われた。

「御坊」

源次郎は言った。

「何か相良殿が書かれたものが、この寺にござるまいか」

「さて」

芳西は言ったが、じっと源次郎をみた。

「それを何とされます？」

「それが、相良殿の汚名を雪ぐ手がかりになるかも知れません」

芳西はうなずいて引っ込んだが、やがて相良彦兵衛が芳西あてに書いた手紙を持ってきて渡した。いかにも相良の手蹟らしい、几帳面な字だった。

礼を言って、源次郎は足を返したが、思いついて相良家の墓はどこかと聞いた。

「お参りして下さるなら、ご案内させますかな」

芳西はそう言ったが、源次郎はそれを断って墓地にのぼった。墓地は禅念寺の本堂の右手にあって、そこはゆるやかな勾配になっている。合歓の木や、白い花をつけたぎしゃの木を混えた小楢の雑木林に囲まれて、墓地はひっそりと日暮れの光の中に傾いていた。日は波切山の陰に落ちたようだったが、空にはまだ日射しが残り、墓地の中は墓を探すのにとまどうほど暗くはない。

教えられた位置に、源次郎は相良家の墓を見つけた。だがその墓で、源次郎は新しい卒塔婆のほかに、供えられた一束のあやめと線香を見た。

源次郎は凝然と線香と花を見つめた。線香はまだくすぶっていて、薄い煙が地を這っている。

誰かが相良家の墓を訪れ、立ち去ったのである。しかもそれはそんなに前のことではない。

明乃かも知れない、という気がした。源次郎は身をひるがえすと、走るように墓地を下りた。

三門まで来ると、田圃(たんぼ)の途中まで、真直ぐに通した道が見えた。だが白い砂利を敷きつめた道に、人影は見えなかった。

五

中老黒瀬忠左衛門の屋敷は広大で、座敷に通されるまで、三度も廊下を曲がった。ひとりになると、障子の外に水の音がした。来るときは暗くて見えなかったが、庭があってそこに滝が落ちている気配だった。

「やあ、お待たせした」

声がして、若い男が入ってきた。まだ三十前に見える優男だった。皮膚のうすいのっぺりした顔だが、美男子である。唇の薄いのが眼についた。

「貴公、三郎右衛門の弟だそうだが、俺は貴公のことを知っているぞ」

黒瀬隼人はざっくばらんな高声で言った。

「秋の奉納試合で三番だったたな。あの最後の試合は惜しかった。俺も日枝町の鳴海弥一郎の道場に通ったから、多少は見える。あの試合はほとんど互角だったぞ」

「今夜は、そういう話をしに来たわけではありません」

と源次郎は言った。

「解っておる、解っておる。兄貴のことで、何か願いごとでもあって来たのでないか。しかし禄をふやせなどということは、今は無理だの。知ってのとおり、藩はいま金がなくて火の車だ。親爺たちが一所懸命のようだが、土台少ない金をうまく回そうと思っても、なかなか思うように行く筈がないわ」

多弁な男だった。薄い唇がよく動き、その間に細い眼に、ちらちらと光が走って、油断ならない人柄を感じさせる。

「その少ない藩金を、五百両も齧(かじ)った相良彦兵衛のことで、少々おうかがいしたいことがあって参りました」

「相良だと？」

黒瀬はぴたりとお喋(しゃべ)りをやめ、露骨に不快そうな顔をした。

「あの男のことは聞きたくないな。配下の者から、とんだ不心得者が出て迷惑しておる。俺も父上にきつく叱られた」

「まげてお聞き頂きたく存じます」

「ふん」

黒瀬は薄い唇を曲げた。

「申せ」

「藩中に、相良彦兵衛が藩金を横領したというのは、納得しかねるという声があります。ご存じでございますか」

黒瀬は細い眼を一層細めて、じっと源次郎を見つめたが無言だった。

「横領した科人は別にいて、相良は逆にそれを咎めて城中で斬られたのではあるまいか、という推測がされているようです」

「誰がそのようなことを言った？」

「誰ということは申し上げられません」

「三郎右衛門が申したのではあるまいな」

「いや、兄は相良殿が腹切るのに立ち会ったと申しておりました」

「その通りだ。確かな証人が何人もいる」

「だがもし、相良を斬った人間が上役で、皆が口止めされたと考えれば、話は別になります」

「その上役が俺だというわけか」

黒瀬は嘲るように笑った。

「妙な作り話がはやる」

「作り話でしょうか」

源次郎は黒瀬の笑いに応じないで、強い視線をあてた。ここに来るまでの間、源次郎は茶屋が軒をならべる紅梅町を歩き、黒瀬のことを訊いてきている。黒瀬は派手に遊んでいて、金使いは去年の秋頃から、急に荒くなっていた。この調べに三日かかっている。

「昨年の秋から、紅梅町でだいぶ派手に遊ばれたようですな」

黒瀬の顔に、初めて狼狽したような色が浮かんだ。

「茶屋の名前も申しましょうか。江戸屋、橘屋、月の家。馴染みの芸妓の名も申し上げますか」

「やめろ」

黒瀬が甲走った声を挙げた。

「そんなことが何の役に立つ。俺は黒瀬の後継ぎだぞ。そのぐらいの遊びは、自分の金で出来るわ」

「では四月三日。相良の切腹騒ぎの後、ぴたりと遊びが止んだのは、どういうわけですか」

「………」

「ここに、こういうものがあります」

源次郎は懐から相良が芳西和尚に当てた手紙をとり出した。勿論中身だけである。

「これは相良彦兵衛が、さるところに出した手紙で。相良の手蹟がよく出ています。相良は帳簿を改竄して、金をくすねたそうですが、この手蹟と相良が書き直したという帳簿を照らし合わせれば、藩金横領の科人が誰か、一目瞭然でしょう」

勿論恫しである。実際には御勘定吟味方改役に帳簿を仔細に点検してもらえば解ることだが、源次郎には、そういう手続きを踏む手蔓がない。

「これを、吟味方に提出して、帳簿を調べてもらうつもりでいます」

黒瀬は青い顔になっていた。低い、押さえた声で言った。

「何のために、貴公がそんなことをやる」

「相良彦兵衛とは、いささか面識のある間柄でござる。冤罪を蒙ったままでは、相良が墓の下で辛かろうと存じたまでです」

源次郎は一礼して立ち上がった。行燈の脇に坐ったまま、黒瀬が源次郎を見上げた。表情が醜くゆがんでいる。

「余計なことをして、兄貴の身がどうなっても知らんぞ」

「その前に、藩金横領でこなた様が腹切ることになりましょうな」

冷ややかに言って源次郎は背を向けた。

——十分過ぎるほどの手応えだ。

と仄暗い道をゆっくり歩きながら源次郎は思った。藩金を横領したのは、黒瀬に間違いないと思われた。だがその確かな証拠はまだない。相良の手紙など、正式に吟味方に提出したところで、忽ち途中で握り潰されてしまうだろう。帳簿の照合などというところまで行く筈がないと解っている。本人を自白させて、いきなり大目付の役宅まで引きずって行く。それしか手がないと源次郎は思っていた。今日は相手を恫して、動きを引き出すために行ったのである。

後ろで微かな足音がした。意外に早く、敵は網にかかってきたようだった。

薄曇りの空のまま夜になったが、雲の裏に月がのぼっているらしく、物の影はぼんやり見分けがつく。そこは上士屋敷をはずれたところで、二間幅ほどの川に架かっている橋の手前だった。川向こうは町家である。

川音が聞こえてきた。そう思ったとき、背後からも足音が迫って、風を斬る太刀音がした。左に大きく飛んで躱すと、源次郎はすぐに抜き合わせた。

加勢を連れてくるかと思ったら、人影は黒瀬一人だった。

黒瀬は無言で斬り込んできた。鳴海道場で修業したと言っただけのことはあって、骨法にはまった太刀の使い方だったが、源次郎は余裕をもってそれを躱した。

「相良の手紙を奪いに来たか」

と言った。が、黒瀬はそれに答えるゆとりを失なっているようだった。短かい呪咀の言葉を吐き、荒い呼吸を吐きながら、休まず斬りかけてくる。

上段から斬り込んできた刀を、柄元で受けとめると、源次郎は容赦なく押した。黒瀬は踏張り、刀をふりほどこうとしたが、源次郎の刀は相手の刀に絡みついたように離れない。黒瀬は押され、川っぷちまで押し込まれた。相手が必死の力で押し返してきたのを、源次郎は不意に力を抜き、同時に足を絡めた。

勢いよく上体を伸ばしたまま、黒瀬は地面に腹這って落ちた。黒瀬の手から刀が飛んだのを、源次郎はすばやく足で蹴って言った。

「さ、大目付の針谷殿の屋敷まで行こう。今夜あったことを全部話すことだな。勿論藩金を横領して、相良に罪を着せたこともな」

「そんなことをすると、後悔するぞ源次郎」

黒瀬が言った。黒瀬はふてくされたように、地面に胡坐をかいている。

「後悔？」

「そうだ。いかにも俺は公金に手をつけた。だが俺が相良を斬ったというのは、貴様の思い違いだ」

「…………」

源次郎は声を吞んだ。悪い予感が身体を走り抜けた。

「相良は、あのときいたみんなに殺されたのだ。嘘だと思ったら三郎右衛門に訊いてみろ」

「話せ。おい、くわしく話せ」

源次郎は黒瀬の鼻先に、刀を突きつけた。

「嘘を混じえたら承知せんぞ」

「金を使ったのは俺だと言っている。嘘など言うか」

その日、相良は改竄した帳簿を突きつけて、激しく黒瀬を面罵した。吟味方改役に帳簿を提出すると言った。先に刀を抜いたのは黒瀬である。相良も剛直な男である。すぐに抜き合わせた。すでに総立ちになっていた部屋の中の者が、それをみてわっと飛びついて相良を押さえた。その時折重なってみんなが倒れた。みんなはすぐに起き上がったが、相良だけ起き上がらず、身体を海老のように曲げて、苦悶の声を挙げた。みると、脇腹を自分が持っていた刀で刺し貫いている。

「これが真相だ。あとは言うまでもなかろう。みんなわが身がかわいい。相良が腹切ったことにしたのだ」

「ついでに罪を相良にかぶせて、みんなの口を封じたか。汚い奴だ」

「汚いのは、なにも俺だけでない。大目付に訴えてみろ。貴様の兄も、ほかの連中もただでは済まんぞ。それでもやるか」

黒瀬のいうとおりだった。過失で相良を死なせたという言い分を、大目付は容易に信じることはしないだろう。源次郎は刀を鞘におさめた。

「立てよ、おい」

黒瀬は、刀を拾ってのっそり立ち上がった。

「行ってよい」

後ずさりに歩き出した黒瀬の腕に、源次郎は腰をひねると鋭い峰打ちを浴びせた。吼えるような苦痛の声を挙げて、黒瀬の身体が横転した。

「腕が折れただけだ。そんなものはすぐ直る。だが死んだ者は帰らんぞ」

源次郎は歩き出した。死んだ者も帰らないし、どこへともなく去った明乃も帰らない、と思った。虚しいものを追いかけてきた思いが、胸を満たしてきた。

六

三郎右衛門が出かけるところだった。

狭い式台に膝まずいて、嫂が刀を渡す。三郎右衛門は刀を受け取って腰に差しながら、

「今夜は少し遅くなる」

と言った。

「何かございますか」

「組頭が怪我をされてな」

「おや」

徳江はびっくりしたように、夫を見上げた。

「どうなさったのでございましょうね」

「転んで腕を折ったそうだ。昨日から出ては来られたが、仕事にならん」

「さようでございますか。それでお仕事がふえて」

「さよう。当分の間、組頭の分まで儂がみるように言いつけられた」

組頭代理だと言いたかったらしかった。それを言いたくて、三郎右衛門は珍しく長ながと喋ったようであった。

「それはそれは」

二十年近くも連れ添った夫婦で、そのあたりの亭主の気持ちは、すぐに嫂に伝わるようであった。弾んだ口調で言った。

「ごくろうさまでござりますなあ」

喋り終って、またむっつりと背を向ける三郎右衛門に、嫂の徳江は、

「行っておいでなされませ」

と、やはり弾んだ声をかけた。

組頭の代理といったところで、一俵の扶持もふえるわけではあるまいに、と源次郎は馬鹿らしくなる。だが兄夫婦にとっては、そういうささやかなことも、日頃の三郎右衛門の仕事ぶりが上の方から認められた、という喜びになるものらしかった。

三郎右衛門の姿は、格子戸をはめた門までの短かい道を、少し背をまるめて歩いて行き、すぐ道に出た。道に出たとき、明るい日射しが三郎右衛門の全身を包むのが見えた。

——ああして、兄はこれからも城に通い続けるのだ。

と源次郎は思った。妻子を養うためには、同僚を過失で死なせたことにも、死んだ同僚が冤罪を着て家を潰されたことにも、眼をつぶり、口を噤み、ひたすら事なかれと通い続けるのである。そういう兄を、非難出来ないのを、源次郎は感じる。兄の生き方は、どこかもの哀しいが、源次郎の非難など受けつけない強靱(きょうじん)なものを秘めているようにも思われた。まるめた背が、源次郎が七ツの時に死んだ亡父に似てきた、と思う。その背に、兄は小禄ながら五代にわたって続く堀家の、ずっしりとした重味を背負って、城と屋敷の間を往復している。

「おや、ご飯は?」

夫を見送って立ち上がった嫂が、そこに立っている源次郎をみて言った。

「もう頂きました」

「あら、大変」

嫂は大げさに言った。

「あなたに、おいしい漬物を出して上げようと思っていましたのに」

嫂の徳江はいつも源次郎の喰い物に気を使っている。喰いたい盛りの十八、九の頃、源次郎が喰べ過ぎて、その後兄夫婦が食を詰めていたのを見たことがある。そんなことがあったせいか、徳江は源次郎を根っからの大食漢だと思い込んでいて、近頃はやや食が減った源次郎にいまも時どき、若い人はたっぷり喰べなきゃだめ、などという。

兄の今朝の言葉によれば、黒瀬は三郎右衛門に対して陰湿な報復に出るということはしないらしい。兄夫婦のことを考えると、源次郎はやはりほっとする。

「出かけてきます」

と、源次郎は言った。

「道場ですか」

「いえ、今日はちょっと足をのばして、村の方を歩いてきます」

「婿入りにそなえて鍛えるのも大変なことね」

徳江は前に源次郎が言ったことをおぼえていて、そう言いながら笑った。

「村方に行くのなら、茄子(なす)の苗を買ってきてもらおうかしら」

「心得ました」

徳江に渡された金を握って、源次郎は外に出た。

城下を出ると、代掻(しろか)きが済んで苗を植えるばかりになっている田圃が、一ぱいに水を張ってひろがっている。燕(つばめ)がその上を飛び交って、田に動く虫を拾っていた。

田がとぎれ、ゆるい丘になった。このあたりはもう清水村で、道の左右にはきれいに手入れされた畑が続いている。丘をひとつ越えると禅念寺がある清水村の聚落がある。丘は左手にゆっくり起伏を刻んで、やがてはっきりした波切山の丘陵を形づくるのである。日が丘の傾斜の木々の葉に弾けていた。

——さて、何といったものか。

とりあえず相良彦兵衛の墓にお参りしようと思って、出かけてきたのである。だが墓に向かって言うべき言葉がない、と思ったのであった。依然として、相良は汚名を着たまま、土の下に眠っている。

——力およばず……。

源次郎は日に照らされながら、口の中で呟いた。

ふと左手の四、五間先にある灌木の陰のあたりで、物音がしたように思った。源次郎は立ち止まった。そこは畑地がとぎれて、柔らかい草の上に、灌木の葉が茂っている。木には藤の蔓がからまり、小ぶりな藤の花が咲いているのが見えた。

——これは、どうも。

源次郎は赤い顔になった。藤の花の下あたりに、白い臀が見えたのである。村の女が小用を足しているところのようだった。立ち止まった位置の加減で、木陰に隠れているつもりの臀が丸見えである。

源次郎が立ち竦んでいるのに、女は気づかないらしく、手早く身仕舞いをなおすと、鍬を肩にかけて、道に降りてきた。道に降りてもやはり源次郎には気づかないらしく、そのまま軽い足どりで清水村の方角に歩き出した。

だが源次郎は仰天していた。うつむいて道に降りてきた女は、相良の娘明乃である。

——臀からさきに見つかるとは思わなんだ。

源次郎は茫然としたが、すぐに猛然と後を追った。

「明乃どの」

女は驚いたように振り向いて立ち止まった。その眼に、初め不審そうないろが浮かんだが、すぐに源次郎の顔を思い出したらしく、赤い顔になってうつむいた。

源次郎は胸を弾ませて、その前に立ったが動悸が激し過ぎて声が出なかった。紺木綿の野良着に、真新しい手甲をつけて、百姓の娘のように見えるが、立っているのは、あれほど探した明乃に間違いなかった。手甲を結んである紐が赤いのが可憐だった。

「いい日和でござるな」

漸く源次郎は言った。

「はい」

ちらりと明乃は源次郎の顔を見たが、またすぐに俯いた。澄んだ声が源次郎の胸に浸み込んだ。

何から話したらよいか、源次郎は迷っている。言いたいことは胸に溢れているが、この可憐でおびえやすい兎のような娘を驚かせてはならなかった。下手なことを口走ったら、明乃はたちまち源次郎に背を向けて走り去るだろうという気がした。

「事情はうかがっている。お父上がお気の毒でござった」

と源次郎は言った。明乃の表情が、少し固くなったように見えた。この娘に、父親の罪は冤罪だと言ってやれたらどんなにいいだろうと思い、源次郎は初めて兄夫婦を呪った。兄たちに対する気遣いがなければ、黒瀬隼人を引きずってきて、この娘の前に膝まずかせることも出来る。

「心配していたのだ。そなたの行方を」

漸く源次郎は、少し本音を言った。しかし明乃はうつむいたままで、まだ固い表情をしている。きっと引きむすんだ口が、が、やはり少年のようにみえる。

「そなた、いそぐか」

明乃は眼を挙げると、黙って首を振った。

「少し訊ねたいことがあるのだ。その辺に腰をおろすところはないかな」

明乃が咎めるような眼をしたので、源次郎は慌てた。

「そうそう、申し遅れた。それがしは堀源次郎。お父上と同役の堀三郎右衛門の舎弟でござる」

明乃は警戒を解いたようだった。丘を僅かに下ったところにある小川の岸に、源次郎を導いた。

「ここらがよかろう」

源次郎は草の上に腰をおろした。明乃も少し離れて坐った。川水が澄んで音もなく流れている。そこは崖下で榛の木の樹陰になっている。川水に映る日の光が眼にまぶしいばかりで、静かだった。

「散歩の途中に、そなたに会うのが楽しみだった」

源次郎は率直に言った。野はひろがり、日はうららかである。どこやらかすかに下肥の香が漂う気配があるものの、恋を語るにふさわしい風景ではないか、と源次郎の心情は甚だ詩的に傾いている。

「突然にああいう事情になり、そなたが姿を消したので、甚だ気落ちした」

「………」

「禅念寺に墓地がござるな。和尚にそなたの消息を訊ねに参ったこともある」

突然明乃が顔を挙げた。そのままひたむきな眼で源次郎を見つめている。源次郎はその眼に重々しくうなずいてみせて続けた。

「さよう。出来得れば、そなたを宿の妻にと考えておった」

宿など、ありはしないのだ。源次郎はどこか入りこむに手頃な家はないかと、始終あたりに眼を配っている婿志望で、明乃も家も追われて、百姓娘のようなもんぺ姿である。だがここは修辞として、こう言わなければならないところだった。この修辞に、明乃は心を動かされたようである。

うつむくと、小さい声で言った。

「少しも存じませんでした」

「そなたを見つけて、天にも登る気持ちでござる」

「でも、私は科人の娘です」

「気にされるな、そのようなことは」

源次郎は手を振った。

「それがしには、そなたが無事だったことだけで十分だ」

「私のことを……」

明乃は源次郎をじっと見つめた。その眼にうっすらと涙が浮かんだ。

「そのようにお気にかけて下さる方がいるとは、夢にも思いませんでした」

「………」

「でも、もう遅いのです」

「遅い？　なぜだ」

このときになって初めて、源次郎は明乃が何で百姓娘のような恰好をしているのか、まだ聞いていないことに気付いた。

「そなたはいま、一体どこにおられる」

「この村におります」

「清水村に？」

「はい。禅念寺の方丈さまのお世話で、さる百姓家に厄介になっております」

あの和尚めが、と源次郎は心の中で舌打ちした。

芳西にうまくだまされていたようである。

芳西の世話で、清水村の銀左衛門という、村で長人役を勤める家に、厄介になった。銀左衛門は裕福な百姓で、好きなだけいていいと言った。そのうち町方に嫁に世話しようとも言った。

しかし明乃は少しずつ百姓仕事を手伝うことにした。だまって喰べているのは気の毒だったし、土をいじる仕事には少し自信もあったからである。明乃の働きぶりをみて、銀左衛門夫婦は驚嘆した。夫婦から、養子にならないかと言われたのが十日ほど前で、明乃は承知した。

銀左衛門夫婦は、一人息子が病死したあと、雇人と手伝いの人間だけで、田畑を始末してきたが、いずれ他家から養子を貰うつもりでいたのである。明乃の人柄と働きぶりをみて、まず養子にし、婿を迎える腹を決めたのであった。

「そういうわけで、私は婿をもらう身です」

「婿！」

源次郎は眼を瞠る。まさしく棚からぼた餅が落ちてきたのを、源次郎は感じた。次兄の作之助の百五十石とは大層な違いだが、武家暮らしがどのようなものであるかは、今度の明乃の父親の事件でつぶさに見てきている。田畑を相手に、明乃と二人で鍬をふるうのは悪くないと思った。それに長人の家の婿となれば、肥たごをかつぐこともあるまい。

源次郎は身を乗り出した。

「その婿、それがしがなろう。どんなものだろうか、明乃どの」

「まあ」

明乃はたしなめるような眼で源次郎をみた。

「百姓仕事はきつうございますよ」

「なに、それがしも家で嫂を手伝ってな。日頃畑仕事などをやっておる。鍬の使いようぐらいは心得ている。嫂などそれがしが手伝うと大層喜んでな。今日もそのあたりで茄子の苗を分けてもらって来いと言いつけられた」

「……………」

「それに、そなたと一緒なら、少々の苦労は厭(いと)わん」

「そう言って下さると、私は嬉しゅうございますが……」

明乃は頰をそめて小声で言ったが、源次郎からふと眼をそらすと澄ました顔になって言った。

「でも養い親がどういうか、聞いてみないことには解りません」

その澄ました横顔をみていると、不意にさっき崖の上で見た、明乃の丸く白い臀が思い出されて、源次郎はおかしくなった。

源次郎の笑い声が高くなるのを、明乃は怪訝(けげん)そうに見つめたが、やがて自分も、意味もわからないままに口に掌をあてててつつましく笑い出した。


（「小説現代」昭和五十年六月号）

あとがき

ここに集められている小説は、昨年の夏ごろから今年の夏ごろまで、ほぼ一年の間に書いた武家ものの時代小説である。

この間に、私の生活の上でひとつの変化があった。十四年間勤めた会社をやめたことである。長い間勤め人として暮らしてきたので、やめるには相当の決心が必要だったが、もともと頑健とはいえない身体で、会社勤めと小説書きを兼ねる生活は、そう長くは勤まるまいという予感があったので、そう深刻には悩まないで済んだ。

しかし長年の生活習慣を、一ぺんに変えるということは大変なことで、当座私は茫然と日を過ごしたりした。人はその立場に立ってみないと、なかなか他人のことを理解できないものだが、その当時私は停年になった人の心境が少し理解できた気がしたものである。

われわれの日常は、じつに多くの、また微細な生活習慣から成り立っている。そして生き甲斐などと、ひと口に言えば大変なものも、仔細に眺めれば、こうしたひとつひとつの小さな生活の実感の間に潜んでいる筈のものである。長年の生活習慣を離れて、新しい生活習慣になじむということは、私のような年齢になると、そう簡単なことではない。

多分そういうとまどいのせいだろう。勤めている間は、会社をやめてひまが出来たらあれも読み、これも書きといろいろ考えるところがあった筈なのに、それではその後何か計画的な仕事をしたかとなると、どうも漫然と流されて一年経ってしまったような気がする。しかも会社勤めをやめたらひまが出来るものと信じこんでいたのに、意外にそのひまがない。身体は楽になったが、精神的にはだらだらといそがしい日が続いているといった感じである。

ここに集めた小説は、従ってこうした時期に、ただ興にまかせて書いたというものであって、とくにまとまった傾向を示すものではない。

たとえば「証拠人」という小説は、郷里の古い史料をみていて、高名ノ覚というものにぶつかって得た題材であり、「唆す」は、一昨年の石油ショックで、砂糖がない、チリ紙がないと、一種のパニック状況を示した世相がヒントになったものである。

（昭和五十年十二月）

解　説

武蔵野次郎

時代小説短篇の醍醐味・楽しさというものを満喫させてくれる作品集である。

本書には藤沢周平作品の昭和四十九年（一九七四）、五十年（一九七五）度に初出発表された短篇全九篇が収められている。「あとがき」で著者がみずからのべているように、ここに収録されている諸短篇はいずれも「武家もの」といわれる侍の世界にテーマを採る作品である。

藤沢周平のデビュー作は、昭和四十六年四月、「オール讀物」新人賞を受賞した「溟い海」であった。そして、昭和四十八年一月に初出発表の秀作短篇『暗殺の年輪』を以て、第六十九回〈昭48上〉直木賞を受賞、時代小説作家としての位置を確立している。従って、本書収録の諸作品は、直木賞作家としていよいよ本格的創作活動が始った頃、執筆発表された作品ということであり、初期作品を改めて鑑賞できる興味がある。

そういう興味（藤沢周平のデビューした昭和四十年代の後半という時代に対する）がどこに由来しているかについて一考してみても、又一段と興趣が盛り上ってくる感がある。戦後の時代小説の魅力・面白さというものを再認識させたことに加えて、多数の女性読者をも獲得し、読者層の幅をいっそう広げることに功績のあった巨匠に故山本周五郎があるわけだが、その山本周五郎は、惜しくも昭和四十二年二月にこの世を去っている。戦前からすでに時代物作家として活躍し、戦後には巨匠と称された作家たちが、山本周五郎を始めとして、あい次いで逝去したことは、ファン読者の多数にとっては甚だ残念なことであり、尽きぬ寂しさをも感じさせたことは否めない。ところが世代交替とでもいえるが、四十年後半からデビューした藤沢氏を始めとして、戦後の時代物作家を代表する新人作家連が輩出してきたというような状況には、読者にとっては、まことに欣ぶべきものがあるといってよい。

　そのような視点から考察してみる（つまり戦後を代表する時代物専門作家としての新人の登場という）と、本書の著者藤沢周平が占める位置には、ひじょうに鮮明なものがある。藤沢周平という小説巧者の実力派の作家が、期せずして前記のような、時代物作家の世代交替期にデビューをはたしているということに対する興味である。新人（当時の）作家としての藤沢氏の初期作品集である本書を鑑賞してみてもよく判ることだが、いずれも時代小説の短篇としてよくできており、その巧妙な小説作法には深い感銘を受ける読者もさぞ多いことと思われる。

　現在の新人作家の文壇デビューの一つの方法として、たとえば各中間誌で懸賞募集している新人原稿に入選受賞（藤沢氏の場合は、前記のように「オール讀物」新人賞受賞）したのち、さらに次々に執筆発表の機に恵まれ、それらの新作によって、新人作家の登竜門になっている直木賞をめでたく受賞することによって、作家的地位を確立するという途があるわけだが、藤沢氏の場合もそういうデビューぶりになっている。そのことは後進の新人作家連にとっても大いに励みになることだが、やはり、本書をみても判るように、始めからよほど優れた作家的資質に恵まれていなければ、プロ作家としてのデビューは容易なものではないということをも示唆しているようだ。

そのような感慨を与えられるくらい、ここには見事な時代物短篇が並んでおり、藤沢周平という作家は、デビュー当初より小説巧者な作家であったということに、改めて感服させられるのである。

さて、本書収録の各篇のいずれをとってみても興趣に満ちたものがあり、読者それぞれの好みに従って、いつまでも胸にのこる佳篇として印象にのこるものがあると思われる。主題になっている「武家もの」といわれる小説の面白さは、現代人の端倪すべからざる世界（すなわち、武士階級）と、その中に生きた人間たちが醸し出す人間模様が巧みに描き出されている面白さといってよかろう。藤沢作品の中でこの「武家もの」は一つの大きな創作分野になっているということは、侍とその周辺の男女の姿を描写することに優れているということでもある。

余談ながら、現在一般によく読まれる時代物といえば、歴史小説（今にのこる史料・史実を重視し、それに拠って昔の話を作品化するという形式の小説）と伝奇時代小説（時代背景とか大筋の史実は使っても、作者のフィクションによる物語構成をもつ小説、普通の時代小説もこれに入る）の二つのパターンに分類できる。

藤沢作品では、江戸市井もの（いわゆる世話物）、武家もの、捕物帳、芸道もの（浮世絵師もの）、それに前記の時代物（剣豪ものを含む）、本格歴史小説等々、その創作の幅も広く多彩なものがあることも、実力派にふさわしい見事な才腕ぶりである。

巻頭の「証拠人」では、羽州十四万石の酒井藩における新規召し抱えの侍募集に応じた佐分利七内という浪人を主人公にして展開するヒューマニズム溢れる物語が描かれ、心暖まる佳話になっている。関ヶ原の戦いで挙げた自己の功を証明してもらうため、七内は島田重太夫という侍を尋ねて忍城下端れの村にまでやってくる。しかし、目指す人物の島田はすでに死没しているという悲運に七内は遭うことになるが、キッパリと仕官を断念した七内と島田の未亡人との間に新しい愛が生まれてくるという物語には、読者に快い余韻を与える良さがある。小説というものは人物像が鮮明なイメージをもって描写されなければならないが、本篇の七内や戦国女性のともという男女の人物像描写には秀逸なものがあるといえる。そのイメージが明確に読者に伝わってくる感があるからだ（ラストの二人の結びつきというハッピーエンドにも、皮肉な面白さがある）。

そういうふうに以下の各篇のいずれにも藤沢作品の特長がよく表出されていることによって面白く読むことができるのだが、とくに秀逸な作品（短篇技法、つまり起承転結の妙を備えた完璧な短篇として）に「潮田伝五郎置文」と「臍曲がり新左」の二篇があげられる。前者の潮田伝五郎という若侍の物語の背景に描かれている藩は、海坂藩という東北の一藩であるが、藤沢作品ではこの海坂藩がよく使われている（本巻では、第二話「唆す」も海坂藩の物語である）。小説の舞台として架空の場所であるが、その設定が作者のイメージのままに、みごとにその場所（たとえば、海坂藩城下町の模様など）が、あたかも実在のものと同じようなリアリティを生み出しているという舞台背景描写の手法が、藤沢作品でも巧みに使われ効果を発揮していることに注目したい（ついでにふれておくと、山本周五郎作品においても舞台背景となる場所には架空の城下町が巧みに使われていたことが想起されるが、時代物の場合は、この手法は甚だ効果的と思われる）。

「臍曲がり新左」は、三人の主要人物（主人公の治部新左衛門、その娘の葭江、隣家の若侍犬飼平四郎）が、それぞれに個性味も豊かな人物像として描写されており、新鮮なユーモラスな時代短篇に仕上っている佳篇である。時代小説では平均して悲劇的で暗いムードを漂わす作品が多い（武士道残酷もの的なものがとくに武士の物語には数多い）傾向にあるので、それに対置される本篇のようなユーモア味に富む明快な作品が読者に与える読後感は爽快なものである。そういう意味でも、本篇は忘れられない好印象がのこる秀作短篇といってよい。

〈平四郎は餅菓子に手を伸ばしている。葭江がいそいそと熱い茶をすすめた。

喰い意地まで張っている、と新左衛門は憮然として部屋を出たが、ふと思い出して振り返った。

「佐久は幾つに相なる？」

「ふわ？」

平四郎は頰張っていた餅を、あわてて飲み込もうとしている。かわりに葭江が答えた。〉

（「臍曲がり新左」の三の章）

という三人の間に交わされる会話場面の面白さなど、思わず読者をほほえませる。菓子を口に頰張った平四郎の言葉「ふわ」という形容の巧みさが光っている作者会心の描写による好場面である。

そして、以上全九篇の結びとして表題作の「冤罪」が置かれているわけだが、ここに本巻のテーマである「武家もの」の精神(エスプリ)が集約されているところに我々読者は深い感銘を受けるのである。

時代小説（歴史小説も含めて）の今後が、はたしてどのような様相を呈してくるだろうかという課題にも一考を要する切実なものがあるのだが、その答えの一つとして、本書にも見られるような藤沢作品の時代物のみごとさが提供されていることは欣ばしい。つまり新しい戦後世代の読者層にもアピールする時代物の面白さが、藤沢作品にはあるということができるのではあるまいか。

〈小説を書くということはこういう人間の根底にあるものに問いかけ、人間とはこういうものかと、仮りの答を出す作業であろう。……〉（中央公論社版『周平独言』所収「時代小説の可能性」より）云々(うんぬん)と、'80年代における時代小説とその作者のあり方について著者の考えが明確にのべられている文章をみても、本書所収の全九篇の、そもそもの成り立ちが、ハッキリと理解されるのである。そういう意味でも秀逸な作品集であるし、藤沢周平時代小説ファンにとって見のがせない一巻になっている。

（昭和五十七年八月）

この作品は昭和五十一年一月青樹社より刊行された。

文字づかいについて

新潮文庫の文字表記については、なるべく原文を尊重するという見地に立ち、次のように方針を定めた。

一、口語文の作品は、旧仮名づかいで書かれているものは現代仮名づかいに改める。
二、文語文の作品は旧仮名づかいのままとする。
三、一般には常用漢字表以外の漢字も音訓も使用する。
四、難読と思われる漢字には振仮名をつける。
五、送り仮名はなるべく原文を重んじて、みだりに送らない。
六、極端な宛て字と思われるもの及び代名詞、副詞、接続詞等のうち、仮名にしても原文を損うおそれが少ないと思われるものを仮名に改める。

新潮文庫最新刊

小沢昭一 宮腰太郎著
小沢昭一的こころ（しみじみくすくす）
元気一杯に飛び回るお母ちゃんを横目に青息吐息のお父さん。「女の時代」が生む珍現象をすくいとる名調子、大好評シリーズ第6作。

鴻上尚史著
鴻上夕日堂の逆上
新興宗教が流行ったのはなぜなのか？　フジテレビや吉本興業の成功の秘密は？　笑って納得、「時代のカラクリ」を語るエッセイ集。

日経ビジネス編
続・良い会社
—夢ある会社の条件—
「拡大即成長」のコンセプトだけでは生きて行けない。不況期にこそ試される〝良い会社〟の条件を豊富なケース・スタディで探る。

水村美苗著
続明暗
久々に対面を果たした津田と清子はどうなるのか？　夏目漱石の未完の絶筆『明暗』を漱石の文体そのままに書き継いだ話題の続編！

週刊朝日風俗リサーチ特別局編著
デキゴトロジー vol.11
—ホントだからやめられねえ！の巻—
一人で読む。恋人と読む。友達と回し読みする。どんな読み方でも楽しめます。やめられねえ！こと受け合いの、ホントの話の集大成。

山下洋輔著
ドバラダ門
錯綜する時空、乱入するケンランたるキャスト。自身のルーツ探しをモチーフに、イメージを果てしなく飛翔させた世紀末の狂乱奇著。

新潮文庫最新刊

T・マクミラン
松井みどり訳
ため息つかせて（上・下）
パワフルでシニカルでファニーでタフな四人の魅力的な女たちの友情、恋愛、結婚、仕事などをリアルに描いた全米ベストセラー小説。

J・デイリー
小沢瑞穂訳
恋がたき（上・下）
危険な香りを放つ男チャンスと炎の女フレーム。一目で激しい恋におちた二人だったが、思わぬ障壁から愛は憎しみへと変貌していく。

J・J・サヴァリン
井坂清訳
攻撃ヘリ ヘルハウンド
天才的パイロット、プロスが操るリンクスと、最新鋭の攻撃ヘリ・ヘルハウンドとの決戦のときが迫る！ 迫真の軍事サスペンス。

P・カー
東江一紀訳
砕かれた夜
大戦の足音迫る一九三八年のベルリン。少女連続殺人を追うグンターは、巨大な陰謀に気付いた……。絶賛を浴びたシリーズ第二弾！

D・ゴールドスミス
青木薫訳
宇宙を見つめる人たち
宇宙に魅せられた人たちの業績と夢を辿り、最先端の技術で得た豊富な情報を用いて宇宙の神秘を解き明かす、楽しい宇宙探索ガイド。

B・ケラハー
伏見威蕃訳
メッサーシュミットを撃て
第二次大戦末期、ニューメキシコの田舎町でメッサーシュミットの試験飛行が繰り返されていた。ジェット黎明期の軍事フィクション。

冤罪（えんざい）

新潮文庫　ふ－11－4

昭和五十七年九月二十五日　発行
平成　五　年十月三十日　二十九刷

著者　藤沢周平（ふじさわしゅうへい）

発行者　佐藤亮一

発行所　株式会社新潮社

郵便番号　一六二
東京都新宿区矢来町七一
電話　営業部(〇三)三二六六－五一一一
　　　編集部(〇三)三二六六－五四四〇
振替　東京四－八〇八番

価格はカバーに表示してあります。

乱丁・落丁本は、ご面倒ですが小社読者係宛ご送付ください。送料小社負担にてお取替えいたします。

印刷・大日本印刷株式会社　製本・加藤製本株式会社

ISBN4-10-124704-8 C0193